永遠の都

2

岐路

加賀乙彦

新潮社

永遠の都　2　岐路　目次

第一部　岐路

装画　司　修
装幀　新潮社装幀室

永遠の都　2　岐路

『永遠の都2』主要登場人物（時代は昭和11年）

小暮悠次…生命保険会社員
　初江…悠次の妻、時田利平の長女
　悠太…小暮家の長男、小学一年生
　駿次…次男
　研三…三男
　央子…長女（昭和11年11月に誕生）
時田利平…元海軍軍医、外科医、時田病院院長
　菊江…利平の先妻、昭和11年死去
　いと…利平の後妻、元看護婦
　史郎…時田家の長男、会社員
　夏江…利平と菊江の次女、中林松男医師と結婚
間島キヨ…利平の昔の愛人、元看護婦
　五郎…キヨの息子、大工

脇　礼助…政治家、昭和7年死去
　美津…礼助の妻、小暮悠次の異母姉
　敬助…脇家の長男、陸軍中尉
　百合子…敬助の妻
　晋助…次男、一高生
風間振一郎…政治家
　藤江…振一郎の妻、時田菊江の妹
　松子・梅子…双子の次女と三女
　桜子…四女
永山光蔵…鉱山技師、菊江と藤江の父、昭和11年死去
菊池　透…東京帝国大学法学部学生

他に、外科医の唐山竜斎、大工の岡田、運転手の浜田、末広婦長、久米薬剤師、麻布の歩兵第三聯隊の将兵たち

第一部　岐路

第二章　岐路

1

午前五時五分

黒い皮のような闇《やみ》を曳光弾《えいこうだん》が切り裂いた。機関銃の脚がけたたましく大地を蹴《け》る。「突撃に進め」と抜刀した隊長は先頭を突き進んだ。殺せ、殺せ、敵を殺せ。心臓が爆発しそうだ。肥《ふと》り肉《じし》の老人が現れた。一斉《いっせい》射撃だ。老人の体全体から生血が噴出する。隊長は軍刀で止《とど》めを刺した。殺せ、殺せ、君側の奸《かん》ども。

「あなた、起きて下さいませ」女の声がした。敬助《けいすけ》は、びっしょり汗にまみれて目を覚した。妻の百合子《ゆりこ》の白い顔が闇に頼りなげに漂っていた。おびえきった表情が言う。「誰かが来ています」

脇《わき》敬助は飛び起きた。表の、門の戸を誰かが叩《たた》いている。男が喚《わめ》いている。電灯をつけ柱時計を見た。五時七分だった。耳を澄ますと「島津軍曹《ぐんそう》であります。緊急事態発生でありますす」と聞えた。島津軍曹は中隊付の班長だ。そのどす声はまぎれもない。

敬助は褞袍《どてら》を羽織って玄関の外に出た。地面はすっかり凍《い》てつき下駄《げた》が高鳴った。戸の鍵《かぎ》が凍りついて動かない。

「鍵がうまくあかん。かまわんから垣根《かきね》を乗り越えろ」

島津軍曹は身軽に垣根を越えて入ってきた。

「非常事態であります」と大声で言うのを「待て」と制し、玄関の中に入れた。どこかで転んだらしく雪まみれである。

「本朝未明、週番司令殿が非常呼集をかけて、聯隊《れんたい》の主力が実弾を持って出動いたしました。演習ではなく本物の非常呼集であります」

「本物の、とはどういう意味だ」

「わかりません。しかし、何でも赤色分子を警戒する、国家非常のための出動だということであります。中隊長代理殿にまず報告をと思いましたが、中隊長代理殿の家は吉祥寺《きちじょうじ》で遠く、まず脇中尉《ちゅうい》殿に報告をせいと、越智《おち》少尉殿が言われるので、まいりました」

越智少尉は中隊の週番士官だ。新品少尉で、その少年の面影《おもかげ》を残す顔があわてふためいているのが目に見えるようだ。

「第五中隊はどうだ」

「第五中隊は全員無事であります」

「無事か」敬助は、安堵《あんど》と失望のまざった複雑なつぶやきを洩《も》らした。蹶起《けっき》の内容は大体知っている。しかし蹶起に参加する決心がつかないまま、ずるずると今を迎えてしまった。もし中隊長代理で、三期先輩の小林中尉が参加を決心すれば、あるいは自分も参加していたかも知れぬ。〝無事〟という表現には、取り残されたという失望と悔しさとともに、自分は参加しなかったという安心と後ろめたさが含まれていた。

「一体どのくらいの規模の出動だ」

「まだよくわかりませんが、六中と七中の全員に、その他の中隊の下士官兵が加わって相当の人数だと思われます。満足に残っているのは、二、五、十一中でありますが、二中の下士官は全員一中と行動をともにしました。それに歩一（歩兵第一聯隊）の大部隊も加わった模様であります」

「何時頃《ごろ》出て行った」

「順次出ていきましたが、最後の部隊は四時半頃であります。自分はその直後に営門を出ました」

「よし」敬助は島津軍曹を玄関に待たせたまま、大急ぎで奥へ引っ込み、軍服に着替えた。どういう実戦か見当もつかぬが、ともかく実戦となる予感がする。出陣する武士の心構えで軍刀を吊《つ》り拳銃《けんじゅう》を装着した。百合子は黙って夫の指示に従っていたが、ついに沈黙に押し拉《ひし》がれたように震えて尋ねた。

「何があったんですか」

「聯隊の青年将校たちが軍を率いて蹶起した。大臣どもの暗殺だ。いいか、このことは軍機につき、誰にも喋《しゃべ》るな」

「はい」

「これから何日も帰れんかも知れん」

「はい」と百合子は従順に返事をした。垢抜《あかぬ》けした美貌《びぼう》は、しかし、心細げだ。この二月九日に結婚式をあげ、聯隊内部の将校寄宿舎から、ここ、麻布《あざぶ》北日ヶ窪《きたひくぼ》町の借家に移ってまだ二週間しか経《た》っていない。

「ともかく、お父上に知らせねばならん」敬助は応接間のドアをピタリと閉めると電話機にむかった。新居に電話をつけてくれたのは岳父風間振一郎《かざましんいちろう》である。敬助は革新派の青年将校の動向について昨年の夏の永田事件後、彼が知りうる限りの事実を報告していたが、結婚以来は電話で話すことにしていた。ことに、一週間前の総選挙で当選し政友会の代議士となった振一郎は、詳しい情報を知りたがっていた。早朝にもかかわらず、岳父はすぐ電話口に出た。敬助は自分の名は告げず、ずばりと言った。

「ついにやりました。四時半頃出ていったそうです」

「やったか。どの程度の規模だ」

「三R（歩三）の半分と一R（歩一）の相当数。その他の情況はまだ不明です」

「ありがとう」

「これから外出しますので、連絡は困難になると思いますが、機会を見つけて、また」

それで電話を切った。落合《おちあい》の邸宅で風間振一郎のでっぷり肥《ふと》った体が敏捷《びんしょう》に行動を開始するのを敬助は感じた。

門を出ると星一つない暗夜であった。先おとといの大雪が昨日の晴天で融けたのが、今はすっかり凍りついていて、ともすればすべりやすい。心急《こころせ》くまま坂を大股《おおまた》に登ると、たちまちすべって吹き溜《だま》りの残雪に倒れこんだ。意外に柔かく、深く頭が沈み、島津軍曹にぐいっと引きあげられた。この銃剣術の達人である三十歳の軍曹は、矮軀《わいく》のくせに滅法力が強かった。

急坂を何とか登りつめ、六本木の電車道に出て駆足となった。家々の屋根の雪が、どこか夜明けの気味を漂わす空の下に仄白《ほのじろ》い。歩一の全兵舎の窓が明るかった。衛門の光で腕時計を見ると五時三十五分、まだ起床時刻前であるから異常な光景である。大勢の兵隊たちが門より溢《あふ》れるようにして屯《たむろ》していた。残留の兵たちに非常呼集がかけられたらしい。

歩一から歩三へとむかう桜並木を走った。しばらく前に大部隊が踏み荒したらしく、こね合された雪と泥《どろ》とが足元で跳ねた。突き当りの衛門の手前で歩度を落し、衛兵たちの敬礼を受けた。こちらでも兵隊たちが着剣で営庭に整列している。近付くと、背が高い越智少尉が待ちかねた様子で寄ってきた。

「どうした」

「はい。聯隊の三分の一が蹶起しました。いよいよやりました」

「中隊の様子はどうだ」

「わが五中は全員出ていません。一中では坂井中尉と高橋少尉以下相当数、六中は安藤大尉以下全員、七中も野中大尉以下全員、あと三中の清原少尉や十中の鈴木少尉など、計、数百名が蹶起しました」

「聯隊の三分の一が参加したわけか」

「われわれも後に続くべきだと思います。しかし、どうやら週番司令殿は反対であります」

越智少尉は、赤襷《あかだすき》をかけた矢野大尉を目で差した。矢野大尉は一中の中隊長で、日頃から蹶起反対派として知られていた。部下の坂井中尉らが中隊の下士官兵を、中隊長に断りなく連れ出したのを怒っている様子が不機嫌《ふきげん》な顔付にありありと読めた。

「これから、兵たちをどうするつもりだ」

「わかりません。週番司令殿の命令で非常呼集がかけられましたが……」

「週番司令は安藤大尉殿だったろう」

「はい。ところが安藤大尉殿みずから出撃してしまいました。で、矢野大尉殿が代りを勤めておられます」

「兵たちが可哀相《かわいそう》だな」脇中尉は、白み初めた空のもと、寒風に吹き曝《さら》しで足踏みをし白い息を吹く黒い集団を見た。時々班長に断って厠《かわや》に行く兵がいる。

第三大隊長の野津少佐が現れ、矢野大尉と連れ立って兵舎にむかった。それを追うように将校たちが動きだした。

兵舎は要塞《ようさい》さながらにベトンで固めた三層の建物である。一階中央の聯隊本部に明りが点《とも》り、二、三の将校のあわただしげに動く影があった。

聯隊本部に集ったものの、将校たちは気が立って落ち着きを失なっていた。立ったまま話しこむ、タバコをやけにふかす、後手を組んで歩き回る、泰然を装って坐《すわ》っていながら握り拳《こぶし》を震わしている。そしてつぎつぎに登営してくる。やっと中隊長代理の小林中尉が現れた。

四十期の古参将校だ。脇中尉と越智少尉が近付いて、大体の報告をしようとすると、小林中尉は急いで言った。

「今な、週番司令室へ行って状況を聞いてきた。えらいことになったな。中隊に異常はないか」

「ありません」と越智少尉が答えた。

「よし、こうなったら、下士官、兵が軽挙妄動《もうどう》せんように気をつけんといかん」

「蹶起部隊に続き、われわれも聯隊内部の整理の任務に当りたくあります」長身で剣道三段の越智少尉は、いきりたつサラブレッドのように靴《くつ》で床を打った。彼は六中の安藤大尉と親しく、日頃から昭和維新を口にする男だった。彼や坂井中尉のさそいで脇中尉も龍土軒《りゅうどけん》における相沢《あいざわ》中佐公判報告会に二度ばかり行き、その場での彼の若い血気に逸《はや》った発言を聞いていた。ところで、たしか小林中尉も何回か龍土軒に顔を出しているが……。

「待て」小林中尉は立ちふさがるように言った。「おれは昭和維新の精神には賛成だ。今の日本は腐っておる。君側に元老軍閥《ぐんばつ》が巣くって統帥《とうすい》をみだし実業家と政党は私利私欲でむつみあう。こいつを何とかせんといかん。しかしな、そのために陛下の軍隊を私用にしてはいかん。実はな、おれはきのうの夜自宅に安藤大尉殿より『来い』と伝令を受けた。が、帰宅が深夜であったため、すでに終電のあとで来られなかった。が、もし来られても、彼らの蹶起に参加はせんかったろう」

「おい、きさまら」と天野少佐がそばに来た。興奮が赤黒く顔に出、拳を振りあげて、小林中尉を無視して叫んだ。「若い連中がついに立ったんだ。われわれも立つべきだ。聯隊あげて討奸《とうかん》に蹶起すべきだ。なあ、きさまら若いもんがそんな所で引っ込んどっちゃ駄目《だめ》だ」チョビ髭《ひげ》のある角張った四十面《づら》は、ますます赤黒くなった。二十九期、士官候補生以来歩三の生え抜きの軍人で、常日頃、表裏のない率直な言動で知られていた。越智少尉は、「立ちます。聯隊をあげて蹶起しましょう」と応じた。

「ようし、頑張《がんば》れ」天野少佐はくるりと踵《きびす》を返し、今度は十中の中隊長代理新井中尉にむかって、「若いもんが引っ込んどっちゃ駄目だ」と同じ言葉で発破《はっぱ》をかけ始めた。

午前六時十五分

聯隊長の渋谷大佐が登営した。小柄《こがら》で眼光鋭く、骨組みのがっしりした恰幅《かっぷく》だが、心なしか目はうつろで、いつもより体が重そうだ。大隊長と中隊長を招集して「どうしたらよいのか」と言ったが、一同押し黙っているのみだった。「ともかく、何か意見があれば聞きたい」と言い捨て、本部に隣接する聯隊長室に消えた。

「この寒さであります。兵を一応舎内に戻して待機さすべきだと思いますが」と脇中尉は小林中尉に言った。「そうだな」小林中尉は頷くと週番司令に意見を伝えに行った。

脇中尉は中隊宿舎を見回っておこうと思い立った。

空虚な銃架と乱れた寝台であった。兵たちが大あわてで去ったあとには、汗と腋臭《わきが》とタバコと皮革油の臭い《にお》が漂っていた。寝台や床に白いものが散っている。〝蹶起趣意書〟と題されたガリ版刷の藁半紙《わらばんし》であった。数枚を拾い集めた。誰かがばらまいたものらしい。第五中隊内部にも蹶起部隊と心情の通じあうものがいた証拠である。〝尊皇討奸〟と墨書した紙製の旗が一旒《いちりゅう》みつかった。脇中尉が聯隊本部に戻ったとき、兵を舎内で待機さす命令が出、営庭で号令がかけられていた。

依然としてその場の空気は落ち着きを欠いていた。

まず、蹶起を全く知らず寝耳に水の人たちがいた。二、三の中隊長や大隊長の多く、それに聯隊長がそうだ。とくに昨年の暮も押し詰った二十五日に赴任したばかりの聯隊長は、蹶起した将校たちの名前と顔の照合もあやしいくらいで、聯隊長室と聯隊本部との間を忙しく往復しては誰彼と話し、電話の応接に暇《いとま》なく、文字通り右往左往していた。

つぎに蹶起の可能性を薄々察していて、それに反対の立場をとり、出し抜かれて憤慨している人たちがいた。第一中隊長の矢野大尉や第三中隊長の森田大尉などがそうだ。彼らは事前に事が起りそうな空気を察知し、用心していただけに、不意にそれが起った事実に驚きと失望と怒りとを表明していた。

最後に、蹶起に同情的で、前々から革新派の青年将校たちと付き合い、集会に出たり、情報をもらったりして、彼らに近い考えを持つ人たちがいる。天野少佐や新井中尉や越智少尉がそうだ。彼らは安藤大尉の昭和維新に大体同調してはいたが、兵を使用する襲撃には反対し、一線を画していた。おそらくそのため、けさの蹶起には参加しなかった、あるいは参加させられなかったのだ。

脇中尉自身は、右の三つのどのグループにも属していなかった。ただ、彼は革新派の青年将校たちの動静には強い関心を持ち、彼らのうち安藤大尉や野中大尉と親しかったし、蹶起の内容についてもある程度は承知していた。この二月初めまで住んでいた聯隊内の将校寄宿舎では今回の蹶起将校の最年長者である野中大尉は隣の部屋で、そこに集る青年将校たちの密談も時々は漏れ聞いていた。何を知り何を聞いても彼は意見を求められるまでは黙っていた。天野少佐や越智少尉のように誰彼かまわず声高に昭和維新を口にしたり、龍土軒での相沢公判報告会で勇ましげな発言をしたりはしなかった。おそらくその故《ゆえ》に脇中尉は彼らの思想や行動を理解し、彼らに好意を寄せる者とみられ、彼らはかなりの秘密まで平気で彼に漏らしたのであろう。天野少佐が「そんな所で引っ込んどっちゃ駄目だ」と言ったとき、彼の顔に浮んだ曖昧《あいまい》な微笑は、〝自分は天野少佐などより、蹶起将校たちの思想や気持や動静を余程よく知っている〟という優越の表情でもあった。

同じく午前六時十五分

胃洗滌《いせんじよう》と浣腸《かんちよう》で胃と直腸をすっかり空にして〝清潔な管〟になった時田利平《ときたりへい》は、居間の窓を開け放ち、鼠色《ねずみいろ》に垂れこめた雲のもとに白く扁平《へんぺい》にひろがる町を見回しつつ、精一杯に深呼吸をした。ひんやりとした朝の空気が肺胞を刺戟《しげき》し、酸素を取り込みやすいように口を開かせて爽快《そうかい》である。軒端《のきば》から長い氷柱《つらら》のさがる家々はまだ半ば眠っている。その上を通過する湿った寒風――今日は雪が降りそうだと利平は直感し、寒暖計を見た。零下二度、湿度八五――これは雪だ。

二月ももうすぐ終りだというのに異常に寒い日が続いている。きのうは晴れて富士が望めたが、こういう日は珍しく、大体が曇天か雪である。この前の日曜日の大雪はすごかった。夜明け前から降り始め夕方には尺余三五・五センチとなった。武蔵新田《むさしにった》で謡曲会をやり十人あまり集ったが、雪が風情《ふぜい》を作り面白い会だった。ところが、段々にひどく降るので早々と切りあげ、秋葉いとと夕食を食べ始めたところ停電となり蠟燭《ろうそく》を点した。雪のため車はスリップして動かず、やむなく目蒲線《めかません》に乗ったが、遅れに遅れ三田《みた》に帰院したのが深夜であった。

今日もあんな大雪になると困る。何しろ大安吉日の今日をえらび夕方から学位取得祝賀会を開く予定なのだ。そのため数日前からいろいろと準備をしている。招待状を各方面に出した。下関から氷詰の河豚《ふぐ》を送らせた。むろん客の前で新博士がみずから庖丁《ほうちょう》をにぎり河豚の刺身を作ってみせるためだ。主賓は夏江の媒酌人《ばいしゃくにん》を頼んだ元巡洋艦八雲《やくも》艦長松本少将、博士論文用の研究で世話になった北里研究所の部長、それに今をときめく風間振一郎代議士、慶応医学部教授会に顔が広くていろいろと裏工作をしてくれた唐山《からやま》博士、と多彩だ。

利平はソファに身を沈め、朝刊に目を通し始めた。まず時事新報……出ていた。

還暦の身で輝く医学博士　研鑽《けんさん》五年間

三田の時田利平氏

話題の主は芝区三田《みた》綱町《つなまち》一時田病院長時田利平（六一）氏でその郷里山口県の小学校を卒業後青雲の志を抱いて上京、以前お茶の水に在つた済生学舎に学んで廿三歳の弱冠で医師となり、廿四歳の時海軍々医を拝命、日露戦役の際は軍艦八雲に乗組んで負傷兵の手当に大奮闘、功五級金鵄勲章《きんしくんしやう》を賜はつたが、後病のため軍籍を去り、現在の場所に医院を開業した、以来同氏はレントゲン器の改良に意を注ぎ大正九年時田式レントゲン器を発明、特許を得て同器の製造に着手する一方更に電気吸入器、電気蓄音機、簡便茶漉器《ちやこしき》等を発明したが、昭和六年、結核及び紫外線の研究を思ひたち、北里研究所に入所苦心研究の結果、昨年十二月完成した論文が慶大教授会の審査をパスして還暦の身で見事医学博士の栄冠を獲得したのである、同氏が研究した結核の論文は人体及動物に於《お》ける歯牙《しが》を通過せる結核菌の研究で、未《いま》だ何人にも研究されたことのない特殊のもの、又紫外線の研究については日本各地の海上ビル屋上高山に於て紫外線量を測り、又飛行機に搭乗《たふじよう》して高空測定する等、紫外線の殺菌力を検定し結核の紫外線治療の理論的根拠を示した画期的なものである、なほ氏が先に発表した胃潰瘍《ゐくわいやう》に対する実験報告論文は従来の薬物的治療法に大改良を加へゴム管挿入《さふにふ》による胃洗滌といふ器械的治療法を考察したもので大正二年以来既に研究を重ねること二百五十余例に及んでゐる

利平は「フウム」と満足げにうなった。自分の過去が要領よく要約されている。新聞記者という人種はうまい文章を書くものだ。もっとも一時間におよぶインタヴューで喋《しやべ》ったことが全部載っているわけではない。紫外線研究の成果を踏まえて高山にサナトリウムを作る計画、病院内に新築したサンルーム、救急外科医としての永年の貢献、地元の人たちに感謝されているきめ細かな医療活動などは省略されてしまった。まあ仕方がない。とにかくこの記

事は自分が新聞に出た最初のものなのだ。自分の写真が出ている。軍医少監の大礼服を着て昨年の海軍記念日に撮ったものだ。威厳があって、なかなかよろしい。写真の下に短い説明があった。

六十一歳の老齢を以《もっ》て五年間にわたり、結核及び紫外線に関し苦心研究を重ね、その学績を認められて遂《つひ》に医学博士の学位を獲得した老医師がある！

「フウム」と利平は、今度は不満げに顔をしかめた。〝老齢〟だの〝老医師〟だのという表現が気にくわん。まだそんな齢《とし》ではないつもりだ。髪は黒々として性欲だって強いし、入れ歯など一本もない。こう書いて欲しかった。

六十一歳とは見えぬ若々しい時田院長は、五年間にわたる苦心の研究の結果、一町医者としては破格な医学博士の栄誉をえたが自己の研究成果を臨床に応用し今後も結核治療に邁《まい》進《しん》すると元気一杯に語るのだつた！

利平はともかくも自分の記事を切り抜き、それから新聞をあちこちめくって見た。「十九歳の父親結婚許されず劇薬自殺」「巣鴨《すがも》若妻殺しの犯人と断定送局」「大本教《おほもとけう》に鉄槌《てつつい》けふ特高課長会議」

〔京都電話〕大本教潰滅《くわいめつ》に下される最後の鉄槌解散命令、関係建物破却命令の発動を前にしてその善後対策打合せのため特に地元京都府警察部に召集された全国特高課長会議は二十五日午前九時半から京都府会議事堂で開かれた……

永田事件公判　真崎《まざき》大将出廷し意外の波瀾《はらん》起る　非公開裡《ひこうかいり》に訊問《じんもん》四十七分　突然退廷し帰宅す

相沢三郎中佐にかかる永田中将暗殺事件の第十回公判は二十五日午前十時十分第一師団軍法会議法廷で開廷……真崎大将静々と入廷……僅《わづ》か四十七分の後退廷し世田谷の自宅へ帰つた……同大将の意外に早い退廷に廷外で唯《ただ》ならぬものを感じ警戒中の私服憲兵、師団司令部員等が「真崎閣下は勅許がなければ機密事項の証言は出来ぬといふ建前から早く帰られた」等の情報をもたらして構内を飛び交ひ……

この白髪の大将は好きになれんな、と利平は思った。〝勅許がなければ証言できぬ〟とは随分えらぶった口実ではないか。しかも新聞は一部過激な青年将校に迎合して、卑怯《ひきよう》な（何と言ったって無防備の年長者を、腕力ある剣の達人が、不意を襲って斬《き》り殺すのは、卑怯だ）暗殺者相沢中佐を義士か何かのように報道している。最近陸軍の軍人はますます頭《ず》が高く、傲慢《ごうまん》になってきて、好きになれない。利平は帝国ホテルでおこなわれた脇敬助と風間百合子の結婚式を思い出した。陸軍の将校が大勢出席していた。とくに正月、風間邸の離れで

〃陸軍を誹謗《ひぼう》するのか〃と利平を怒鳴りつけた参謀肩章の大佐がにくたらしく、利平は何度も睨《にら》みつけてやった。何でも参謀本部の何とか課長だそうだが、まだ四十代の若僧だ。やつめが還暦の元海軍軍医の未来の医学博士を怒鳴りつけたのだ。

「いかん」と利平は、大切なことを忘れていたのに気がついて叫んだ。きのうの夕方、下関から届いた虎河豚《とらふぐ》の調理を早くすべきだった。河豚の肉は、刺身にする前にまる一日、乾いた晒《さら》しで巻いて冷蔵しておくと〃身が締り〃、刺身に〃引いて〃も縮まないのだ。鮮度の高い〃生きた肉〃は、刺身に引きにくいし、引いたあとで縮んで、皿に並べたとき見端《みば》がわるくなる。だからきのうのうちに魚肉処理を終えようと思っていたのに、宵《よい》の口に残雪に滑った老婆《ろうば》の腓骨《ひこつ》骨折が入って暇がなくなってしまった。

利平は卓上鐘を振って鶴丸《つるまる》を呼んだ。

「今から河豚の調理をするから、炊事場に用意するように言え」

「今から、でございますか」鶴丸は錨形《いかりがた》の置時計を見た。七時五分前だった。七時からは入院患者の朝食を出すので炊事場は戦場のような騒ぎとなる。さすが利平もそれに気がついた。

「よし。八時からにする。なあに三十分もあれば河豚の十匹やそこら片付けてみせる。賄《まかない》方《かた》全員と手すきの看護婦、もちろん菊江《きくえ》と夏江《なつえ》、それから薬剤師と医者にも、見学するように伝えろ」

「つまり、全職員と全家族ということでございますね。はい、わかりました」利平が何か付け足そうと思っているうちに鶴丸は姿を消していた。

午前八時十分

捩《ねじ》り鉢巻《はちまき》に印半天の時田利平は、自分を中心に輪を作った職員たちに、〝よう見とれ〟と念を押すように頷き、出刃庖丁を魚に擬した。体長四十センチはある、よく肥えた虎河豚である。氷漬《こおりづ》けして急行で運ばせたため、まだ生けるが如《ごと》く、黒い背と白い腹と赤い胸鰭《むなびれ》が艶《つや》やかだ。切先を一閃《いっせん》、顎《あご》の付け根にザックリ突き刺し、頭を切り離した。口先は〝ウグイス〟と言って、空揚《からあ》げで食べればうまい。大切に小皿に別《わ》けた。

返し刀で背鰭、臀鰭《しりびれ》、尾鰭を落し、背の中心に庖丁目を入れると一気に皮をはぎ、白い肉のかたまりとした。見物人が「ホウ」と感心している。〝まだ感心するのは早いぞ〟とばかり、腹部を開いて、内臓を露出させた。新参の若い看護婦が目をそむけたのを、利平は叱《しか》りつけた。

「よう見るんじゃ。これが生き物の内部じゃ、実相じゃ。いいか、これはただの汚らしい物じゃない。ちゃんとした秩序がある。こいつが心臓、脾臓《ひぞう》、肝臓、この緑色が胆嚢《たんのう》、この白いのは鰾《うおのふえ》、つまり浮袋じゃ。あとは胃がある、腸がある、膀胱《ぼうこう》がある、人間となんも変りはせん。違うのはな、ここじゃ。ほら、胃の下に袋がある、こいつが膨脹嚢《ぼうちょうのう》じゃ。ここに水を吸いこんで腹をパンパンにふくらませる。河豚がふくらむのを知っちょるか」

二、三の看護婦が顔を横に振った。山のほうから来た者たちだった。水揚げされた河豚が風船のように丸くふくらむのを、利平は漁師をしていた少年の頃から見慣れていた。あの光景は、それを見たことのない人間には言葉で説明できない。

「知らんのか……まあいい。ところで、河豚の毒は、この肝臓と卵巣にある。こいつを食べたら死ぬぞ。単簡に言えば内臓は食べんほうがいいから、こうして捨てる。ただし雄の白っ子は別じゃ。そっちは無毒で極上の美味ときちょる」

調理した魚身を、刺身用肉、空揚げ用の〝ウグイス〟や管、皮と分類した。皮は上皮と〝トオトウミ〟と呼ばれる下皮とに分けて刺身に彩《いろど》りをそえる用とした。

「刺身用のやつはこうやって晒しで包んでな、夕方まで冷蔵庫で保管する。よし、これで一匹あがり。何か質問はないか」

みんな黙りこくっていた。利平の癇癖《かんぺき》がつのってきた。〝これだけ一所懸命教えたのに、質問の一つもないのか〟……と、夏江が手をあげた。

「河豚の毒は身の部分にはないんですか」

「ない」

「血にはどうですか」

「やはり、ない」

「じゃ、肝臓と卵巣以外は食べられるんですか」

「原則としてな。ただし、腸には少量の毒がある。さ、あとは一気呵成《かせい》にやっつけるぞ」

利平は機嫌《きげん》を直すと、掛け声もろとも、つぎの魚を俎板《まないた》に引き出し、目にも止まらぬ素早さで庖丁を使った。つぎのは雄で、白玉のような白っ子を沢山持っていた。酒の肴《さかな》として利平の大好物で特別の広口瓶《ひろくちびん》に保存した。

院長先生の大熱演を見に人はどんどん集ってきた。当直医や中林副院長の顔もある。菊江《きくえ》が呼んだらしく愛国婦人会の主婦たちも顔を揃《そろ》えて、利平の見事な庖丁さばきと威勢のよい掛け声に見惚《みと》れていた。誰かが「雪だ」と告げた。窓を静かに飾る降雪を背景に、利平の捩り鉢巻は元気一杯に飛び跳ねた。

同じく午前八時十分

「おや、雪が降りだした」と小暮初江《こぐれはつえ》は廊下に出て庭を見渡した。天気予報には「北西の風晴後曇天気悪き方に向う」とあったので、出掛ける悠次《ゆうじ》に傘《かさ》を持つようすすめたのだが、こんな朝っぱらからの雪とは意外だった。

粉雪が風に舞っていた。硝子戸《ガラスど》の隙間《すきま》から刃《やいば》の固さを持った寒気が肌《はだ》に切りつけてきた。こういう雪は積りそうな予感がする。

「雪だ、雪だ」と子供たちがはしゃいでいる。硝子戸を開いて手を差出したのは駿次《しゅんじ》だ。「幼稚園で雪合戦やるんだ」と白い息を弾ませているのは悠太《ゆうた》だった。

庭の垣根《かきね》ごしに新築の二階屋が、北側の残雪に、白い屋根をむけている。壁がすっかり乾いたので引越しは三月一日の日曜日と決った。すぐ隣へ移るだけだが、それでも箪笥《たんす》や戸棚《とだな》や家具を整理せねばならず、家の中は散らかって雑然としていた。しばらく片付物をしているとラジオ体操が始まった。八時五十分だ。風邪をひかぬよう、セーターを二枚悠太に着せ、玄関で雨合羽《あまがっぱ》や長靴《ながぐつ》を用意しているところに電話が鳴った。三田からだろう、今夜の祝賀会の打合せだろうと出てみると、いきなり悠次の上擦《うわず》った声が飛びこんだ。

「今日は危険だから外へ出ないほうがいいぞ。大事件があったらしい。軍隊が機関銃で大臣たちをみな殺しにしたというんだ。途中でな、四谷見附《よつやみつけ》の手前でな、市電が動かなくなって、仕方なく省線で東京駅に出たんだが、どこでも、もう大変な騒ぎだぞ」

「あなた、大丈夫ですか」

「今のところ大丈夫だ。日本橋の会社の近所にはまだ軍隊が来ていない。銀座あたりには戦車か何かが来てるらしいが」

「どういうことなんですか。何があったんですか」

「わからない。何でも五・一五事件のでっかいやつらしい。こうなることはな……」

不意に電話が切れた。交換手を呼び出して故障かどうか聞こうとしたが、いくら呼んでも出てこない。受話器を掛けた。しばらくしてまた取った。交換手は出てこない。電話の回線が切れてしまったらしい。初江は溜息《ためいき》をつき、急に不安になった。

「悠太、今日は恐《こわ》い人が大勢いるから外《おんも》へ行っちゃ駄目《だめ》よ」

〝恐い人〟と聞いただけで悠太は後込《しりご》みし、本当に恐そうに格子戸《こうしど》の隙間から外を見た。

「幼稚園は休みよ。今日はね、家の中で遊びなさい。なみや」と女中を呼んだ。「戸締りを厳重にするんだよ。軍隊が出て機関銃を撃ちまくってるようだから」

初江は門の錠をしっかりと下し、新築の家へ行って全部の鍵《かぎ》をあらためて締めた。軍隊が攻めてきたらその程度のことではどうにもならぬと思いながら、何だかじっとしていられなかった。こういう時は男手が欲しい。男が一人でもいてくれたら心強いのに。晋助《しんすけ》が念頭にのぼった。なみやに晋助を迎えにやろうかしら、と考えて、その考えをあわてて打消した。しばらくして、また考え直した――美津《みつ》を訪ねれば事情がわかるかも知れない、何しろ陸軍軍人の母親だ、何か敬助から情報が流れているかも知れない、そしてついでに晋助にも会える。

「ちょっと脇に行ってくるからね」初江は身支度を始めた。

「奥さま、困りますです」となみやが駆けこんできた。「わたくし一人では恐くて恐くて、とても駄目でございます。それに外は危いでございますです」

「そうね」初江は思い止《とど》まった。受話器を取ってみる。相変らず交換手は応じてこない。あ あどうしよう。せめて晋助の声が聞けたら。いいや、三田に電話を掛けたい。菊江の声が聞きたい。こういう場合どうしたらいいか教えて欲しい。雪は小止《こや》みなく降り続いていた。天の底を削ったように、密な素早い降り方だった。

正午過ぎ

三階の将校集会所では、残留した将校たちの昼食会がおこなわれていた。渋谷聯隊長《れんたいちょう》を中心に、副官、大隊長、中隊長、隊付将校と序列正しい位置に席がとられていた。一種の会議の様相だし、緊急に論ずべき問題は山積していたが、誰もが疲れたように深い沈黙に落ちこんでいた。最初、渋谷聯隊長は、「これから、一体どうしたらよいか」と独り言のように言ったが誰も答えず、そのままだんまりを極《き》めこんでいた。早朝の驚きと興奮とが去って、誰もが行手に立ちはだかる巨大な困難に心ひるむ思いであった。脇中尉《ちゅうい》は、新井中尉と越智少尉の咀嚼《そしゃく》と箸《はし》の音を、両側に生々しく聞きながら食事を摂《と》った。

アルミニウムの通称メンコという食器に盛った飯に豚肉汁がつくだけの簡素な食事は、あっけなく終り、脇中尉は、窓外の雪景色を見るともなく見ていた。青山墓地の裸木は雪に覆《おお》われて一時に花が咲いたようだ。それはきのうとは何という相違であろう。

きのうは晴れて、墓地のむこうに真白な富士がくっきりと浮いていた。日の射《さ》しこむ窓側に第六中隊長の安藤大尉がいて、「随分富士が白いな」と感嘆の声をあげた。彼のまわりには第七中隊長の野中大尉をはじめ、蹶起《けつき》に参加した中少尉が集っていた。しかし、日頃《ひごろ》蹶起反対派として知られる第一中隊長の矢野大尉や、時機尚早論者《しょうそう》の第十中隊長代理の新井中尉や、同情者ではあるが一度も明瞭《めいりょう》な決意を示さない脇中尉などがいるため、彼ら蹶起派は、当り障りのない世間話に終始していた。今から考えると、日頃寡黙《かもく》で知られる野中大尉が、一層押し黙り、口を真一文字に結んで天井を刺すような目付きで睨《にら》みつけていたのと、その反対に、明朗でユーモアに富み、人をそらさない話術の持主である安藤大尉が、ますます陽気で何だか酔ったように話すのが異常ではあった。

野中大尉の七中と安藤大尉の六中と脇中尉の五中とは、三列に分れている兵舎の中央棟に一列に並んでおり、その加減もあってか廊下でよく行き合ったり、将校集会所で一緒になったりした。しかし、野中大尉は陸士三十六期で八期も先輩、安藤大尉は三十八期で六期先輩であり、一期でも先輩ならば、たとえ同年齢同士でもきびしい上下の礼をつくす習いの陸軍であったから、彼らは脇中尉が心安く話しあえる相手ではなかった。彼が革新派の将校たちに接近したのは、むしろ一期先輩の新井中尉や同期の坂井中尉などを通じてであった。

はじめのうちは、いわゆる怪文書をひそかに配布してもらうのが、彼らとのおもな接触であった。

去年の七月、極秘文書として村中孝次の『教育総監更迭《こうてつ》事情要点』が出た。続いて維新同志会同人の名で『軍閥重臣閥の大逆不逞《ふてい》』が配布された。この二つの怪文書はほぼ同じ内容であった。真崎甚三郎大将が教育総監をやめさせられたのは、大元帥《だいげんすい》陛下に直隷《ちょくれい》する親補職を林銑十郎《はやしせんじゅうろう》陸相の独断によって私議したもの、つまり統帥権の干犯《かんぱん》である。林陸相がこの挙に出たのは、高橋是清《これきよ》蔵相を中心に、牧野伸顕《まきのしんけん》内府を始め重臣、政財界巨頭らが集って、南次郎大将や永田鉄山少将らを動かし策謀した結果であると。脇敬助は当初この文書を半信半疑で読む程度の関心しかもっていなかったが、新井中尉や坂井中尉は、それが真実であり、重臣や財閥や軍上層部の横暴に対して何か反撃を加えなくてはならぬと、しきりと説くのであった。

八月十二日、軍務局長永田少将が相沢中佐によって斬殺《ざんさつ》された。坂井中尉ら革新派の青年将校は相沢中佐を昭和維新のさきがけとして崇拝し、脇中尉にむかって「今こそ相沢中佐に続いて立つべきだ」と言った。葉山の別荘で永田事件について風間振一郎と話したとき、一石炭会社の社長にすぎぬ風間が事件の背景や怪文書の内容について詳しいのに驚かされた。敬助自身はまだ相沢中佐についてよく知らず、何を聞かれても曖昧《あいまい》な応答しかできなかった。しかし、おのれが何かをしなくてはならぬ、革新派のいう粛軍運動に参加せねばならぬという気持は強く、そのために身軽であるべきだと考えて、結局は時田夏江との縁組を断ったのである。

敬助は夏江を思い出して胸のうちに甘いときめきと苦い悔恨とが混りあうのを覚え、目を瞑《つぶ》った。夏江の白い項《うなじ》、ほっそりとした肩、着物がよく似合う腰の形が、そのわななく息遣いとともにまざまざと感じられる。つぎの瞬間、妻の百合子の豊満な裸形が見えてきた。

風間振一郎から娘の百合子との結婚を切り出されたのは、秋口、敬助が落合の風間邸の離れで、最近の怪文書をめぐって情報を交換しているときであった。極秘とされ同志のみに回覧されるべき怪文書が参謀本部の幕僚に知られ、そこからさらに風間の手に写しが渡っているのだった。参謀本部といえば革新派の青年将校とは敵対関係にある幕僚の牙城《がじょう》で、敬助は振一郎への警戒と疑問を覚えていたところ、振一郎は全く何気ないように、「百合子をもらって下さらんか。実は百合子があなたに夢中でね。この夏、あなたと夏江とが破談になったあと、是非にと願っているんだが」と言った。

敬助は悩んだ。百合子と一緒になれば、ますます風間振一郎を通じて幕僚との関係が深くなり、革新派の同志を裏切ることになると予想したし、夏江に「百合子さんとは結婚する意思はありません」と明言した手前、彼女をも裏切るわけで、この二重の裏切りに心やましい一方、幕僚と親しみ、将来軍人として出世する引きをえたいという欲もおこった。亡《な》くなった脇礼助の持論は、「日本を動かし革新の実をあげるには政治家として出世し、権力を握らねばならぬ」というので、敬助に対しても、「これからの日本は陸軍が動かす。おれはだからお前を幼年学校に入れたのだ。軍人となったら、かならず出世せよ。そして軍の中枢《ちゅうすう》を掌握する地位に立って日本を革新せよ」と常々諭していた。だから、〝出世〟は敬助にとって、善なる欲望であった。そして、百合子と結婚すれば、陸軍内での立場が有利になると、何度もしつこく説き迫ったのが母の美津だった。そうこうしているうち、百合子から手紙が来た。恋文であった。以前夏江に何通も手紙を書きながら、一通の返事ももらえなかった敬助は、初めての若い女性の文字と文章と香水の香りが、なまめかしく、さらに同封されていた写真（それは海岸で撮った海水着姿だった）に見入っているうち、去年と今年の夏の海、夏江が彼を避けてひっそりと子供らと遊んだりしているのに、百合子は彼と一緒に活潑《かつぱつ》に泳ぎまくり、浜にあがれば陽気なお喋《しやべ》りで彼を喜ばしたのを、懐《なつか》しく思い出してきた。夏江という女が何を考え、何を感じているか、終始、敬助にはよく理解できなかった。話し掛けても言葉少なな応答しかえられず、機会を窺《うかが》って近付こうとするするりと遠くに行ってしまい、初めてゆっくりと二人で話し合えた夜は、ついに別れの会話となってしまった。ところが、夏江と違って百合子は、あからさまに自分の思いを打ち明けて寄り添ってくるのだった。

百合子への思慕の情がつのり、結婚後の有利な身の振り方をますます強く望みながら、夏江への明言や同志（実のところ同志と言えるほど運動に深入りしてはいなかったが）への信義もますます彼に迫ってきた。

もっとも夏江に言った、「百合子さんとは結婚する意思はありません」とは、あの夏の夜の浜辺では真実であっても、今となっては、もう過去の死語に過ぎないとも思う。ただ敬助を苦しめたのは、自分が百合子と結婚しないと誓うように言った直後、夏江が「それならば」というような口調で「御縁がなかったとあきらめる」と言ったことである。やはり、自分の言葉は誓いや約束のたぐいであり、それを破るのは武士の二言で恥ずべき行為だという気がして心が晴れない。夏江をすっきりした形で納得させるためにはどうしたらよいか。

ある日、敬助は決心した——まず、革新派青年将校の言う昭和維新とはどんな内容なのか徹底的に研究してみよう。その上で軍の内部で自分の取るべき態度を定めよう。もし、自分の取るべき態度が風間振一郎の考えと矛盾しないならば、百合子と結婚しよう。こういう経過で結婚した事実を率直に告白すれば夏江も納得してくれ、彼女との約束を反故《ほご》にしたことにはならぬだろう。これは随分と虫がいい解決法なのだが、敬助は、それしか方法がないと自分に言い聞かせ、まずは昭和維新の研究に熱中しはじめ、夏江への後ろめたさを次第に忘れてしまった。

敬助は西大久保《にしおおくぼ》の自宅から龍土町の聯隊内の将校寄宿舎に移り、まず今までに出た怪文書を集めて熟読してみた。永田事件のあとに出た、千葉陸軍青年将校有志らの『陸海軍青年将校ニ檄《げき》ス』や前年末に流布《るふ》し、今年の八月に著者らの免官の原因となった村中孝次大尉と磯《いそ》部《べ》浅一一等主計の『粛軍に関する意見書』も読んでみた。

一度決心すると存外の勉強家となる敬助は、青年将校たちに大きな影響をあたえた北一輝《きたいっき》の諸著作も読んでみた。まず野中大尉から借りた『日本改造法案大綱』、そして『支那《しな》革命外史』や『国体論及び純正社会主義』を読んでみて首を傾《かし》げた。坂井中尉をはじめ青年将校たちは、『改造法案』は口にするが、『外史』や『国体論』はほとんど問題にしない。人によっては、『日本改造法案大綱』すら読んでいない。北一輝について、尊敬をこめて語る彼らが、北一輝という思想家の尻尾《しっぽ》のみを撫《な》でて行動の指針としているのだった。折に触れて打診してみると、北一輝に親炙《しんしゃ》しているのは磯部浅一や村中孝次などの脱官組と安藤大尉や野中大尉のような古参者だけであった。そしてもっと若い、敬助と同年輩の青年将校たちは、北一輝の思想の断片、しばしば聞きかじりの言説を、極端に拡大して信じていた。そして彼らの信ずるところは、北一輝の原著からはるかに遠ざかっていた。

彼らは北一輝に従って、天皇と国民の間に介在する藩屏《はんぺい》を撤去し、天皇を中心とする国家を作らねばならぬとしている。しかし、『日本改造法案大綱』が百年後の日本を、二億五千万人に人口増加した国民を養うべき方法までを問題にしているのに、彼らの考えているのは現在目の前にいて統帥権干犯をした君側の奸《かん》、彼らがいつも十把《ぱ》ひとからげに憎悪《ぞうお》する〝元老重臣軍閥官僚政党〟の除去のみであった。蹶起後の政治に対する具体的方策は、ほとんどなく、革新派の山下奉文《ともゆき》少将や真崎甚三郎《じんざぶろう》大将が、〝何とかよろしくやってくれるだろう〟ぐらいの心許《こころもと》ないものだった。蹶起の目標が高きにあるのに、実際の行動は卑近にすぎた。

『日本改造法案大綱』では、憲法を停止し、天皇大権を発動すべきことを説いているが、同時に、国家の改造には、国民の総代表である天皇を補佐する五十人の〝顧問院〟を設けることをちゃんと規定している。すなわち上御《かみご》一人《いちにん》では何一つおできにならないことを予測している。しかも、私有財産の制限や土地所有の制限をおこない、一種の社会主義体制に移行していくことを見ている。父礼助や幼年学校の教育で、赤化思想への嫌悪《けんお》をたたきこまれていた敬助は、北一輝のこころあたりの、主義者的危険思想についいて行けなかった。しかし、青年将校たちの意気込みだけで内容の空疎《くうそ》な蹶起にくらべれば、北一輝のほうが筋道立ち国家の改造の実現へむけての実効があるとは見えた。

　北一輝の思想に、ついていけなくなった敬助は、北の弟子で師の思想の一部を極端にしていきり立つ青年将校たちへも批判的になってきた。そして、彼らとは異なり、陸軍部内で権力を握ったうえで日本の昭和維新を断行するのが自分の取るべき道だと見定め、十二月半ば、風間百合子と婚約した。心のどこかに夏江を裏切った気持が鉛の重しのように引っかかってはいた。が、婚約した前後から彼は渦巻《うずま》くようなもろもろの出来事に忙殺されてしまった。

まず、敬助が独身生活に終止符を打つ決心をし、青年将校から心離れた、まさしくその時期に、彼らは敬助を同志として迎え入れようと、あれこれ働きかけてきたのである。

　とくに隣室の野中大尉は、脇中尉を昭和維新に関心のある熱心な男と見たらしく、かなり際《きわ》どい内容の事柄《ことがら》も話すようになったし、自室での会合が脇中尉の耳に入るのも平気となった。

　いつ頃、彼らが蹶起の細目を決定したのか、敬助は知らない。ただ今年になって、彼らの動きがにわかに慌《あわただ》しくなった事実には気付いていた。しかし、敬助も結婚の諸準備、とくに新居探しに心を奪われて、彼らの動静にしょっちゅう目を配る余裕がなくなった。美津は新夫婦が西大久保に住むのを望んだが、百合子が姑《しゅうとめ》との同居を嫌《いや》がったのと敬助自身も歩三に近い麻布界隈《かいわい》に住みたかったため、六本木の芋洗坂《いもあらいざか》から下った先の、北日ヶ窪町に小体《こてい》な借家を見付けた。

それに加えて、一月から二月は目のまわるような忙しさであった。一月十日、歩三に初年兵千四百名が入隊し、隊付将校は初年兵教育に追われた。前から内示があったように歩三を含む第一師団は五月上旬に満洲に派遣されるので、それまでに初年兵に対する実戦教育を終える必要があった。実際の師団命令が出たのは二月二十二日だが、入隊直後からその噂《うわさ》を聞かされた初年兵はおびえてひきつった顔付で猛訓練を受けていた。

結婚してすぐ満洲に渡らねばならぬ事実を敬助は百合子に黙っていた。百合子は口が軽いほうで誰彼に話してしまう怖《おそ》れもあったし、せっかく順調に進んでいた結婚話が毀《こわ》れるのが嫌だった。しかし結婚して二週間目に命令が出たあと、渡満の事実を伝えると、意外にも百合子は喜んだ。狭い日本は飽き飽きしたし、満洲の広大な新天地での生活は気持がよかろうし、父の振一郎も石炭事情視察や所用で頻繁《ひんぱん》に満洲に来るだろうから淋《さび》しくはない、というのだ。

一月二十一日、野党の政友会は内閣の不信任案を提出した。天皇機関説の排撃を一年間にわたって実行しないような弱体無力な政府には政権担当の能力がないというのが理由であった。これに対して政府は不信任案の上程を許さず断乎《だんこ》衆議院の解散の挙に出《い》で、こうして総選挙の舌戦の火蓋《ひぶた》が切られた。風間振一郎は、以前脇礼助の地盤であった栃木第二区より立候補し、二月九日の脇礼助の長男敬助と娘の百合子との結婚式は、彼の選挙戦に大義名分をあたえた。

二月二十日の投票で、風間振一郎はめでたく当選したものの、彼の所属する政友会は鈴木喜三郎総裁をはじめ落選者が相ついで惨敗となり、これに反して与党の民政党は三十四名の差をもって政友会を引きはなして第一党の優位を獲得し、一方、無産党は二十二名の異常な進出をみせた。

敬助は軍人として政党政治には暗かったし興味も持っていなかったが、岳父が亡父のとむらい合戦を標榜《ひょうぼう》しているのを捨ててもおけず、軍務の合間を縫って選挙区へ行き、平服で顔を見せたり短い挨拶《あいさつ》をしたりした。この選挙戦のまっただなか、一月二十八日、永田事件の相沢中佐に対する第一師団軍法会議公判が始まった。龍土軒では公判報告会が開かれ、脇中尉も坂井中尉に誘われて出席した。それはあくまで相沢公判に話題が限定された公開の集りであったが、集うものは青年将校のほか、磯部浅一元一等主計や村中孝次元大尉などの革新派で、村中元大尉が公判の状況を話し、相沢中佐を義士として讃美《さんび》し、相沢中佐の気魄《きはく》には法務官が圧倒されていると言った。途中で和服の渋川善助元士官学校生徒が来て公判の経過を詳しく話すのだった。すでに革新派の闘士として高名な磯部や村中に初めて会ったり、〝和尚《おしょう》さん〟とみんなに呼ばれている渋川に面識を得るのが嬉《うれ》しく、敬助は誘われれば無理にでも時間を作って出席した。報告会で蹶起の具体的な行動内容が話題になることはなかったけれども、青年将校らが暗殺したがっているのが、すでに『教育総監更迭事情要点』で名ざされた高橋蔵相、牧野前内府のほか、重臣や政府の要人であるのは、薄々察知された。そしてこの推察が正しいとわかったのは、きのうの昼食後であった。将校集会所から中隊にもどりかけた敬助を坂井中尉が追ってきて、同期の誼《よし》みでちょっと雑談したいから一緒に将校室に行ってよいかと言った。将校室に入ると坂井中尉は笑顔を浮べ、「これはまったくの仮定だが、もしも昭和維新に聯隊を出動させたとしたら、きさまはどうする」と尋ね、敬助が「誰と誰をやるかによる」と答えると、笑い声を立てつつ冗談のように、「まず首相、蔵相、内府、侍従長、教育総監だな」と言い、敬助が「そんな大規模な襲撃に聯隊が出動するのは、おれは反対だな」と首を振ると、ふと笑いを収め、「そうだろうな」と言った。あとは雑談で、「結婚披露宴《ひろうえん》で見たきさまの妻君殿はベッピンだな。可愛《かわい》がってやれよ」と言い置いて去った。坂井中尉は、人当りのよい社交家だが、言うことが軽く、このときの会話もどこまでが本当でどこまでが冗談か判別できず、彼が去ったあと、敬助は狐《きつね》につままれた思いで中庭のヒマラヤ杉の黒っぽい葉を眺《なが》めたものだった。

そして、今朝、島津軍曹《ぐんそう》が蹶起の報をもたらした際、敬助は坂井中尉の冗談がすべて本気であり、あのとき彼は脇中尉を蹶起に参加させるつもりだったと気付いた。

蹶起の規模と成果がどの程度のものであるかは、方々に出した偵察《ていさつ》隊の報告や師団司令部からの情報などで明らかになっていた。ところが、首相即死、内府即死など襲撃の結果ばかり大きく報じられ、どこの部隊がどのくらい動いたか、なかなか摑《つか》みにくい。一つ一つの報告を記録し、確かめ、脇中尉は表を作っていった。

蹶起に参加したのは歩一の約五〇〇名、歩三の約八〇〇名であって、そのほか近歩三と野戦重砲兵七の約一〇〇名が加わっている。

歩一関係の襲撃

三〇〇名　首相官邸　海軍大将岡田啓介首相即死
二〇〇名　陸軍大臣官邸、陸軍省および参謀本部占拠

歩三関係

一五〇名　斎藤内府私邸　海軍大将斎藤　実《さいとうまこと》内府即死
一五〇名　侍従長官邸　海軍大将鈴木貫太郎侍従長即死
三〇名　渡辺教育総監私邸　渡辺錠太郎教育総監即死
六〇名　内務大臣官邸占拠
四〇〇名　警視庁占拠

近歩三と野戦重砲兵七関係

一〇〇名　高橋蔵相私邸　高橋是清蔵相即死

脇中尉はこの表を繁々《しげしげ》と見詰めては未曾有《みぞう》の大事件だと思った。政府の要人が五人も殺された。しかもうち三人は海軍大将である。この事実を知った海軍はさぞや憤激するだろう。海軍が動きだすまえに事態を陸軍で収拾せねばならない。

襲撃後蹶起部隊は漸次《ぜんじ》移動して、現在は、首相官邸、陸相官邸、陸軍省、参謀本部を占領している。半蔵門から桜田門、桜田門から虎ノ門、虎ノ門から赤坂見附《あかさかみつけ》、つまり永田町、霞《かすみ》

ヶ関《せき》、平河町《ひらかわちょう》の日本の中枢部は目下彼らの支配下にある。

「ともかく、せっかく蹶起した若いもんたちの行動にわれらも続くべきだと思います」と天野少佐が言った。もう何度も同じ内容の発言を繰り返していて聞き飽きた趣きがあったが、一同が困惑し沈黙しているさなかの一言は効果があって、並み居る将校の三分の一ほどが軽く頷《うなず》いた。

「その通りと思います」と新井中尉が後を受けた。「このまま、維新にむかって躍進すべきだと思います」

「しかし、それでは彼らの直接行動を是認することになる」と矢野大尉が言った。「中隊長の命令もなしに中隊を動かすのは軍紀違反ではないか。坂井中尉は……」

「失礼します」と越智少尉がさえぎった。「そのような些事《さじ》にこだわらず、大所高所から事を判断すべきであります。昭和維新の第一歩は踏み出されました。われらは二歩でも三歩でもさらに前進し、維新の完遂へ向って一致団結すべき……」

「些事とはなんだ」矢野大尉は目を剝《む》いて、生意気な新品少尉を睨《にら》んだ。「皇軍を私用に供する彼らは……」

「私用ではありません、公用であります。そうして、彼らではありません。われらであります。われら歩三が立ったのであります」

「何を、きさま」矢野大尉はきっと立ちあがり、拳《こぶし》を突き出した。

「まあ、待て」と渋谷聯隊長が重々しい体を膨らませて制した。矢野大尉はしぶしぶ腰掛けた。「本官はさきほど師団司令部に行ってきた。歩一の小藤聯隊長と聯隊副官の山口大尉が来ておった。山口大尉がな、『師団長閣下のおはらはどうでありますか』と尋ねたところ、堀師団長閣下は『このさい、悪いことは、みんな直してしまえ。そういうはらだ』と答えられた」

渋谷聯隊長は言い終ると素早く席を立った。副官や大隊長が続く。廊下で越智少尉が脇中尉に言った。

「聯隊長のおはらはどうなんでありますか」

「さあ……」と脇中尉は口籠《くちごも》った。

「きまっているぞ」と天野少佐が跳ねるような歩き方で言った。「維新の遂行だ。わが歩三が歴史の先頭に立つというおはらだ」

同じく正午過ぎ

市電を柳島終点で降りると、変電所や紡績工場の谷間に背低くの貧相な家々が、沼みたいに溜《たま》っていた。いつもは煤煙《ばいえん》に黒ずんだ街も今日は銀一色に化粧されて美しくすらあった。時田夏江は、地味な紺サージのスカートをつけ、古びたコートを着、男ものの蝙蝠《こうもり》を傾け、ゴム長靴《ながぐつ》の足を運んだ。菜葉服《なっぱふく》の労働者や色褪《いろあ》せた木綿の着物の女たちと行き交うと、夏江は自分も彼らと同じ階層の人間に見えるという安らぎの気持を覚えるのだった。やがて古風な細民街の上に抜け出る洋館が見えてきた。東京帝国大学セツルメントである。

消費組合の隣に入口があった。傘《かさ》やコートの雪を払っていると、壁の掲示板に貼《は》ってあるガリ版刷りのポスターが目に付いた。自分の描いた「粛正選挙と婦人の立場　講演　平田のぶ」だが、もう用済みだった。彼女はポスターを剝《は》がした。雪のためか、いつもは患者で溢《あふ》れている診療所前のベンチに人影がなかった。

託児所では、子供たちに昼食を配っていた。アルミのボールに盛った麦飯に海苔《のり》、玉子、かんぴょうをのせた〝三色弁当〟だ。夏江は保姆《ほぼ》の竹内睦子に「遅くなってすみません」と謝り、配膳《はいぜん》を手伝いだした。朝九時に来て夕方五時まで働くつもりが、けさは父利平の突然の命令で河豚《ふぐ》料理の実演を見学する羽目となって家を出そびれ、おまけに雪のため市電が何度も立往生して遅れに遅れてしまった。

子供たちは口を動かすと急に静かになった。三歳ぐらいから七歳ぐらい、年齢はまちまちだ。母親が昼間働きに出ているあいだ預けられている。みんな、継ぎはぎだらけの衣服とやせて顔色の悪いことが共通している。そして、トラホームで眼《め》を赤くし、白癬《しらくも》で髪を白くし、二本棒の洟《はな》を垂れた子が多い。トラホームや白癬は診療所で治療してやるのだが、またどこかでうつってきて故《もと》の木阿弥《もくあみ》になるのだ。正月に風間邸で遊んでやった親戚《しんせき》の子供、とくに甥《おい》たちとここの子とは何という相違だろう。

大きい子が食べ終ってもまだ空腹らしく、物欲しげに見回していた。浦沢明夫だ。父親は死に、母親は近くの紡績工場で働いている。夏江は明夫のボールに特別によそってやりたいと思う。しかし、そうすればほかの子も欲しがって飯が足りなくなるし、それにえこひいきは子供たちの間に嫉妬《しっと》や反目を呼び起すし、可哀相《かわいそう》でもその子を空腹のままにしておくより仕方がないのだ。

「電車が方々で止ってるようね」と竹内睦子は乱れ髪を手の甲で掻《か》きあげた。

「電車もバスもです」と夏江は言った。「雪でスリップするんですね。わたし市電で来たんですけど、雷門《かみなりもん》の前で、全然動かなくなりました」

「大谷さんも宮坂さんもまだ来ない。調理場も人がいないの。この食事、あたしが一人で作ったんだから」大谷は保姆で宮坂は夏江と同じセツラーである。竹内睦子は、子供たちに食器の片付けをさせながら、動作の遅い子を叱《しか》りつけた。「駄目《だめ》、ぐずぐずしないの」

叱られた子は、まるで反応を示さず、のろのろと食器を運んだ。夏江は、ふたたび、活潑《かっぱつ》な甥たちを思い出した。

「時田さん、お願いがあるんだけどね」と竹内睦子が言った。「あそこの食事、二階の九号室に運んでよ。一人、病気の人が寝てるの」

「レジデントですか」

「いいえ……」竹内睦子は声をひそめた。「しばらく隠れている人」

「ああ」夏江は納得した。このセツルメントには時々、出獄者とか主義者とか、当局の目をはばかる人たちが、レジデント学生に混って泊る。彼らの多くは、診療所での治療が目的で来るのだったが、中には健康なくせに長逗留《ながとうりゅう》する人もいた。

二階には図書室、調査室、法律相談室がかたまっていて、そこからのびた廊下の左右が十ばかりのレジデント室だった。四畳半にベッドと衣裳戸《いしようと》棚《だな》と机のある狭い部屋だが、学生一人が寝泊りするには充分だった。九号室は通りに面した側の真ん中にあった。ノックすると「だあれ」と何だか聞き覚えのある声がした。「お昼を持ってきました」と言うと、ドアが用心深く隙間《すきま》だけずれ、「なあんだ、きみか」と開いた。

レジデントの菊池透《きくちとおる》だった。法学部の学生で法律相談を受け持っている。ズングリした体は重労働をしている小作人のように骨太で肩幅が広かった。室内のベッドには、男が横になっていた。長い髪の毛を額に垂らし髭面《ひげづら》で顔がよく見分けられない。鼻が妙にとがっているのは痩《や》せ衰えているせいらしい。

菊池透は盆を机上にのせた。

「やあ、ありがとう」と意外に元気のよい声が男から出た。男は夏江を柔和な目で見て、一礼するように枕《まくら》から頭を浮かした。クレゾール水の臭《にお》いが漂ってきた。枕元の洗面器からだった。

夏江を追って菊池透は部屋から出てきた。法律相談室の前で、彼は「ちょっと話があるんだ」と彼女を中に誘いこもうとした。彼女は一瞬ためらったが、彼の真剣な眼差《まなざし》に気圧《けお》されて中に入った。法律書や六法全書の地味な色彩のさなか火の気のない室内は寒かった。石炭ストーブに紙屑《かみくず》を投げこみ火をつけようとする彼に彼女は言った。

「いいわ。わたし時間がないの。託児所の人たちみんな来てないんだもの。用なら手短かに言って」

「あの人に会ったこと、誰にも言わないでほしいんだ」彼は紙屑に火をつけ、その上に薪《まき》を数本のせた。ぱっとぬくもりが迫ってきた。

「わかったわ。誰にも言わない」

「あの人はね……」

「いいの。言わなくても」

「しかし、きみには言っておきたい。きみとぼくとの間に秘密を持ちたくないんだ」

「じゃ、言って」

「伊川憲次だ」

「そうだったの」夏江は頷いた。伊川憲次と言えば、マルクス主義学者として知られ、獄中にいると聞いていた。その人の『資本論入門』をテキストに、セツルで読書会を開いたこともある。もっとも、夏江は、その人がどのような学問的業績をあげ、どういう政治的立場にあり、なぜ獄中にいるかは知らなかった。セツラーの学生たちが、折に触れて尊敬をこめて話し、その著書が何冊か図書室にあるので、偉い人なのだろうと思うだけだった。

「病気で出獄してきて、下宿が見付かるまで、セツルにとめることになった。このこと自体は非合法じゃない。ただ、警察はひどく疑い深いからね。ここで彼が何か危険活動でも始めるんじゃないかと疑いでもすると厄介《やっかい》だ。それに折が悪い。きみ、けさの大事件知ってる」

「大事件ですって」夏江は、相手の団子鼻を不思議そうに見た。彼の顔は石炭のあげる炎に明るく揺らめいた。

「あるところから情報が入ったんだが、陸軍の一部が叛乱《はんらん》をおこしてね、総理大臣と大臣を何人か暗殺したらしいんだ」

「それは大変ね」

「そう、大変な事件だ。それで憲兵や特高が取締りを強化するらしい。赤色分子と朝鮮人の弾圧が予想される。だから折が悪いと言ったんだ」

「変な話ね」夏江は鳥のようにぎこちなく首を傾《かし》げた。「叛乱したのは軍隊なんでしょう。それなのに党と朝鮮人が弾圧されるなんて」

「世の中が不穏になると、まず不満分子がテロの対象とされるのさ。震災のときがそうだった」

「セツルも狙《ねら》われるかしら」

「わからないが、用心に越したことはない。先例が何度もあるからね。ともかく、疑われるような事実は隠すにかぎる」

「何だか変な世の中ね」夏江はほっそりした両の肩を交叉《こうさ》した手で撫《な》でた。

「寒いかい。もうすこし石炭をくべようか」

「いいえ、寒くはないの。何だかこわいの、軍隊が大臣を殺しちゃうなんて、野蛮ですもの。あの中佐みたい……」今軍法会議にかけられている中佐の名前が思い出せない。新聞は文化欄を除くとあまり注意深く読んでいなかった。血の通った上官を騙《だま》し討《う》ちで殺害した軍人を恐怖の対象としてしか思い浮べられない。女にはあんな冷酷無残な暴力は振えない。

「そう、あの相沢中佐と同じ思想の持主さ、こんど叛乱した軍人たちは」

「一体何をしようというのかしら」

「まだわれわれにも情勢分析が的確にはできてないんだが……」菊池透は厚い唇《くちびる》を噛《か》みしめた。そうすると、田夫野人《でんぷやじん》といった顔付に学生らしい知的な張りが生じるのだった。〝われわれ〟と彼が言う場合、そこには常に複数の集団の存在が推測された。彼らがどういう組織を作っているのか、それが共産党の地下グループなのか、それとも単なる社会主義研究会なのか、彼女は全く関知しえなかった。ただ、彼が〝われわれ〟と言うと、そこに個人を越えた知識や方針が示されるのに、彼女は気が付いていた。

「あなたがたなら、わかるんじゃない。軍隊が何をしようとしてるか」と夏江は言ってみた。

「そう」と彼は考え深げに頷いた。法学部を示すJが、学生服の襟《えり》で鈍く光った。「陸軍の一部将校が日本を改造したがっている。今のように経済や資本の論理で国家が動くのではなく、自分たちの意志のままに軍隊を動かし、国内の貧困や不平等をなくし、さらには国と国との不平等、つまり列強の植民地をなくそうと考えている。その手始めに、経済と資本の手先である財閥や、君側にいて天皇の目を曇らせている重臣を除く、そういう叛乱なんだ。しかし彼らの根本的な誤りは、不平等に苦しむ人民の力による下からの革命ではなく、軍隊と天皇という最高権力者とが直結し、上からの命令によって改造しようとしているところだ。命令に反対する勢力は労働者も農民もすべて強圧される。そうして軍隊中心主義である以上、軍拡と侵略の論理に傾かざるをえない」

「……わたし……むつかしいことわからないの」

「むつかしくはないさ。単純明快な状況なんだ」菊池透は、夏江の無知を幾分見下すような微笑を顔に滲《にじ》ませた。この微笑は、脇敬助との縁談を遠回しに彼に相談したときにも現れたものだった。「わたしの友達がね、陸軍の将校とお見合したの。それで、どうしようかと迷ってるの。人柄《ひとがら》はよいのだけれど……」「軍人か」と彼は軽蔑《けいべつ》の口調になった。「あらゆる職業のうちでもっとも下等な職業だね」夏江はむっとして言い返した。「わたしの父は軍医だったわ。日本海大海戦で活躍したの」彼はひるまず言った。「現在の日本の、とくに陸軍の軍人は下等だと言うんだ。まるで教養がない。偏《かたよ》った国史の知識と狂信的な天皇崇拝だけで、世界の国々の歴史や思想への理解がまるでない。そのくせ、自分たちは第一等の愛国者だとうぬぼれて、国民を指導しようとする。やりきれない」「でも、友達のお相手の方は、教養がたんとおありになって、物静かで、立派な方よ」「教養があって物静かなのならいいが、彼らのは教養がないため言うことがなくて物静かなんだから」彼は夏江を憐《あわ》れむように微笑したのだった。

　そういう微笑をする彼を夏江は好まない。彼が時々口にする、「きみは大病院のお嬢さんだから」とか、「聖心じゃこんな本は読まなかったろうね」とかいう台詞《せりふ》を聞くときと同じ、嫌な感じを覚えるのだった。彼と初めて出会ったのは、女学校五年のとき学友たちと帝大の五月祭を見に行ったときであった。「セツルメント運動——その八年間の成果」という展示を熱心に説明している学生が、夏江たちを聖心の生徒と見て、「あなた方みたいなお嬢さん学校のお嬢さんは、こういうスラム街なんか見たことないでしょう」とからかい気味に言った。夏江はその偉ぶった調子に腹を立て、すぐさま三之橋《さんのはし》の貧民窟《ひんみんくつ》を知ってると答えた。すると彼は、「あそこよりも東京の下町、本所《ほんじょ》・深川の細民街のほうが、遥《はる》かにすごいですよ」と、憐れむような微笑を浮べた。「それなら見せて下さい」「どうぞ」という遣《や》り取りの結果、夏江はつぎの日曜日、この帝大セツルメントを一人で訪れたのだった。

薄汚い町工場、ひしゃげた棟割《むねわり》長屋、間口の狭い駄菓子屋や一膳飯屋、そして晴れた日なのに道は湿ってぬかり、ドブは悪臭を発していた。空は、得体の知れぬ白や黒の煙に掻き回されながら、時折、悲鳴のような電車の警笛を伝えた。同じ感じの細い道が縦横に通じているので、ともすれば迷ってしまい、廃品置場に入りこんだり、奇妙に丹念に磨《みが》きあげた連子《れんじ》窓《まど》が続くのでびっくりしていると私娼窟《ししょうくつ》であったりした。東京にこういう街があるとは、という驚きは好奇心に変った。夏江は恐《こわ》いもの見たさでセツルメントに通ううち、段々に深入りし、とうとう託児所の手伝いを規則的にするようになった。ここのところ週三日の通いを習いとしている。

帝大セツルメントとは、無産市民の救済や教育とともに調査研究をする大学拡張運動であって、帝大の学生セツラーを主体に、ほかの学校の学生生徒も参加していた。保姆、調理師、医師、看護婦、事務員などが専従者として働き、卒業した人々(O・Sと称した)や地元の人々も随時手伝いに来ていた。託児所、診療所、法律相談室、図書室、市民教育用の教室、消費組合、食堂、レジデント室などをそなえた木造二階建の建物は、ちょっと洒落《しゃれ》た西洋館で、場末風の家々の中にあって、いかにも大学生の屯所《とんしょ》らしい様相で目立っていた。

セツルメントに集る学生たちには、菊池透のように社会主義的思想をいだきマルクス主義の文献をこっそりと読みあさる者が多かった。しかし、表向き彼らは自由主義者をよそおい、搾取《さくしゅ》された貧しい人たちに一種の社会正義感で接していた。が、何かの折に背後の思想があらわれた。マルクス主義の文献に無知な夏江には、それが〝むつかしいこと〟と思えるのだった。

「ともかく」と菊池透は言った。「今朝おこった大事件の波紋は大きい。用心しなくちゃならない。むろん、あの人ももっと安全な場所に移ってもらう」

「あなたは大丈夫」と夏江は尋ねた。

「実はぼくも危い。ある理由で特高に目をつけられている」菊池透は窓枠《まどわく》に隠れるようにして通りを鋭く見た。真っ白な傘が一つ、ゆっくりと進み、また引き返してきた。誰かが通りを見張っているようで無気味だ。と、菊池透は真顔で言った。

「あなたも危いよ。ほとぼりが冷めるまでセツルから離れていたほうがいい」

「わたしも……」夏江は吹きだした。「冗談でしょう。わたしなんか、何も知らないし、何もしていない」

「いやいや、そうではないよ」彼はきっぱりと言った。「きみは大勢のセツラーを知ってるし、託児所で働いてきた。不断はそれは何でもないことだ。しかし、世の中が不穏になると、当局はきみの持っている情報や社会活動に目をつけ始める」

「考え過ぎだわ、そんなの。わたしは子供と遊んでいただけだもの」

「絶対に考え過ぎじゃない」と彼は怒ったように言った。

「〝絶対に〟なんて、この世に神以外にはありえない」と彼女は言い返した。

「悪かった。しかし聞いてくれ」彼は語調を変えて懇願した。「専従者は仕方がないが、レジデントの半分は一時身を隠すことになった。通いのセツラーもなるべく来ないよう自粛する。きみも家に帰っていたほうがいい」

「わたしなんかどうなってもいいの。警察でも憲兵でもいいから、一度捕まってみたい」

「冗談じゃない。ぼくはある事件で豚箱にほうりこまれたが、ひどい所だよ。浮浪者やスリや男娼と一緒で、南京虫《ナンキンむし》に蚤《のみ》、南京虫だってこのセツルのより大きいのがぞろぞろいて、体中が痒《かゆ》い。そして拷問《ごうもん》」

「どういう拷問なの」

「それはひどいものだ……とにかく、しばらく家に帰ってなさい」

「託児所は今人手不足なの。抜けられないわ。でも、菊池さん、どうしてわたしのことを、そんなに心配するの」

「こんなこと言っていいのかな」菊池透は浅黒い顔を赤らめた。「実はぼく……きみが好きなんだ……愛している。もちろん、きみがぼくをどう思っているかは別問題だ。ともかく、ぼくのために、きみは安全な所にいてほしい。お願いだ」

夏江は呆気《あっけ》にとられて黙っていた。三年近くも付き合っていながら、彼は一度もそんな気振りを見せなかったのだ。

「時田さん」と廊下で呼んでいた。竹内睦子だった。夏江が出ていくと、竹内睦子は若い男女が二人きりで籠《こも》っていたのに胡乱《うろん》な眼差を向けた。「あんた、鉄砲玉のお使いね。まだ、大谷さんも宮坂さんも来ないの。わたし一人じゃ、どうにもならない」

「はいはい」夏江は行きかけて菊池透を振り返った。「あとで、ゆっくり話し合える」

「もちろん」菊池透はまた赤くなった。

2

午後一時十五分

雪のため外来患者はすくなく、時田病院では手持無沙汰《ぶさた》な時が過ぎた。時田利平は暇を利用して床屋に行こうと、理容道具の一式を入れた信玄袋を提げ、トンビをまとい蛇の目《じゃめ》をさして、玄関前に出た。看護婦たちが雪掻《ゆきか》きをしている。車庫で車のボンネットをあけて覗《のぞ》きこんでいる浜田を見付け、声を掛けた。

「今晩は祝賀会じゃ。送り迎えに使わねばならんから、よう整備しとけ」

「それがですね、大先生《おお》」と浜田は油で黒光りする顔をあげた。「この寒さでエンジンがさっぱり始動せんのです。さっきからクランクで何度も回してるんですが……。スパークプラグを今掃除したとこです」

「おれがアクセルを踏んどるから、お前、クランクをまわせ」

利平は運転台に登った。エンジンのスイッチを入れ、「ようし」と合図をしてアクセルを踏む。と同時に浜田が車の前でクランクを手回しした。エンジンは二、三回咳込《せきこ》むがすぐ凍った死体にもどってしまう。十回ほど繰り返すと浜田は汗まみれになり、クランクを投げ出して息をせわしくついた。

「だらしがないやつじゃ。おれが回すから、お前がアクセルを踏め」

「おお先生には無理です」浜田はあわてて止めた。が、利平は、もうトンビを脱ぎ、クランク棒を手に車の前にかがみこんでいた。棒をエンジン軸に差込み、掛声もろとも回す。重い抵抗があって、エンジンが緩慢に半回転した。しかし、それ以上はいくら気張ってもびくとも動かない。浜田はすくなくも毎度五、六回は回した。浜田ごときに負けてたまるかと全身の筋力を腕に集中させ、「えいやっ」と力むと背中で何かが割けた。上着の背が破れたのだった。利平は上着を脱ぎ、今度は艪《ろ》を漕《こ》ぐ要領で、肩の力をゆるめ腹と腰に力を入れてやってみる……動きだした、一回、二回、三回目に人工呼吸による蘇生《そせい》の手答えのようにエンジンが身震いして動き始めた。

「動きました。動きました」と浜田が魂消《たまげ》た声を出した。

「あたりまえじゃ」利平は高笑いした。「腰じゃ、腰を使う。女と車は腰で自由にするもんじゃ。いいか、エンジンを冷さんよう動かしちょれ。なあにガソリンはいくら消費しても構わん。それより送迎のほうが大事じゃ」

浜田に別な上着を取って来させて着ると、利平は外に出た。〝津の国屋〟の前に来て、利平は下関の地酒〝関娘〟を特別注文しておいたのを思い出した。親爺《おやじ》は綿入れで丸い肩で挨《あい》拶《さつ》した。

「薦被《こもかぶり》を三つ、お届けしておきました」

「三つじゃ足りん。四つはいるぞ」

「御安心を。もう一つ、わたしどものお祝いとしてお届けしておきました」

「そんなら……いや、どうも有難う」利平は笑顔を振りまいた。さて、酒にぴったり合う料理が必要だ。

今晩のもてなしは長州の郷土料理でいくと決めている。料理の目玉はむろん河豚《ふぐ》だ。河豚刺、河豚ちり鍋《なべ》、ウグイスの空揚げと変化を持たす。それに飛魚と鱠《えそ》の擂《す》り身でつくる〝擂り流し汁〟。〝ベラを醤油酢《しょうゆず》で漬《つ》けた〝ベラ酢漬け〟も欠かせない。食卓の中心には浜焼の真《ま》鯛《だい》を置くが、これは大きければ大きいほどよろしい。あと寒鰤《かんぶり》の照り焼、鮟鱇《あんこう》の肝の塩茹《しおゆで》。生牡蠣《なまがき》をそえるか。いやいや牡蠣の癖のある味は河豚の淡白な味を消すからやめておこう。旬《しゅん》の魚を思うと、それぞれの美味が舌先によみがえってきて、利平は唾《つば》をのみこんだ。

そうだ、魚屋に寄ってどんな魚が入ったか確かめておこうと利平は思い立った。染物屋、自転車屋、鮨《すし》屋、うなぎ屋、八百屋など小さな店が肩を寄せ合っている坂道で、青バスが車輪を雪に滑らしていた。タイヤが水車のように回るのに、ますます後退していく。まずいぞと利平は思った――坂の多い三田では雪道を車が滑る、主賓の松本少将と北里研究所の部長とはどうしてもうちの車で送迎したいが、何かよい方法がないか。電車通りから自転車で下ってきた慶大生が転倒した。「まずいぞ」と利平は大声で言い、〝魚文〟の主人とばったり視線を合した。吹き曝《さら》しの店内には雪まみれの魚が並べられている。主人は深々と頭を下げた。

「この度はおめでとうございます。博士先生とは素晴しいことで」

「浜焼は入っちょるか」

「はいはい、二尺ものが二匹入っております」

利平は竹の皮笠《かわかさ》を開き、苞《つと》の中の鯛を見た。二尺は大袈裟《おおげさ》で五十センチと四十センチぐらいだが、とにかく大きい。小さい鯛では鮮紅色の腹が、淡紫色となり、尾鰭《おびれ》が黒ずむ、年月を経た立派な大魚だ。

「これでよし」と言い、ほかに注文した魚を吟味した。寒鰤の大物が数匹、飛魚、鱠、鮟鱇と、うまい具合に入荷している。しかし、ベラはない。

「ベラはなかったか」

「残念ながら、けさの河岸《かし》には……」

「まあ、よい。大体揃《そろ》うたな。お、河豚があるじゃないか」と丸っこい褐色《かっしょく》の魚に目を止めた。

「はい、潮前河豚《しょうさいふぐ》で江戸前でございます」

「これは食えんぞ。身にまで毒がある」

「でも、それで体が温まると召しあがる方がございます」

「いかん、いかん、味が違う。河豚は虎《とら》に限る」

「虎河豚は河岸に入りませんで……」

「いいんじゃ。下関から特別注文で入手してある」利平はひとしきり虎河豚の自慢をした。横なぐりの風が新雪を舞いあげ、店内は濃霧の中のように白に染まった。主人は硝子戸《ガラスど》をすこし閉めた。

「えらい雪でございますな。積りそうで」

「なあに、もうすぐ三月じゃ。春の雪はすぐ融《と》ける。冬を消毒しちょるだけじゃ」

魚屋を出ると、利平は隣の〝子育て地蔵〟に合掌した。地元の人々があまりに厚く崇敬し、四の日の縁日も盛大なので、利平は天邪鬼《あまのじやく》をおこし、〝ションベン地蔵〟などと言って莫迦《ばか》にするのだが、あたりに誰もいない時は、日頃《ひごろ》の無礼をわびる気もおこって手を合せるのだった。神仏、つまり人の力の及ばない至高の存在には素直に頭をさげる気持が彼には強かった。耶蘇《やそ》だとて例外ではない。聖心女子学院の校医をしている関係で、教会の礼拝を目にする機会も多く、そんな場合、素直に頭を垂れて敬意を表するのだった。そして、この至高の存在のなかには天皇陛下も入っていた。彼の知識では上御一人はまぎれもなく人間ではあるけれども、天皇という神聖な位につくや、神の化身としての神通力をそなえるのだ。たとえば、陸海軍の最高の長としての大元帥《だいげんすい》陛下は、一軍人であった利平に霊妙な力を及ぼした。彼は日露大戦終結直後の凱旋《がいせん》観艦式で仰ぎ見た明治天皇の御雄姿を忘れない。そのとき、このまま自分が死んでいいと思うほどの感激を覚えたのだった。

店内に客はおらず、赤ら顔の親方は煉炭火鉢《れんたんひばち》を囲み、新聞を読んでいた。利平を見ると揉《も》み手して迎えた。

「おや先生、呼んで下さればいつでもうかがいましたのに」

「人を呼びにやるよりは自分で来たほうがはやいと思ってな。ま、いつものようにやってくれ」

二十年来利平の髪を刈ってきた老親方は何もかも心得ていた。利平が信玄袋を開いて理容道具一式を並べると、まずアルコール綿で椅子《いす》を消毒し、利平を坐《すわ》らせ、彼の持参したエプロンで覆《おお》った。バリカンも鋏《はさみ》も櫛《くし》も、すべて利平は完全消毒済みのを用意していて、けっして店の物を使わせない。大体店に来るのはまれで、月に二回院内に出張させるのを常としていた。店に来るのは何か急の行事があるときなので床屋は尋ねた。

「きょうは何かのお式で」

「おれは博士になってな、その祝賀会をやる」親方の読んでいたのは読売新聞で残念ながら時事新報ではなかった。

「それは、それは……」親方は頭をさげて仕事を始めた。バリカンで刈り上げていく。余計な口はきかない。しかし利平が話し掛ければ応答は普通にする。ここらあたり、利平の気性をよくのみこんでいる。

利平は親方の皺《しわ》にまみれた顔と自分の顔とを見較《みくら》べた。床屋のほうが自分より十以上は上だろう。七十二か三か、老人斑《ろうじんはん》の濃く染《し》みた頰《ほお》やまばらな白髪は自分の十年後を予想させた。黒いと自負する自分の髪にも大分霜が立っている。そして目の下の皮膚の余剰はまぎれもなく老年の相だ。

時々、市電がのろのろと通るほかは車も人も跡絶《とだ》えていた。風の小止《こや》みに雪は音もなく紐《ひも》を垂れ、煉炭火鉢の薬缶《やかん》が煮たつ音のみする。髪洗いがすみ、剃刀《かみそり》が当てられたころから、利平は睡《ねむ》くなってきた。

彼は七十三歳で、白鬚《しらひげ》をのばし、博士と金文字の光る大勲章を胸にぶらさげている。やせたため大礼服がぶかぶかで、大勲章が無様に垂れさがるのを気にしながら歩いている。と、誰かが嗤《わら》った。見ると床屋の親方だ。「博士なんか何の意味もありませんよ」と嗤っている。「生意気な」と怒鳴りつけると、立派な白鬚をひっぱり、「切りますよ」とおどす。そこで目が覚めた。鏡の中の自分に変化を認めず、利平は安心した。

「おお先生」と呼んだのは浜田である。「往診の依頼が来ています」

「副院長に行ってもらえ」

「それが、品川の永山さまなので」

「永山の父上がどうかしたのか」

「はい。風呂場《ふろば》でお倒れになったそうで」

「そいつはいかん」利平は急に立ちあがった。あわてて剃刀をあげた親方が飛びのいた。

「ああ、びっくりした、先生、お怪我《けが》はなかったですか」

「大丈夫じゃ。すぐ出掛けにゃならん」

「もうすこしで終りですが」

「待っておれん。すぐ往診に行かにゃならん」

利平は石鹸《せっけん》を拭《ぬぐ》いとり、櫛で髪だけを整えさせると、浜田を従えて外に出た。永山の父上とは永山光蔵《ながやまみつぞう》で、菊江の父である。妻を失なってから伊皿子坂《いさらござか》の大邸宅を処分して東品川の御台場を見晴す海岸の家に引籠《ひきこも》った。永年のあいだ鉱山技師として山歩きしたあいだに蒐集《しゅうしゅう》した鉱石の標本を整理するのを唯一《ゆいいつ》の楽しみとして、孤独な晩年をおくっていた。時々、菊江や藤江《ふじえ》の来訪を許すほかは、誰にも会わず、もちろん外出して人に会うこともなかった。しかし傘寿《さんじゅ》を越えても矍鑠《かくしゃく》としていて、病い知らずの老人だった。それが突然倒れたという。

「電話があったのか」

「いいえ、電話はお持ちになりませんので」

「そうじゃった」

「爺《じい》やさんが雪の中を歩いて知らせに来ました」

「車で行こう。エンジンは温めてあるだろうな」

「それが……」浜田はしょげ返った。「エンジンは動くので試しに外に出てみましたところ、どうしても滑って坂を登れません。雪用のチェーンがあればと代理店に電話しましたが、あった分はもう出払ってしまったといいます」

「そいつは困ったぞ」利平は坂の中途に乗り捨てられた青バスや自動車が雪に埋れているのを横目に溜息《ためいき》をついた。せっかく一世一代の学位取得祝賀会なのに、この雪、そして岳父の急病と悪いことが重なる。困った、困った……。

午後三時半

時田利平は、「ありゃ何じゃ」と言った。間島《まじま》婦長は、「お巡《まわ》りさんではありませんね。兵隊さんみたいですね」と言った。時田利平は、「陸戦隊じゃ。戦時の重装備で行きよる」と言った。

電車通りを小型トラックに乗った陸戦隊が行く。つぎつぎに行く。大変な数である。小銃、機関銃が白脚絆《しろきゃはん》の足元に積みあげられ、黒々と光っている。帽子に雪が積っていないのは、今上陸したばかりだからだ。芝浦に緊急上陸した大部隊、これはただごとではない。やっとトラックの列が通り過ぎた。二人は坂道を病院の方へ下り始めた。

「あした、また診てやらにゃいかんな」「はい。でも大したことがなくてようございました」「血圧が高すぎる。よう今まで医者にかからんで平気でおったな。糖尿もあるとにらんだ。尿は大丈夫か」「はい、ここにちゃんと持ってます」「転んで瓶《びん》を割らんように気をつけろ」

そう言ったとたん、転んだのは利平だった。長靴《ながぐつ》が横滑りし、腰を舗石に打った。汗が吹き出るほどの痛みを我慢し、助けられてどうにか起きあがった。

「大丈夫でございますか」「なあにビクともせん。骨折もなし。筋肉挫傷《ざしょう》もなし。毎日カルシウムを〇・六グラム服用しとるからな。老人は骨粗鬆症《こつそしょう》になりやすいからカルシウムを補給せんといかん。お前も服用せい」「まだそんな年ではございません」「もし糖尿があるとすると遺伝じゃな」そのとき病院の門を見て間島婦長は眉《まゆ》をひそめた。

正月に発作をおこしてから菊江の病状は思わしくない。喘息《ぜんそく》は小康状態だが糖尿病が進み、そのため冠状動脈硬化がおこって心臓が衰弱している。本人は喘息の発作さえおきなければ平気だと、床をたたんで事務などとっていて、何かの拍子に心臓機能に障碍《しょうがい》でもおきはせぬかと、利平は内心ひやひやだが、そんな危惧《きぐ》を面《おもて》にだせば、かえって本人の健康に悪いだろうと、見て見ぬ振りをしている。

居間にもどると菊江がソファに坐っていた。

「どうも有難うございます」と頭を深々と下げた。

「何がじゃ」利平は妻を睨《にら》みつけた。

「こんな大雪の中を父を往診していただきまして有難うございます。で……」

「回りくどいな。父上は大したことはない。高血圧のメマイで風呂場で倒れ、頭を打たれた。脳震盪《のうしんとう》じゃ。しかし、あの高齢じゃから後遺症が心配で、用心のために入院をお勧めしたが、どうしても嫌《いや》だ、死ぬなら海の見えるこの家がいいとおっしゃる。お前に似て頑固《がんこ》な爺様じゃ」

「後遺症がおきるでしょうか」

「わからん。血圧が高いから、ちょっとした脳血管の損傷でも大事になる可能性があるということだ。今のところ神経麻痺《まひ》も意識障碍もないから、大丈夫だとは思うが……。当面血圧をさげるのに全力をつくす」

「やっぱり入院させたほうがいいと思います」

「それはそうだ。慶応病院なら磐石《ばんじゃく》じゃが」

「わたし、やっぱり行って、父を説得します」

「いかん、いかん。海沿いはすごい吹雪になっちょる。電車は停《とま》っとるし、車は通わん。お前の体じゃ無理じゃ。おれでさえ、やっと辿《たど》りついた」

「じゃ藤江に行ってもらいます。電話したらひどく気をもんでいるんです。あ、そうそう。霞ヶ関あたりでけさ早くに変事がおきたらしいんです。総理大臣と大蔵大臣と内大臣とあと何人かが陸軍部隊に殺されたというんです」

「まさか……デマじゃろう」

「いいえ、風間の情報ですもの、確実ですわ。何でも、けさ、明け方に脇の敬助さんから振一郎さんに電話があったんですって。それが、あなた、驚くじゃありませんか、出撃した部隊というのが敬助さんの聯隊《れんたい》なんですって」

「敬助も出撃したのか」

「しなかったそうです。振一郎さんがその後調べたところ、出撃したのは第三聯隊の三分の一と、あと第一聯隊ですって」

「両方とも麻布の聯隊だな。陸軍の精鋭と言われている部隊じゃ。そいつが何てザマだ。要するに陸軍は腐っちょる」

海軍は絶対そういう残虐《ざんぎゃく》な謀叛《むほん》に荷担はせん。それで分った、さっきの陸戦隊は陸軍鎮圧に出動したのだ。海軍よ頑張れ。大臣が暗殺されたとは大変な事件であるけれども、もともと大臣になるほどの人はそういう危険を予想すべきで、殺されたからといって驚くこともない。利平は、大事件と聞いて、かえって元気になった。学位取得祝賀会の当日、歴史的事件がおきた。時田利平一世一代の祝日と歴史とが重なった。幸先《さいさき》がすこぶるよろしい。

「〃津の国屋〃が届けてきよったか」

「はい」

「〃魚文〃も来たか」

「はい、来ております」

「さて、河豚の身の締り具合を見ておく」今日の料理は、医学博士時田利平みずからが作るのだ。急いで立った菊江を手で制した。「お前は、今日は見物じゃ。体を大事にせんといかん」

「実は」菊江は言いにくそうに言った。「風間の振一郎さんが、大事件突発でいつ政変があるかも知れないので今晩は御遠慮したいと……」

「そんな莫迦な」利平は癇癪玉《かんしやくだま》を破裂させた。「高《たか》が一代議士じゃないか。まだ大臣になる器でもあるまいに、政変なんか関係ない」

「そうおっしゃっても、振一郎さんは政友会切っての陸軍通で、今度は自分の力量を示す好機なんじゃありませんか」

「二月二十六日なら都合がいいと風間が言ったから今日にしたのだ。それを今になって〃遠慮したい〃とは何事だ」

「でも場合が場合ですから」

「大事件だろうが政変だろうが祝賀会とは関係ない。よし、おれが風間に電話する」

「およしあそばせ」菊江は止めた。「わたしがもう一度藤江に頼んでみます」

「頼まれて来るようなやつに来てほしくはないわ。大体風間は頭が高い。代議士になりよったら博士なんか屁《へ》とも思わん」

「まさか……」菊江は子供をあやすように言った。「大丈夫、わたしが来るようにさせますから、安心してお料理にかかって下さいな」

「まあ、風間なんか来んでもいいが……」利平は口髭《くちひげ》をしごきつつ、気持を鎮《しず》めた。実は、義弟の風間振一郎代議士も出席するからと、今日の招待客たちに吹聴《ふいちょう》してある。とくに山口出身の力士、大鏡を引っぱりだすとき、大の相撲好きで、横綱免許をあたえる吉田司家《よしだつかさ》と親しい振一郎の名前を使った。彼が出席しないと、おのれの面目が丸潰《まるつぶ》れになるのだ。

ノックがあって間島婦長が入ってきた。

「糖が出てます」

「やっぱりそうか」利平はうなった。永山光蔵は糖尿病であった。その末期に来る高血圧と動脈硬化がメマイの原因であった。とすると厄介《やっかい》な病状だ。

「父ですか」と菊江が尋ねた。

「そう、糖尿病、お前と同じやつじゃ」

利平は背広を印半天に着替えた。この姿で炊事場で陣頭指揮をとり、客を迎えるつもりだ。夏江と史郎を手伝わせ、一家で客をもてなすのだ。

「夏江はおるか」

「外出してます。夕方には戻ると言ってました」

「何だ」利平は不満だ。「史郎は」

「事件の様子を見てくると霞ヶ関に出掛けました」

「オッチョコチョイなやつだ。危険きわまる」

「わたしも止めたんですが、世紀の大事件だからと……」

「何が世紀の大事件じゃ」不機嫌《ふきげん》がまた腹の底に溜《たま》ってきた。夏江にも史郎にも魚料理を教えるから炊事を手伝えと言っておいたのだ。史郎はこの一月十日に除隊となり、家でぶらぶらしていた。毎日器械体操ばかりしているところを見ると暇がたっぷりあるはずではないか。

午後八時半前

時田利平は苛立《いらだ》っていた。招待客がさっぱり現れないのだ。定刻の五時に来ていたのは唐山博士と北里研究所の部長だけ、つまり近所に住む人だけであった。雪のため省線、バス、市電が方々で停り、タクシーはつかまらずという状況では、ただ待つより仕方がなかった。七時すぎになって前頭三枚目の大鏡が、さすが抜きん出た巨体を羽織袴《はおりはかま》に包んで来てくれた。利平は大喜びで、長州弁まるだしで応対した。が、大鏡に紹介したい風間振一郎が一向にやって来ない。長州弁での話題も尽きて、困惑しているところに、巡洋艦八雲《やくも》の元艦長松本少将が軍服姿で到着した。この人の下で利平は日本海大海戦を戦ったのだ。昔話に花を咲かせたまではいいが、媒酌人《ばいしゃくにん》になってもらう以上、中林と夏江を引き合せたいのに、夏江が帰ってこない。菊江を問いつめると、夏江の外出先は帝大セツルメントと分り、禁止していた赤の巣窟《そうくつ》に娘がまだ出入りしていたのかと驚きもし、えりにえってこの大事な折にそんな所へと立腹し、客の手前、立腹も笑顔に変えて苦しい思いだった。

もうかれこれ八時半になる。唐山博士と部長を三時間の余も待たせている。もう始めよう。利平は、客たちの前に進み出た。

「まだおいでにならない方が多いのですが、時間が過ぎますので始めます。今から河豚《ふぐ》の刺身を作って御覧に入れます」

利平は冷蔵庫から、晒《さら》しで巻いた魚肉を取り出し、真新しい俎板《まないた》に乗せた。けさ調理してから半日しか経《た》っておらず、身の締りが足りないが、何とか〝引ける〟だろう。手にした庖《ほう》丁《ちょう》は、普通の刺身用の柳刃よりも峰の薄い特殊なものだ。

白い肉をすっと試し切りする。自分で研いだだけあって素晴しくよく切れる。利平は満足して肉を薄く〝引き〟始めた。

この河豚の肉というのは、木目が細かく、粘りがあって、一ミリほどの薄い切片にしても形がくずれない。花びらの形に引いて菊の花のように大皿に並べていけば〝菊盛り〟となる。肉を通して皿の模様がこちらに透いて見える。シロウトはこんなに見事に庖丁を使えない。ほら、見てごろうじろ、すっすっと引いて、同じ厚さ同じ形になっちょる。〝花壇〟の間に集った来賓と職員の前で利平は得意になって庖丁を使った。すぐ近くの大鏡が、体に似ず小さな目を見開いている。

「おぬし、これができるかのう」と利平は話しかけた。

「いやあ、できんです」関取は大きな手を振った。

「さあ出来た」利平は大皿を傾けてみんなに見せた。大鏡の飛びぬけて大きな拍手に大広間全体が応じた。利平は一礼し、二枚目の皿にかかった。その時である。中林副院長や医師たちが並ぶあたりからざわめきが起った。鶴丸看護婦が間島婦長に耳打ちし、ざわめきは看護婦の席に伝染した。広間全体が不穏にざわざわし、来賓たちも後ろを振り返り、もう誰も利平を見ていない。利平は庖丁を休め、棒立ちになった。細い影がひらひらと舞うように中林が来て、利平に言った。

「今、臨時ニュースで大事件がおこったとわかりました。総理大臣が暗殺されま……」

「知っちょる」利平は思わず大声で言った。「大事件と祝賀会とは関係ない。静かに、坐《すわ》りなさい」看護婦数人が立ち話をしているのを叱《しか》りつけた。

中林はふらりと上体を傾《かし》げて帰って行った。利平は思った――大事件なんかどうでもいい。政治がどうなろうと、大臣が殺されようと、この時田利平の祝賀会は続行する、おれは祝われねばならない。が、なぜか刺身を引く意欲が無くなってきた。何だか今日は邪魔ばかし入る。この寒さ、この雪、永山光蔵の急病、大事件。手が滑った。庖丁が左手の人差指を引いてしまった。血管を切ったらしく血が吹き出し、俎板に流れた。半分できていた〝菊盛り〟が赤く染まった。目の前の大鏡が小さな目を剝《む》いた。利平が傷の手当をしようと思ったとき、救急箱を提げた間島婦長が飛んできた。縫うほどの傷ではない、リバノール・ガーゼを当て、固く繃帯《ほうたい》した。この指ではもう河豚刺しは作れない。やれやれ、細密に計画を立て苦心して準備した一切が泡沫《ほうまつ》と帰した。

間の悪いもので、風間振一郎を先頭に藤江と三人の娘が入ってきた。

「やあ、遅れまして」と振一郎は満面の笑みを利平だけでなく周囲の誰彼、とくに大鏡に見せびらかすようにして言った。「このたびは、おめでとうございます」

「ありがとう」と利平は微笑を返そうとしたが、糊《のり》で強張《こわば》ったように顔面筋が動かない。

続いて遅れていた人々が、これ見よがしの一団となって現れた。史郎、夏江、初江と三人の子供、慶大医学部の教授、聖心女子学院の学院長……。

3

午前五時

「おい、起きろ」と肩をゆすられ脇中尉《ちゅうい》は目をさました。第五中隊中隊長代理小林中尉であった。「戒厳令が発布されたぞ」

脇中尉は長椅子《ながいす》から身を起した。ぐっすり寝たため頭の靄《もや》が払われて、透明な軽い意識の中で、小林中尉の咎《とが》めるような目付き、不眠のために充血した結膜を認めた。〝こんな非常の場合によく眠れるな〟とその目付きは言っていた。

「はい」脇中尉は立った。そばに越智少尉が寄ってきた。聯隊《れんたい》本部の中には興奮した人々の声が反響し合っていた。

「戒厳司令官香《か》椎《しい》中将、戒厳参謀長安井少将。蹶起《けっき》部隊は歩一の小藤聯隊長の指揮下に入って麹町《こうじまち》地区警備隊となった」と小林中尉は言った。

「昨日の第一師団命令と同じでありますか」と越智少尉は尋ねた。昨日午後三時、東京警備司令官の香椎中将は第一師管戦時警備令を発し、「本朝来出動シアル諸隊ハ、戦時警備部隊ノ一部トシテ新《アラタ》ニ出動スル部隊ト共ニ師管内ノ警備ニ任ゼシメラル」と告示した。〝出動シアル諸隊〟つまり蹶起部隊は、〝新ニ出動スル部隊〟つまり残留将兵と同質の部隊であるというのだ。言いかえれば、自分たち歩三の残留者は、蹶起部隊とともに昭和維新の遂行に邁《まい》進《しん》すべしという意味であった。続いて発せられた第一師団命令では、蹶起部隊は、歩三の渋谷聯隊長の指揮下に入って、「担任警備地区ヲ警備シ治安維持ニ任ズ」とあり、〝このさい、悪いことは、みんな直してしまえ〟という堀第一師団長のおはらが明確に示されていた。

「大体同じだ」と小林中尉は答えた。「直接指揮が歩三から歩一の聯隊長に移っただけだ」

「そのほうが、はるかによくあります」と越智少尉は長身をぴんと伸ばして元気よく言った。

「小藤大佐殿なら、維新の精神をよくおわかりであります」

「おい」と小林中尉は目で制した。渋谷聯隊長に聞えたら事だというのだ。たしかに、この二十四時間、歩三の渋谷大佐のとった態度は頼りないもので、新任のため聯隊内の様子をつかめていないだけでなく、蹶起将校たちの思想動向への理解も不充分だった。一体蹶起部隊を支持するのか、それとも反対して強圧作戦をとるのか、渋谷大佐の方針は煮え切らなかった。彼が示すのは、「一体どうしたらよいか」という困惑の態度のみで、越智少尉ら蹶起支持者は、すっかり聯隊長を見下げてしまい、万事にテキパキと行動する歩一の小藤聯隊長をうらやんでいた。

聯隊内の空気は、聯隊長の優柔にもかかわらず蹶起支持に傾いていた。蹶起部隊は戦時警備令と第一師団命令の結果、〝地区隊〟という名称で呼ばれるようになり、聯隊の経理室ではその糧秣《りょうまつ》の給養に忙殺されていた。〝地区隊〟に続いて、〝本隊〟も出動し、君側の奸亡《かんな》きあとの大元帥《だいげんすい》陛下を奉じ、わが陸軍が主導権を持つ内閣をたてるというのが天野少佐、新井中尉、越智少尉ら急進派の主張で、警備司令官（今は戒厳司令官）の香椎中将、第一師団長の堀中将までが同じ意向を持っているというので、彼ら急進派の主張が聯隊内部の大勢を制した。

今や蹶起部隊は英雄であった。第六中隊長安藤大尉の明朗闊達《かったつ》、第七中隊長野中大尉の聖人君子が云々《うんぬん》され、彼らと親しかった者が鼻高々と思い出話を語った。なかでも越智少尉は、安藤大尉のもとに繁々《しげしげ》と出入りしていたので、その明るくて爽《さわ》やかな人柄《ひとがら》、こまやかな部下への思いやり、とくに貧農出身の困窮兵のために自分の給料から補助金をあたえていた事実などを語った。「安藤大尉殿はこう言われるのであります――日本国内には、餓死と心中の人々と暖衣飽食の人々とがいる、本当に強い皇軍を作るためには、維新の断行しかない、と」

「ともかく」と越智少尉は小林中尉に言った。「戒厳令となれば、いよいよ陸軍が日本を掌握したわけでありますな」

「わからん。われわれは命令のもとに行動するのみだ」と小林中尉は言った。彼は蹶起部隊の精神には賛同するが、暗殺などのテロは好まないという態度をくずさず、越智少尉の跳ね上りを苦々しく思っていた。「そうではないかな脇中尉」と彼は敬助に助けを求めた。

「はい」と脇中尉は重い口を開いた。「戒厳令が発布されたということは、統帥部がいよいよ蹶起部隊鎮圧に動きだした証拠だと思います」

「おっ」と小林中尉が驚き、「そんなことは絶対ありません」と越智少尉が叫んだ。

「昨夜来、参謀本部や陸軍省から幕僚がつぎつぎに聯隊に来ています。みんな蹶起した青年将校と敵対関係にある人たちであります。そして、関東近辺から大部隊が陸続として帝都に集結しています。現に、わが聯隊にも佐倉の聯隊が大挙して来営、歩一には戦車隊が宿泊しています。一体、佐倉や戦車隊が昭和維新とどういう関係がありますか。鎮圧、この方針が決ったからこそ、大部隊で地区隊を包囲屈服させようとしている、これが現実であります」

「そうかも知れん。そういう事態は悲しいが……」と小林中尉は頷《うなず》いた。

「違います」と越智少尉はなおも言った。「それならば、あの陸軍大臣告示は何でありますか。『諸子ノ行動ハ国体顕現ノ至情ニ基クモノト認ム』というのは何でありますか」

陸軍大臣告示というのは昨日午後、戦時警備令が発せられたあと、警備司令部からガリ版刷りの文書として配布されたものである。脇中尉は、それを繰り返して読んでみたが、結局、その意図するところが分明でなかった。

「陸軍大臣告示だが」と脇中尉は、越智少尉を真《ま》っ直《すぐ》に見て言った。「あの文章は矛盾しているんだ。〝諸子ノ行動〟を認めながら、『之《コ》レ以外ハ一《イツ》ニ大御心《オホミココロ》ニ俟《マ》ツ』と結論を逃げている。こういう矛盾は、戦時警備令にもある。蹶起部隊を地区隊に任命しながら、『軍隊相互間ニ於《オイ》テ絶対ニ相撃ヲナスベカラズ』の但《ただ》し書《がき》がある。地区隊と本隊とが〝相撃〟しうる場合があるからこそ、あの変な但し書が必要なんだ」

越智少尉は不満げに首を振ったが脇中尉の論証を反駁《はんばく》できず唇《くちびる》を嚙《か》んだ。

「これからが大変だぞ」と脇中尉は越智少尉をいたわるように言った。「われわれは最悪の場合、蹶起部隊と一戦を交えねばならぬかも知れん。その場合、鎮圧軍の最前線に出されるのは、責任をとらされるわが歩三と歩一だ。な、すこし眠っておけ」

「その通りだ……」小林中尉が深く頷いた。

午前八時四十分

脇中尉は半時前に発せられた、戒厳司令官香椎浩平《こうへい》の一般国民に向けた告諭を読んでいた。戒厳令を布《し》く目的が説明されてある。

「帝都附近全般の治安を維持し緊要なる物件を掩護《えんご》すると共に赤系分子等の盲動を未然に防《ぼう》遏《あつ》するの目的に出《い》づ」

〝赤系分子〟が突然戒厳令の対象になった。真の目的が蹶起部隊の監視抑圧にあることを国民の目より隠蔽《いんぺい》する詐術《さじゅつ》だ。国民の知らぬうちに、幕僚は行政司法の実権を握ってしまった。幕僚に反対して立った蹶起部隊は、つまりは幕僚の力を強大にするために役立った。それは彼ら蹶起将校たちの予想もしなかった結果だ。

脇中尉は、雪の降りやんだ曇天のもと、営庭と青山墓地の寒々とした景色を眺《なが》めた。常緑樹は白雪をいだいて一時に花が開いたようだが、墓石は石肌《いしはだ》をますます黒く、死者に相応《ふさわ》しい刻印を際立《きわだ》てている。戒厳令の発布以後、皇軍相撃の公算が強くなった。この歩三に宿営している佐倉第五十七聯隊の将兵が〝蹶起部隊〟を〝擾乱《じょうらん》部隊〟と公然と呼んでいる事実を、島津軍曹《ぐんそう》が報告してきた。「ともかく、奴等《やつら》は、本気で、わが歩三の〝地区隊〟を、攻撃する気らしい。しかし、われわれ歩三にはそんなことは出来やしませんや。〝地区隊〟には、多くの初年兵がおるんで。入隊して二箇月にもならねえオネンネ兵隊を、われわれが討つなんてえ、到底、可哀相《かわいそう》で……」

島津軍曹の目には涙があった。下町の出身者らしく、一本気で、怒ると兵隊を震えあがらせる激しい気性の主だが、まだ西も東も分らぬ初年兵の面倒を親身になって見る親分肌も持ち合せていて、彼らの信望をえていた。とくに、蹶起部隊のなかに、自分と同じ本所《ほんじょ》出身の兵が何人もいるというので気をもんでいた。きのうも彼は脇中尉に尋ねたのだ。「中尉殿、ちょっと質問があります。わたしは初年兵係として、彼らに軍人勅諭《ちょくゆ》を教える立場にあります。例のくだりです。『下級のものは上官の命を承ること実は直に朕《ちん》が命を承る義なりと心得よ』というのは、今度の蹶起兵の場合どうなりますか。週番司令なる上官が命令を下して出動した、わたしたちの教育を忠実に受けた新兵たちは当然大元帥陛下の御命令と思って従った、こうなりますな。すると、上官の命令が間違っていた場合、兵たちには責任がねえわけで……」「むろん、そうだ。責任は上官にあって、兵たちにはない」「とすると、われわれが戒厳司令官の命令で蹶起部隊を鎮圧にむかう場合、どうなりますか。兵たちは、彼らの上官の命令で動き、われわれと一戦を交え、殺される。これは全体どういうことですか」「まことに……困ったことだ」脇中尉は答えられず、島津軍曹の涙を見ていた。

陸軍における〝命令〟の意味が実は曖昧《あいまい》なのだ。わが陸軍の指針である『戦闘綱要』には、「指揮官ハ戦闘ノ為《タメ》軍隊ノ部署ヲ決定セハ之《コレ》ニ基キ所要ノ命令ヲ下ス」とある。しかし、誰が誰に対して命令し、どのような経路で下達するかについては、何も述べていない。むろん命令の発令者は〝指揮官〟であり、受令者は〝部下軍隊〟であるという漠然《ばくぜん》とした指示はある。が、誰が指揮官で、誰が部下軍隊なのか。

週番司令の命令で非常呼集された兵にとって指揮官はまずもって週番司令、安藤輝三大尉と上官、青年将校たちであった。兵たちは安藤大尉をはじめ青年将校たちが、統帥の大権により、天皇の命令を伝えたと信じて出発した。ところが、昨日午後三時の戦時警備令では、蹶起部隊（本朝来出動シアル諸隊）は、歩三の渋谷聯隊長の指揮下に入るべしとされ、本日、午前三時に公布された戒厳令では、彼らは、歩一の小藤聯隊長の指揮下に入るべしとされた。つまり兵たちの知らぬうちに、指揮官が転々と変更された。要するに発令者が受令者に命令を下達せず、ただただ、内容のない一方通行の命令が乱発されたのだ。

発令者は命令を受令者に下達し、受令者は命令の実行を報告する――この上意下達、下情上申の往復運動がない命令は、ただの紙片であって力を持たない。発令者である指揮官は、部下軍隊の前に、おのれの姿をくっきりと見せねばならない。『戦闘綱要』の言う指揮官の姿が必要になってくる。「指揮官ハ軍隊指揮ノ中枢《チウスウ》ニシテ又其《ソノ》団結ノ核心ナリ故《ユヱ》ニ常時部下ト苦楽ヲ倶《トモ》ニシ率先躬行《キウカウ》軍隊ノ儀表トシテ其尊信ヲ受ケ剣電弾雨ノ間ニ立チ勇猛沈著部下ヲシテ仰キテ富嶽《フガク》ノ重キヲ感セシメサルヘカラス」今、事がおきてから右往左往している人々、出動した兵たちに姿を見せず命令を乱発している軍の上層部、師団長、戒厳司令、参謀本部の幕僚たち、陸軍大臣は、指揮官とは言えぬではないか。彼らよりも、蹶起した青年将校たちのほうが、遥《はる》かに『戦闘綱要』に言う指揮官らしいではないか。兵たちが、青年将校たちの命令に服するのは当然である。そういう教育を彼らに常日《つねひ》頃《ごろ》おこなってきたのだ。にもかかわらず、教えられた通りに行動した兵たちが今鎮圧されようとしている。これは矛盾だ。島津軍曹の涙には、軍の上層部への抗議、蹶起将校たちへの同情、兵たちへの憐愍《れんびん》が光っていた。

ともかく、命令によって動く軍隊の弱点が今回の事件であからさまになった。聯隊本部にうごめく将校たちを視野の端に感じながら、脇中尉は溜息《ためいき》をついた。昨日より、将校たちは命令を待たなければ何一つおのれの意見を持てないでいる。その命令が、一転二転するたびに、彼らは動揺するのだ。当初蹶起部隊を義軍視し、勇ましい意見を吐いていた人たちが、命令の風向きで、たちまち蹶起部隊を擾乱部隊と言い替え、周囲の顔色をうかがう始末だ。そして天野少佐、新井中尉、越智少尉などの急進派は、危険思想を持つ人々として、敬遠されるようになった。当初、彼らの発言に耳を傾け、頷いていた人々が、彼らを避けるようになったのだ。今も、五人六人と固まっては談議している人々に取り残された形で、越智少尉がひとりテーブルに頭を垂れていた。

脇中尉は越智少尉に近寄った。

「どうだ、すこしは寝たか」

「いいえ」越智少尉は充血した目を向けた。「眠れません。眠ろうとしたのですが」

「あまり考え過ぎるからだ。軍人は命令に従えばそれでよい。そのほかのことは考えるな」

「その気持になれません。もし、討伐命令でも出て、地区隊に発砲せよとなっても、わたしは絶対発砲できません。つまり、そういう命令に従う気はありません」

「待て」脇中尉は越智少尉の大声を気遣った。「われわれは、出動命令があれば出動せねばならぬ。しかし、発砲命令を出すのは、その場の指揮官、われわれ中隊付の将校だ。その場の判断、それをあやまたぬよう、充分、眠って脳を休めろと、言っとるんだ」

午前十時過ぎ

小暮初江は届いたばかりの朝刊を開いた。第一面は常のように広告ばかりで、第二面の大見出しが異物のように目に飛びこんできた。

昨早暁《さうげう》一部青年将校等　各所に重臣を襲撃

内府、首相、教育総監は即死　蔵相と侍従長は重傷

人心に動揺なし

帝都に戒厳令布かる

記事を読みだしたものの、活字の表面を視線がつるつる滑るだけでしかとした内容が伝わってこない。大事件であるとはわかるし、一部青年将校が蹶起して大臣を暗殺した事実も伝わってくる。しかし、それらはきのうの悠次の電話や三田での噂話《うわさばなし》で知っている内容で、目新しくはない。新しいのは戒厳令だが、これが何を意味するのやら皆目見当がつかない。枢《すう》密院《みついん》の御諮詢《しじゅん》、勅令、裁可などいかめしい言葉が肩を怒らして睨《にら》みつけてくるだけだ。誰かが教えてくれないかと思う。悠次はいないし……。

きのう悠次はついに会社に泊りこみで、三田の祝賀会にも現れず、家にも帰らなかった。きょう早朝、電話で、近くのホテルに移した会社の重要書類の保管係となったから、事件が鎮静するまでは帰れないと言ってきた。「あぶないから、子供たちは外に出すな。銀座から丸の内や宮城にかけて、軍隊がバリケードを築いて交通遮断《しゃだん》をしてる。戦争でも起りそうな気配だ。そうそう、きのうの祝賀会やったのかい」「やりましたわ」「驚いたね。国家危急存亡の際に個人の祝賀会か。盛大だったかい」「ええ、盛大でした」「お義父《とう》さんは何か言ってたかい」「いいえ」「ならよかった。もし何か言ってたら会社の仕事だと弁解しといてくれ」「はい」悠次は利平の叱責《しっせき》を恐《こわ》がっていた。けれども悠次にとって折よいことに、きのう、利平は賓客の接待に夢中だったし、それにとんだ椿事《ちんじ》がおこって悠次の不在などに気付く余裕がなかった。

利平が振一郎と口喧嘩《くちげんか》を始めたのは宴が熟し、一同酔いが回ってざわめきが高まったころだった。激した声にみんなは静まり、振り向いた。「おれを莫迦にしちょるのか」「そんな……誤解ですよ」「莫迦にせんのなら、なんでおれの診察で満足せん」「満足はしてる。ただ、今日の午後、たまたま野村先生がぼくの家に来ていた。ねえさんからの知らせを聞いて野村先生のほうから好意で往診しようと言ってくれた、それだけのことです。こういうことは二重三重にしといたほうが安全だし、義兄《にい》さんだって心丈夫でしょうに」「つまり、何じゃろが、おれの診察だけでは危険というわけじゃ」「違う。ぼくはお義父《とう》さんによかれと思っただけで。何しろ野村先生は東京帝大の内科教授ですからね」「東京帝大が何じゃ、教授が何じゃ。時田利平より経験ある医者じゃと言うんか」「そうは言ってない。にいさんと帝大教授、時田博士と野村博士と、両博士の見立てがあれば完璧《かんぺき》だと……」「嘘《うそ》つけ」「嘘とは何だ」振一郎は初めて気色ばみ、利平と睨み合った。そのとき、振一郎の後ろに控えていた藤江が進み出た。

「野村先生に父の診察をお願いしたのは、わたくしですの。おねえさまからの電話で、おにいさまの診察の結果をお聞きして、丁度家に来てらした野村先生にお話したら、それは重病ですとおっしゃるので、わたくしが先生にも診ていただけないかとお頼みし、あの雪の中を品川まで、わたくしどもの車でお送りしました。野村先生の御診察の結果もおにいさまのと同じで糖尿病性高血圧症でした。野村先生が、帝大病院の病室に空きがあるから入院をしたらどうかとおっしゃるので、わたくしが懸命に父を説いて、やっと承知してもらったのです」「余計なことをするわ。おれのほうでは慶応病院に頼んで入院の段取りじゃった。そいつにあんたは水をさしたんじゃ」「そんなつもりは毛頭ありません。慶応病院の件は知らなかったんです。わたくしが、おねえさまから聞いたのは、おにいさまが入院のため色々努力なすったのに、父が承知しないので説得してくれということでした」「また、余計なことをと利平は菊江を睨みつけ、「おれはお前に何も頼まなかったぞ」と叱《しか》りつけた。

なおも利平が振一郎と藤江にからむので、菊江は来賓の松本少将や大鏡に失礼だと心配し、何とかなだめようとしたが、利平は一向に聞かず、すると唐山博士が立って仲裁に入った。これを潮に振一郎と藤江が娘たちを引き連れて席を立った。初江は玄関口まで風間一家を追って行き、泣きながら引き留めにかかった。「叔父さま、叔母さま、どうかお腹立ちにならないで。父は酔っています。酔いが醒《さ》めたら後悔するに決っています。どうか席にお戻りになり、仲直りして下さいまし」「仲違《なかたが》いなどしていないよ」と振一郎が幾分ひきつった顔で言った。「今夜のところは話にならないから帰るんだ」「それでは母が可哀相です。また発作をおこしてしまいます。叔母さま、どうかお戻り下さいまし」

藤江は大きく頷き、夫の羽織の袖《そで》を引いた。菊江に似て色白だが、瓜実顔《うりざねがお》の楚々《そそ》とした美人で、おっとりとした姉と異なった、素早い心の動きがある。「あなた、戻りましょう。初江ちゃんの心配は本当です。おねえさまも立場がなくなるし、おにいさまも、あとで傷つかれます。それに、大鏡関だって気分を害します。関取はまだあなたとお話してませんでしょう」「そうだな」と振一郎は足を止めた。大鏡の一言が効いたらしい。そのまま引返す。松子が「よかった」と手をたたき、梅子が「せっかくの、お祝いですものねえ」と初江に笑いかけた。

唐山博士の忠告を聞いたのか、利平はすっかり機嫌《きげん》を直して、笑いながら大鏡と長州弁で遣取《やりと》りしていた。一刻前の激昂《げっこう》が嘘のように振一郎にも笑顔を向け、「さっきは失礼した。野村教授は当代随一の刀圭家《とうけいか》じゃとしかと納得した。おとうさんは、帝大病院に入院していただこう。まあ、二、三日様子をみて、血圧がすこしさがった所でな」「へえ、意見が変ったんですか」と振一郎が皮肉な口付で言ったのを、藤江は素早く袖を引いて留め、「父もこれで安心でございます。これで二人の名医さまに診ていただけるんですから。どうかよろしくお願いいします」と頭を下げた。

しかし、風間一家の戻りがすこし遅すぎたのかも知れない。振一郎と利平が悶着《もんちゃく》をおこしたときから、乾咳《からぜき》を反復していた菊江は、夏江に背中をさすってもらい、苦しげにしていたが、このとき、本式の喘息《ぜんそく》の発作に移行していて、間島婦長の介抱を受けていた。そして、ついに担架で寝室へと運ばれて行ったのである。初江と夏江は母に付きっきりで、その夜を過した。

おかあさま、大丈夫かしらと初江は思い、手にした新聞を、それを一体何のために持っているのか訝《いぶか》るように眺めた。注射で発作は治ったものの依然苦しげな呼吸を続ける母は、夜半になって、「どうやら、わたしは先が長くないよ。自分の寿命は自分でわかるものだよ」とわびしげに言い、娘二人が涙ながらに励ますのに安心したのか、やっと寝付いた。そして、けさの母の顔に初江はぞっとしたのだ。常にも肥《ふと》った丸顔なのが一回り大きく膨れあがり、まるで水を一杯に注入した氷嚢《ひょうのう》のように、半ば透きとおって生気が無かった。足がだるいと言うので、さすろうとしたら、こちらもはち切れんばかりに脹《ふく》れていた。利平は、「これは心臓性浮腫《ふしゅ》じゃ」と言い、顔色を曇らせた。別室で利平は二人の娘に言った。「重症じゃ。心臓が弱っちょる。大学病院に入院させようと思うのだが、父親に似て頑固《がんこ》でな、死ぬなら三田で死にたいと言う」

朝方、子供たちを連れて一応西大久保に帰ったものの、ほとんど一睡もしなかったのに、母の様子が心配で横になっても睡気《ねむけ》はおとずれず、と言って何をする気力もなく、子供たちをなみやにまかせて、初江は茶の間に入ったのだった。で、この新聞、戒厳令、一体全体何がどうなったのやら。めくっていくうち、広告に出会った。

白き処女地　仏蘭西《フランス》第一の名画が銀幕へ春をもたらして来ました!!

真白なケベック地方へ春が訪れた!!　処女マリアをめぐる恋と、殉情、自然の美しさ!!あなたの胸を搏《う》つ、清浄なロマンスが、デュヴィヴィエの霊腕に描き出されます!　正しくこれは映画の挙げる凱歌《がいか》!!

マドレーヌ・ルノオ　ジャン・ギャバン　ジャン・ピエール・オーモン　帝国劇場　大勝

初江はすこし元気になった。そうだ、こんな時は映画が気晴しになるかも知れない。武蔵野館なら新宿駅のそば、ここから歩いて十分の距離だ。正午開館とある。今から着換えて出て充分間に合う。デュヴィヴィエの作品ならぜひ見たい。『にんじん』『モンパルナスの夜』『商船テナシチー』……どれも素晴しかった。ところが昼日中、女ひとりで映画館に入るなんて度胸はわたしにはない。晋助さんが一緒に行ってくれないかしら。晋助……正月に風間邸で会ったきり、これで二箇月会っていない。脇家に駆けこみ、晋助に助けをもとめるのを、きのうから何度も想像し、そのたんびに腰がふわふわ浮きあがり、乳首が固くなる。不眠で濁った脳髄に、熱いみだらな粘液が流れこんできて、初江はしきりに頭を振った。夫は危険な地帯に宿泊し、母は煩《わずら》い付いていているというのに、わたしはとんでもない妄想《もうそう》にふけっている……。

縁先に晋助が立っている。一高の制帽にマントの姿だ。障子の硝子《ガラス》窓の中央に笑顔が静止した。すずしい目がまばたきした。幻影だ、寝不足のせいだわと初江は思った。コツコツと硝子戸が鳴った。「初江さん。あけて下さい」と明瞭《めいりよう》な声が聞えた。幻影ではない、本物の晋助だった。あまり突然目の前にいるので化粧を直す暇がなく、初江は面喰《めんくら》った。乱れ髪のまま浜田がフォードで送ってくれた。それっきりなのだ。

鍵《かぎ》をあけると晋助は、朴歯《ほおば》を高鳴らせて沓脱石《くつぬぎいし》にあがった。異様に太い鼻緒から泥《どろ》だらけの素足を抜く。そのままあがろうとするから押し止《とど》めて、金盥《かなだらい》に水を汲《く》んできて洗わせた。

「はだしでよく寒くないわね」

「足袋をはかないのがいきなんだ」

「いきだか何だか知らないけど風邪をひくわよ。早く炬燵《こたつ》で暖まりなさい」

晋助は掘り炬燵の蒲団《ふとん》に両足を差しこむと、あたりを見回し、荒縄《あらなわ》がけの箪笥《たんす》や行李《こうり》、トランク、風呂敷包《ふろしきづつみ》の山に目を丸くした。

「ねえ、突然どうして来たの」

「御挨拶《あいさつ》だな。世の中物騒だし、女手ばかりで心細いだろうと斟酌《しんしやく》申し上げたんだ。ところで、まるで夜逃げするみたいだな」

「しあさって、引越しなのよ」

「ここも最後か。嬉《うれ》しくも淋《さび》しくもありなん家捨てて旧《ふる》きを忘れ出立《いでた》つときは」

「そうなの。この家でもいろんなことがあったもの」初江は晋助の視線に合せて四周を見た。柱の割れ目、壁の傷、畳の染《し》みから、さらさらと過去の時間が流れだし、その時間の音で心臓が切なく愛撫《あいぶ》された。この家で娘は妻となり母となり主婦となった。その時間はこの家と固く結びついて離れない。あの柱には、子供たちのその折々の身長が鉛筆で刻まれてある。悠太は黒、駿次は赤、研三が青だ。ああ、あの柱だけでも持って行きたいのだが……。と、二階で遊んでいる子供たちが急にどたどたと天井を震わせた。初江は晋助と顔を見合せた。しんみりと言う。

「新しい家ができたとき、これですこしは文化的な生活ができるって喜んだんだけど、いざ越すとなると後髪を引かれるようなの。ねえ、晋助さん、戒厳令なのに運送屋来てくれるかしら」

「来るよ、大丈夫」

「じゃ、がっかりだわ。今度の事件で、わたし、引越しがずっと先に延びればいいと思ってるの。そうそう、戒厳令てどういうことなの。新聞読んでもさっぱりわからない」

「ぼくも、にわか勉強だが、行政権と司法権の行使を軍隊の司令官にゆだねることでね、今度の場合東京の政治を香椎中将という戒厳司令官がおこなうことらしい」

「むつかしくて……つまりどうなの」

「われわれ庶民の生活はそう変らんのじゃないかな。しかし、郵便物の開封、家屋の立入検査、危険人物の逮捕などが司令官の一存でできるから、自由は大幅に制限される」

「手紙を書かないし、物騒な物は家の中にないし、危険人物でもないわたしなんかには関係ないわね」

「まあ、そういうことだ」晋助は新聞の香椎中将の写真を人差指で突いた。

「おねえさまは」初江は一番気になることをそれとなく尋ねた。

「風間邸だ。あそこは事件の情報が逸早《いちはや》く入るんで、きのうから泊っている。お袋も物好きだよ」

「敬助さんから逐一電話があるんですってね」と初江は菊江からの伝聞を言った。

「そうなんだ。兄貴ときたら、わが家には何も知らせないのに、岳父殿の忠実なスパイとなりさがった」

「スパイだなんて……そんな」

「悠次叔父さんは」今度は晋助が尋ねた。

「きのうから会社の近くのホテルに泊り込み。社の重要書類を保管してるんですって……」

晋助の足先が伸びてきて初江の着物の裾《すそ》を割ると膝《ひざ》のあいだに入ってきた。抵抗の暇もなく女はじっとしていた。男は畳に仰向けに倒れ、腰をぐっと蒲団に入れて女の中心を指でまさぐった。生温い悦楽が指の先まで行きわたり、女は唇《くちびる》を薄く開いて喘《あえ》ぎ、つぎの瞬間炬燵《こたつ》櫓《やぐら》の上に突っ伏して、やっとのことで言った。

「だめよ。子供たちが来るわ」

事実、階段に乱れた足音があった。襖《ふすま》を乱暴に開き、まっさきに駆けこんで来たのは駿次だった。続いて悠太が現れ、最後に「待って、おにいちゃん」と泣きべそをかきながら研三がついて来た。男はそっと足先を離して蒲団の中で身を縮め、女は着物の乱れを直した。「寝てるの」「眠いの」と子供たちが晋助に言うのを、初江はまだ悦楽の余燼《よじん》に曇った意識でぼんやりと聞いた。そして、次の間で遠慮深げにひかえているなみやに、「子供たちを外で遊ばせてよ。わたしは疲れてるんだから」と物憂《ものう》げに言った。

「さあ、雪合戦をやりましょう」となみやが言うと、子供たちは「うん、やろう」「やろう」と応じた。手袋をはめること、池に落ちぬよう注意することなどをなみやに言いつけ、子供たちが庭に出たとき、畳に遠鳴りが響いてきた。改正道路を戸山町の方向から近付いてくる。相当数の戦車だ。

「タンクが来るよ」と駿次が、すばしこく縁側に来て言った。「おかあさん、タンク見に行こうよ」

「見てらっしゃい」と初江はなみやに目くばせをした。歓声をあげて子供たちが去ると、急にひっそりした空気を、一律に引締めるようにして地響きが力強くなり、ビリビリと硝子戸を震わせ始めた。

男は立ちあがると女に飛び掛り、押し倒した。帯をほどかず裾をからげ腰巻を開いた。女は無言であらがったけれども、男の力が勝り、唇を吸われるともうなすにまかせた。轟音《ごうおん》は今や頂点に達して家全体を震動させていた。あとからあとからあとから続く戦車の大群だ。音にまみれた男が震えたとき、女も震えた。あとからあとから、二つの熱い肉塊に音が襲い掛った。

午後四時半

時田利平は、ゴム球を押してマンシェットに空気を送った。昨日午後の血圧は二三二だった。一応水銀柱を二五〇まであげ、ゆっくりと空気を抜いていく。動脈に当てた聴診器が脈《みゃく》搏音《はくおん》を伝えてきた。二二五だ。まだ高い。さらに空気を抜く。一七三で脈搏音が消えた。二二五——一七三。よくない徴候だ。歴然とした動脈硬化性高血圧症だ。むろん原因は糖尿病だ。家に閉じ籠《こも》って鉱物標本を相手に長年暮すうちに運動不足と美食の習慣がついてしまった。間島婦長が患者の太い腕からマンシェットをほどいた。

「まだ高いですかな」と永山光蔵は尋ねた。別に心配している風でもなく、自分の病気を面白がっているような微笑を浮べている。

「高いです」利平は答えた。

「どうしても入院せにゃいかんですか」

「いけませんな。ここでは充分な治療ができない」

「どうなんです。正直に言ってほしい。入院しても結局は治らんのでしょう」

「いや……そんなことは」

「ほら、あんたの顔に書いてある。治りゃせんと」永山光蔵は高笑いした。禿《は》げあがった頭と白いひげが、きのう暗殺された高橋蔵相によく似ている。「藤江がべそべそ泣きながら入院をすすめるんで、きのうは入院を承知したが、きょうは気が変った。帝大病院に入ってもどうせ死ぬなら、ここで死にたい。鉱物標本の整理は、あと二箇月ほどで終了するんだ。どうです、ここにいても、あと二箇月生きられますかな」

「それは、まあ、大丈夫だと思います」

「ならば決った。入院お断りだ」と永山光蔵はまた笑った。「標本には採取場所、地層の特徴、学名、日本名、地方の俗名がついている。〝永山鉱物博物館〟として後世に遺《のこ》す。その遺言も作成してある。これで思い残すことは何もないです」

「しかし」利平は困惑した。どうもこの岳父は苦手なのだ。大抵の人間に対しては、おのれの意見を通す利平も、永山老人には逆に言い負かされてしまう。彼が入院を拒否したとなると藤江は、そして菊江は失望落胆し、もしかすると邪推して利平が帝大病院入院に反対したからだなどととるだろう。が、彼を説得する医学的根拠があまりない。大学病院だろうと、この重病を治す方法はない。ただ、心不全発作を起した場合に応急の処置がとれるというだけだ。

「しかし」と永山光蔵は鸚鵡《おうむ》返《がえ》しに言った。「まだ何か意見がありますか」

「いいえ」と利平は頭を振り、ふと窓外にひろがる海に目をやった。高波に刺立《とげだ》った水平線のあたりに異様なものが浮んでいる。軍艦の大群だった。戦艦、巡洋艦を主体とする大艦隊だ。黒煙を吐き波を切り裂いて近付いてくる。まるで東京を攻撃するような殺気を光る砲列にみなぎらせ、堂々と御台場の方向へと向っている。

利平は永山光蔵に大艦隊を指差した。

「ものすごい数です。まるで日本海大海戦だ」

「おう」と永山光蔵も嘆声をあげた。「よく軍艦が通るが、あんな沢山は初めてだ。そこの棚《たな》に双眼鏡があるから取って下さい」

二人は各自双眼鏡を目に当てて、艦隊を眺《なが》めた。

「あれは長門《ながと》か陸奥《むつ》ですぞ。さすが威風堂々だ。四十サンチの主砲は威力じゃ。あれあれ主砲がこっちを向いてますよ。われわれを狙《ね》ろうちょる」

「どれが長門だって」永山光蔵は子供のようにはしゃいで言った。

同じく午後四時半

麻布の歩兵第三聯隊《れんたい》の営門前の群衆に混って、時田夏江は立っていた。数人の歩哨《ほしょう》が剣付鉄砲を小脇《こわき》に構えて監視している。時折誰かが歩哨にむかって声をかけるが、反応が全くない。顎紐《あごひも》をかけた軍帽の下には無表情な、似通った顔があるばかりだ。

真白な営庭に兵隊たちが整列し、ゼンマイの切れたブリキの玩具《おもちゃ》のように硬く動かなかった。動いているのは将校である。将校だけが柔かい人間の姿で動いていた。その一人が脇敬助ではないかと夏江は見た。胸を張った歩きぶり、頑丈に張り出した肩がそうらしい。しかし顔は見分けられない。

とうとう来てしまった。別に来たところで敬助に会えるはずはないとは思ったのに、それでも一目姿を見たくって来てしまった。

蹶起《けっき》した部隊が麻布の第一聯隊と第三聯隊であることや敬助が残留部隊にいることは、きのう、振一郎叔父から教えられた。敬助が蹶起した青年将校たちと行をともにしなかったのが、夏江には意外だった。彼からの手紙には、陸軍部内の〝暗雲低迷〟や、〝政党、財閥、重臣の腐敗〟や、天皇機関説への攻撃など、およそ恋文には不向きな文章が書き連ねてあり、今にも彼が蹶起して、〝君側の奸《かん》を芟除《さんじょ》する〟ような切迫した気持が述べられてあった。おのれが国士として立つような時局への熱中ぶりが、夏江にはどこかうとましく、菊池透の言う〝自分たちが第一等の愛国者だとうぬぼれて、国民を指導しようとする、やりきれなさ〟を認めて、敬助から心が離れていったのだ。とくに、去年の夏の夜の敬助の言葉が彼女を決心させた。「〝もっと大事なもの〟のために、あなたと結婚ができないのです。もしかするとわたしは近いうちに死ぬかも知れない。そんな男が無責任に、あなたを幸福にできるなどと言うのはおこがましい」あの〝もっと大事なもの〟とは蹶起ではなかったのだ。では、何だったのだろう。

昨夜、敬助に覚えた意外な気持には、おのれの言葉を裏切った男への軽蔑《けいべつ》とともに、男が選んだ安全な道を喜ぶ心が混っていた。百合子と結婚した以上、もう自分とは無関係な男になぜなおも奇妙にひかれるのか、夏江は自分の軽薄な心がいやで、昨夜、病む母の枕元《まくらもと》に付き添っていたあいだ何度も溜息《ためいき》をつき、それを母を案じての嘆きととった初江から、「夏っちゃん、おかあさまは、よくおなりになるわよ。大丈夫よ」と慰められた。朝になって、新聞を読んでいた史郎が「戒厳令だ。敬助さんも、いよいよ出動だ。こりゃ撃ち合いになるぞ」と叫び、夏江が、「じゃ、敬助さんも危いわね」と言うと、史郎は、「そりゃそうだ。青年将校の側も機関銃を持っているからな。おれは、きのう、ちゃんと見てきたんだ」と言った。

敬助の死を想像しただけで、夏江はいたたまれぬ気になり、きょうはセツルメントが非番なので家に籠ってレコードでも聴こうと予定していたのに、うかうかと外出着に着替えた。玄関口で白衣の中林医師が「おやお出掛け……外は寒いよ」と言ったのを、むっつり顔で睨《にら》み、高足駄《たかあしだ》で小走りに外に出た。

夏江は、敬助らしい将校から目を離さずにいた。後手を組み、いきり立った犬のように首を振っている。そこへ、もう一人の将校が話し掛けた。もう間違いなく、それは敬助だった。頷《うなず》く際の、きゅっと顎を引く仕種《しぐさ》が見えたのだ。と、衛兵たちが門外に出てきて群衆の規制を始めた。今から行軍が始まるので道をあけろと言うのだ。人々は、道路脇に掻《か》き寄せられた雪の堤のうしろまで後退させられた。門扉《もんぴ》が開く。号令が営庭のあちらこちらで起る。やがて四列縦隊の兵隊たちが将校に指揮されつつ出てきた。ざっくざっくと軍靴《ぐんか》が鳴って雪が踏みしだかれた。敬助が現れた。夏江は衛兵たちの銃剣のあいだを走った。「これ、女、どこへ行く」「そこは通行禁止」と叫ぶのをよそに、敬助のそばに行くと「あなた」と叫んだ。敬助は、夏江のほうにチラと視線を動かしたが、そのままそ知らぬ顔で通り過ぎて行った。

午後九時十分

雪明りの中に針が無数にキラめいている。叉銃《さじゅう》の先の剣が路上の鉄条網のように連なっている。兵たちは土嚢《どのう》のうえで休息をとったり、携帯天幕を貼《は》り合せて寝所を作ったり、思い思いの姿ながらこれまた黒々と堡塁《ほるい》のように続いている。戦帽の上に鉄帽、防弾衣の上に防寒外套《がいとう》を着て、全員まさに決戦の態勢である。

午後四時三十分旅団命令が出され、聯隊は軍旗を奉じて営門より出動、午後六時には、赤坂見附、福吉町、虎ノ門の線、すなわち、占拠部隊が屯《たむろ》している料亭幸楽、山王ホテルと対峙《たいじ》する位置に展開した。歩三だけではない、各方面から大部隊が陸続として到着し、占拠部隊に対して包囲陣を張った。

午前十時半戒厳司令部の戒作命第三号から、蹶起部隊の従来の呼名〝行動部隊〟や〝地区隊〟が、はっきり〝占拠部隊〟に変ってきた。そうして、彼らに対する聯隊内の空気も変ってきた。蹶起部隊の志を継いで、残留部隊も蹶起し、一路昭和維新に突き進もうという勇ましい言辞を弄《ろう》していた人々がつぎつぎに心変りし、占拠部隊を厄介視《やっかいし》するようになった。彼らは、聯隊の秩序を乱した困った存在であり、これを何とか始末せねばならぬという気持が誰彼の胸に兆《きざ》してきた。むろん、彼らをあからさまに討伐せよなどと言う者はいない。何とか攻撃の惨を避けたいとは誰しもが願う解決であった。ただ、その願いには、過激な革新派とおのれを見なされたくないという保身の臭《にお》いが染みていた。

聯隊長の態度は依然曖昧《あいまい》であった。残留部隊をあげて占拠部隊に向いながら、攻撃に重点を置くのか、説得工作に集中するのか、一向にはきとした指揮がない。新井中尉や越智少尉は、聯隊長の煮え切らぬ様子に腹を立て、むしろ今までよりも尖鋭《せんえい》な意見を迫っていた。せっかく戒厳令まで来たのだから、維新の詔勅《しょうちょく》を請《こ》うて、一気に昭和維新を実現すべきだ、蹶起した身内の将兵たちの志を遂げさせてやりたいという。

脇中尉は事態の推移を冷やかに観察していた。大部隊で占拠部隊を包囲した以上、相撃となれば彼らに勝味はない。と言って、新井中尉や越智少尉が言うように、包囲軍が昭和維新へ転進するなどとは、これまでの行き掛りから推して、全くありえない夢物語である。今や大方は、彼らを円満に原所属部隊に復帰させるのが最良の解決だと考えている。しかし、それが簡単ではない。彼らは徹底抗戦を叫び、意気さかんに軍歌を高唱し、守備を固めている。彼らの徹底抗戦が大局に立てば不可能事であり、兵を流血の惨にみちびくだけだと、誰かが説得しなくてはならぬ。彼らの翻意・降服・帰順・撤退・帰隊を実現しなくてはならぬ。

脇中尉は、薪《まき》を燃やして暖を取っている兵たちの前を通り、天幕に入り、中隊長代理の小林中尉の隣に腰を下した。ベンチの上に毛布にくるまった越智少尉が長い丸太のようになって眠っている。

「兵たちの様子はどうか」

「異常ありません」

「おれは、今、聯隊本部から戻ったところだが、聯隊長殿が妙なことを言われた。もしかすると奉勅命令が下されるかも知れんというのだ」

「奉勅命令……どういう趣旨でありましょう」

「わからん。ともかく陛下が御自分の御意志を明らかにされるというわけだ」

「陛下……」と脇中尉は自分の思考の盲点を突かれてはっとした。昭和維新の断行には天皇大権により戒厳令を布《し》き、一切の権力を軍が掌握することが前提だ。しかし、そのための戒厳令なら日本全国に発布されるべきなのに今度のは帝都内に限定されている。すなわち占拠部隊を鎮圧するという意図が見え見えだ。その戒厳令を発布されたのは陛下であったのをつい忘れていた。その陛下の発令される奉勅命令なら、占拠部隊の殲滅《せんめつ》に決っているではないか。

「大御心《おおみこころ》奈辺《なへん》におわしますや、これが問題でありますな」と脇中尉は呻《うめ》くように言った。

「それが大問題だ。ところで、聯隊長殿は、陛下が昭和維新の大号令を発せられるかも知れぬと喜んでおられた」

「それは甘い」脇中尉が叫んだ。「この期《ご》に及んでまだそんな予想を立てる。どうかしている」

「そうだ」小林中尉は疲れたように言った。「だから妙なことを言われるなと思ったんだ」

「聯隊本部に行ってきます」

「何しに行くんだ」

「じっとしておられんので、様子を見に行きます」

「わたしも行きます」眠っていると思った越智少尉が非常呼集を掛けられた兵のように飛び起きた。

午後十時過ぎ

電車の跡絶《とだ》えた大通りを鹿砦《ろくさい》で封鎖し、さらに土嚢を積みあげて機関銃を据え、兵が厳戒に当っていた。坂を登る。停留所のあたりに屋形天幕を張って聯隊本部が仮設されてあった。野戦暖炉が燃えてはいるが半ば吹き曝《さら》しの中は寒い。聯隊長、副官、大隊長のほか隊付将校たち数人がいた。彼らが任地を離れるのは御法度《ごはっと》だが、聯隊本部に詰めていたほうが新しい情報にありつけると考えたらしい。隅《すみ》で電信を受けていた兵が聯隊長に紙片を渡した。聯隊長は紙片を一瞥《いちべつ》して副官に渡した。

将校たちは小声で話していた。「情勢はどうなんだ」「模様待ちだな」「説得に誰か行ってるのか」「さっき、天野少佐と新井中尉が偵察《ていさつ》に出掛けた」「説得か」「いや、彼らなら激励だろう」「まさか」「いや、彼らは依然維新の実現を夢見とる。どうやら占拠部隊も同じ夢を見とるらしい」「チグハグだな」「ああ、チグハグだ。何もかもチグハグだ」

越智少尉《しょうい》が十一中付の同期生赤石少尉に話し掛けた。

「きさまはどこに位置しとる」

「米国大使館付近だ。霊南坂《れいなんざか》の警戒だ」

「おれの方は黒田邸下だ。山王ホテルが目の前だ」

「それでは彼らの動きがわかるな。どんな様子だ」

「時折軍歌を唱《うた》って、意気熾《さか》んだ。通行人を集めて演説をしてるヤツもいる」

「脇中尉と越智少尉」と聯隊長が呼んだ。二人はさっと飛んで行き、敬礼した。

「第五中隊は、山王ホテル付近だったな。脇中尉は安藤大尉と面識があるか」

「はい、よく知っとります」

「ほかに彼らの中に親しい者がおるか」

「坂井中尉は同期で親しくあります」

「越智少尉はどうか」

「安藤大尉からは、時々話を聞きました。あと、同期の常盤《ときわ》少尉、鈴木少尉とは親しくあります」

「よし……」と渋谷大佐は拳《こぶし》を額に当てて沈思の体であったが、重々しく言った。

「命令。脇中尉と越智少尉は、山王ホテルおよび幸楽に屯駐《とんちゅう》せる占拠部隊の動静を偵察すべし。ただし万々一にも彼らを激発せざるよう細心の注意を払うべし」

「復唱……」脇中尉は命令内容を繰り返した。

午後十時四十分

山王下幸楽の門に着剣した衛兵が数人立っていた。脇中尉と越智少尉は「通れ」と簡単に通された。門の周辺や塀側《へいがわ》には兵が散開して電車通りを警戒していたが、中はすこぶるのんびりした様子だ。玄関脇の大広間には畳を裏返し、ムシロを敷いて兵が土足のまま横になっていた。眠る者、手紙を書く者、談笑する者、何だか小学生が遠足にでも来たかのようだ。

応接間に坂井中尉が出てきて、ソファに勢いよく腰を沈めた。「やあ」と親しげな笑みを浮べる態度は一昨日と変らない。ひげも剃《そ》って、さっぱりした顔付も常の如《ごと》くだ。

「きさまのほうはいいな」と脇中尉は言った。「こんな料亭におって豪華だ。おれのほうは、寒夜に野営だ」

「どちらにいるんや」三重出身の彼には関西風のアクセントがあった。

「つい、この目と鼻の先だ」

「聯隊ではわれわれ地区隊を維新の尖兵《せんぺい》として歓迎してくれるやろな」坂井中尉は照れたように笑った。いたずらした子供が自慢するような素振りである。

脇中尉は、急に相手が別世界に抜け出た人間だと実感して顔を曇らせた。

「率直に言おう。事態はそんなに甘くないぞ。現に、きさまは自分たちを地区隊と呼んでいるが、聯隊では占拠部隊と呼んでいる。この差は大きいぞ」

坂井中尉は咽喉《のど》に何かつかえたように、「ウッ」と言ったなり血相を変えた。

「どこかの部隊が接近してきたので友軍と思えばおれたちに機関銃を向けよる。道路のむこう側は、きさまの隊か」

「おれの隊ではない。しかし、命令があればきさまでも撃たねばならん。どうだ。聯隊に復帰して、大御心に俟《ま》つのがこの際道ではないか」

「何が道や。きさま何言いに来たんや」坂井中尉は立ちあがり、軍刀の鞘《さや》を握った。

脇中尉は姿勢を崩さず真《ま》っ直《す》ぐに相手を見詰めた。坂井中尉は、鞘をはなすと、全身の力を抜き、鞘が投げ出されたようにソファに落ちて来た。

「さっきもな、天野少佐と新井中尉が来て、安藤大尉殿に兵を帰隊させろと説きよった。今、兵を引いたら、すべては瓦解《がかい》するやないか。われらは、きょう午後、真崎閣下に会うて、志を遂げさせてくれ、後継内閣の首班になって、維新の大業を果してくれと頼んだ。もう一歩で、すべては上々の首尾になるんやのに……」

「真崎閣下は何と言われたんだ」

「それが姑息《こそく》なのや」坂井中尉は吐き捨てるように言った。「内閣の首班は陛下の御諮詢《しじゆん》なくしてできん。しかし善処する。ところで、お前らの越軌の行動は錦《にしき》の御旗に弓を引くことになると威嚇《いかく》するようなことを言う」

「坂井、目を覚せ。すべては明々白々ではないか」

「坂井中尉殿」と越智少尉が言った。「真崎閣下は当てになりません。あんな老人を当てにせず、御自分たちの力で内閣を作るのです。なあに、宮城を占領し、陛下の御命令を直接いただければできます」

「おい、やめろ」と驚いた脇中尉が睨みつけた。「畏《おそ》れ多いではないか」

「そうや」と坂井中尉は沈んだ声で言った。「それが最良の道やったかも知れん。しかし今となってはもう手遅れや」

「その通り、手遅れだ」脇中尉は身を乗り出して越智少尉を手で払うようにして言った。「宮城はすでに大部隊によって守護されているからな。しかし越智の言うことも一理がある。明治維新でも同じだが、玉をどちらが持つかで事定まるんだ。きさまらは玉を失なったのだ。よく考えろ、今夜はこれで帰る」

玄関まで送ってきた坂井中尉は言った。

「来てくれて嬉《うれ》しかった。すこし先が見えてきよった。いや、不吉な先かも知れんが……」

兵たちは寝入ったらしく広間は暗かった。空が割れて、二、三の星が顔をのぞかせた。しかし雲は厚く、風にもまれて戦雲急を告げていた。

4

午前八時四十分
さっきまでの霙《みぞれ》が雪に変ってきた。風も強まり、コートから寒気が染《し》みて、時田夏江は身震いした。ぬかった道にずぶずぶ沈む長靴《ながぐつ》を踏みしめ、溢《あふ》れたドブ水をよけ、石につまずき、難渋しながら、やっと帝大セツルメントに辿《たど》りつく。

診療所では看護婦がカルテの整理をしていた。託児所の子供たちが賑《にぎや》かだ。食堂にいた竹内睦子に挨拶《あいさつ》すると、「ちょっと」と目顔で隅に連れて行かれた。

「きのうガサがあったの。夕方、刑事が数人来てね、セツル中調べて行ったわ」

「誰か連れて行かれたんですか」夏江は二階の伊川憲次を思った。

「いいえ」睦子は誇らしげに答えた。

「戒厳令で何かあるなと思ったんで、二階の人には朝のうちに逃げてもらったの」

「でもあの人は出獄したので、逃げる必要はないんでしょう」

「菊池君がそう言ったのね。いいえ、あの人は刑の執行停止で病院に入院してたのを、逃走したの。見付かれば逮捕されるわ。あなた、あの人に会ったことを刑事に喋《しゃべ》っちゃ駄目よ。あの人はここにはいなかった、そうなってるの」

刑事と聞いただけで恐《こわ》い。まして、嘘《うそ》の答弁をするとなるとなお恐い。夏江は心細くなった。睦子はそんな心を見透したように付加えた。

「あなたね、しばらくセツルを離れてたほうがいい。託児所は、わたしと大谷さんで大丈夫。セツラーはセツルに近付かないほうがいいという情勢判断が出たの。きのうだって、カルテ、会計簿、レジデントの持物、洗い浚《ざら》い調べていった。もちろん何にも出なかったけどね、あんなに徹底的にやるの、何かを嗅《か》ぎつけてるらしい。菊池君も潜ったわよ」

「潜った……」

「地下にね。彼はあの人の逃走の共犯者だもの。彼があの人を病院から連れだしたんだから」

「わたしは何もしてないから平気です。せっかく来たんだからお手伝いしていきますわ」

「それは有難いけど、あの人を匿《かく》まった人、世話した人はみんな逃走加担罪になるの」

「言わなければいいんでしょう。伊川憲次なんて存在しなかった」

「だめ、その名前を口にしちゃ」竹内睦子は悲鳴に近い声を出した。「菊池君、そこまであなたに伝えてたんだね。本当に口が軽いんだから。ともかく、悪いことは言わない。そっとお帰りなさいな。あとをつけられないようにね」

「つけられる……」

「そう、どうもセツルは監視されてるらしいの。さっきも消費組合の人が外出したら、刑事らしいのに尾行されたって」

午後二時過ぎ

午前中、時田夏江は託児所で働いた。千葉に住む保姆《ほぼ》の大谷が雪の交通麻痺《まひ》のため現れず、調理場の係が風邪で休み、五十人もの子供たちの世話を竹内睦子一人では不可能と見て取ったからである。

やっと子供たちの昼食が終り、大きい子には描画をさせ、小さい子には紙芝居を見せようかと相談している最中に、診療所の柳川医師が、妙に緊張した表情で入ってきた。竹内睦子を廊下に連れだし何やら耳打ちした。

「えっ、ほんとですか」と睦子は叫んだ。

「ほんとなんだ。患者の……が知らせてくれた。彼は……の隣の家に下宿してたんだ」

医師が去ると竹内睦子は急にむっつり黙りこみ、まつわりつく子供たちを邪険に払いのけた。白髪まじりの乱れ髪が額に垂れ、まだ四十前なのに、変にふけた相貌《そうぼう》である。彼女は託児所の開所以来ずっと保姆をしていて、柳川医師とともに専従者の古参、セツルメントの元締格であった。学生であるセツラーたちは、卒業すれば去って行くし、若い人の気まぐれで顔ぶれも入れ替るし、何よりも、おのれの生活すべてを運動に賭《か》けてはいない。ところが専従者は四六時中内部にいて人々の動きを知り、地元の人々とも深く付き合っているので、セツルメントの要《かなめ》の役を果している。竹内睦子のふけた相貌には一種の威厳があって、夏江を打った。と、睦子は夏江を向いた。

「ねえ、時田さん。菊池君が逮捕されたの。どうして潜伏先がわかったかねえ。ともかく、あなたも危いわ。そっと家へお帰りなさい。また、あいつらに踏みこまれて、参考人として連れてかれてもつまらない」

「わたしは何も言いませんわ」

「菊池君が言うのよ。彼は拷問《ごうもん》に弱いんだから。二年ぐらい前にも逮捕されてすぐ泥《どろ》を吐き、同志が芋蔓《いもづる》式にとっつかまった事件があったの」

「でも……」〝同志〟という言葉が突如出てきたので夏江は戸惑った。そこに竹内睦子が個人の意志ではなく、組織の意志を代弁している感じがあったのだ。

「悪いこと言わないから、お帰りなさい。丁度雪で視界がきかないから都合がいい」

夏江は身支度をした。竹内睦子が親切で言っているのか、それとも組織が自分を信用せず追い立てているのか不鮮明で、何となく気乗り薄だったが、ともかくも忠告に従うことにした。

墨色の雲が荒目の篩《ふるい》になったかのように、雪は密に降っていた。道に印された足跡がすぐ白く拭《ぬぐ》われるのが有難い。左右に人通りのないのを確かめると、通い慣れた近道をやめて、一度柳元小学校のほうへ下り、それから同潤会アパートメントへ向った。あたりのバラック仕立の家々とは画然と違う、鉄筋コンクリート三層のアパートメントは、西欧のどこかの市街を思わせて立ち現れた。ヴェランダの鉢植《はちうえ》が雪をかぶって美しい。感心しながら通り過ぎようとしたとき、前方の横町から男が二人ひょいと現れ、夏江を認めると電信柱の蔭《かげ》に隠れるように後じさりした。二人とも黒っぽいゴム合羽《がっぱ》を着て傘《かさ》は持っていない。彼らはセツルメントの方角から来たのだ。夏江は嫌《いや》な予感に胸を締めつけられ、そのまま同潤会アパートの裏手に回った。そこは紡織工場を中心にして倉庫や事務所が迷路を形作っている。小路から小路を縫い、川岸に出た。橋を渡って振り返った。川面《かわも》を渡ってくる寒風のさなかに、待ってみる。汚れた川に雪が無残に吸いこまれていく。男たちは現れない。かわりに運送店の丁稚《でっち》らしい少年が小走りに来て、夏江を立木か何かのように無視して通り過ぎた。

川沿いの道を行くと、市電の柳島終点だった。変電所の複雑な形のむこうに客待ちの電車を見付けてほっとした。乗りこむと、客は数人である。車掌が「どちらまで」と言った。咄嗟《とっさ》に「龍土町《りゅうどちょう》」と言って、乗替切符をもらうことにした。「ええ、随分遠いね」と車掌は驚いた様子で考えこんだ。「終点の月島通八丁目まで行って、それから日比谷で乗替えだけど、あのへんは運転中止だな」「行けるとこまでで、いいんです」「ええ、行けるとこまでね」車掌は不思議そうな顔を振り振り、鋏《はさみ》を入れてくれた。

きのうも市電は神谷町停《かみやちょうどま》りで、飯倉片町《いいぐらかたまち》を抜けて龍土町まで登って行った。第一聯隊《れんたい》と第三聯隊の周辺は、いたるところで憲兵や兵隊が道を封鎖しており、夏江は細い裏道をたどって、やっとのことで営門前に出たのだ。

閉じた視野に、脇敬助の颯爽《さっそう》とした指揮官ぶりが、まざまざと浮びあがった。「あなた」とつい呼んでしまった。呼ばなければ彼はこちらに気付かなかったろう。いや、気付かなかったのかも知れぬ。あのチラリと動いた目は、こちらを見分けはしなかった。それでもいい。あのあと、兵隊に腕をつかまれ、衛兵所に連行された。兵隊の報告を受けた年輩の下士官が、あれこれ質問してきた。敬助に迷惑が掛ってはならぬとデタラメな名前（看護婦の一人の名を借りた）を言い、知人らしい兵隊を見掛けたので、激励するつもりで思わず叫んでしまったが、人違いだったと答えた。下士官はそれで納得してそれ以上は追及せず、「こんなとき、外にいると危いよ。お家に帰るんだよ」と釈放してくれた。まるで女学生でも諭すような態度であった。敬助に一目でも会えた、出陣の姿を見たのが嬉しくて、連行されたのも訊問《じんもん》されたのも苦にならず、酔いに似た快感が体も心も温めて、ふわふわと三田に戻ったが、直後に訪れたのは胸を割く悲しみだった。敬助を失なった過去は取返しがつかず、その傷口を洗うかのように夏江は涙をとめどもなく溢れさせた。本当に好きな人は遠くに去ってしまい、自分を好いてくれる人を自分は愛せない。菊池透の拷問に喘《あえ》ぐ姿がふと見えてきて、夏江は目を開いた。向う側の席に雨合羽の二人組が坐《すわ》っており、獲物を狙《ねら》う蛙《かえる》のように突き出た四つの目が、こちらをじっと見詰めていた。

同じく午後二時過ぎ

脇中尉《ちゅうい》は幾重にも布陣した大部隊を眺《なが》めた。降りしきる雪の路上に、赤坂見附《あかさかみつけ》付近の鹿砦を第一線に、歩兵、野砲兵、工兵、そして九五式軽戦車群がひかえている。まだ攻撃命令が下ったわけではなく、各隊は守備位置についたものの、おのがさまざまに待機していた。叉《さ》銃《じゅう》のかたわらで焚火《たきび》をする者がいる。歩兵が戦車を物珍しげに見物し、戦車兵にタバコを差出して、何やら説明を聞いている。携帯天幕を頭からすっぽりとかぶって横になって休息する一隊がいるかと思うと、若い少尉が兵を整列させて教練をおこなっている。

歩三は大分後方にさげられ、表町三丁目の高橋蔵相私邸から青山南町一丁目の第一師団司令部の近辺、すなわち青山御所の南側一帯に散開していた。脇中尉の五中は、それでも聯隊の最前線、蔵相私邸のあたりに集結していたので、他隊の行動が手に取るように視察しえた。

各部隊は一応のんびりと休息の体である。しかし、ひとたび命令が下れば、たちまち活潑《かっぱつ》な臨戦態勢をととのえ、占拠部隊の討伐に動きだすだろう。すでに今朝《こんちょう》未明に参謀総長閑院《かんいん》宮《のみや》載仁《ことひと》親王の名で奉勅命令が出された。「戒厳司令官ハ三宅坂附近ヲ占拠シアル将校以下ヲ以《モッ》テ速《スミヤカ》ニ現姿勢ヲ撤シ各所属部隊ノ隷下《レイカ》ニ復帰セシムヘシ」〝占拠部隊〟は原隊復帰すべしという絶対命令だ。もしこれに違反した場合には叛乱《はんらん》軍として討伐するぞというのだ。

ところでこの奉勅命令の下達が、いつどのような経路でおこなわれたのかが不分明なのだ。奉勅命令すなわち〝臨変参命第三号〟が発令されたのは午前五時八分だと明記されてある。ところが、きょう午前十時ごろ、第一師団司令部付近に仮設された聯隊本部を脇中尉が訪れると、渋谷聯隊長は「いよいよ大詔《たいしょう》が渙発《かんぱつ》になるという噂《うわさ》がある」と喜んでいた。つまり、聯隊長はとっくに発布された奉勅命令の内容を知らず、依然として昭和維新の詔勅を待ちのぞんでいたことになる。折からこの言葉を耳にした十中の新井中尉など、たちまち聯隊長に同調し、「いよいよ大詔だぞ」と欣喜雀躍《きんきじゃくやく》飛び出していった。

脇中尉は大詔の内容が気になって、正午過ぎ、ふたたび聯隊本部へ行ってみた。ところが、聯隊長は、「大詔渙発は中止となり、奉勅命令になるそうだ」と並居る一同に告げ、将校全員の召集を命じて、師団司令部に去った。やがて現れた聯隊長が読みあげた奉勅命令は、たちまち将校間に紛糾を惹起《じゃっき》した。とくに、維新派の新井中尉は、「随分話が違います。これでは蹶起《けっき》部隊を悪者扱いではありませんか」と、聯隊長に喰《く》って掛かった。むろん陛下の勅裁を経た奉勅命令である以上、長上の前ではあからさまな内容批判はなしえず、聯隊本部を出たところで、脇中尉に憤懣《ふんまん》を吐きだした。「なあ、この奉勅命令は変ではないか。蹶起部隊を〝地区隊〟として守備につけておきながら、今度は〝各所属部隊ノ隷下ニ復帰セヨ〟と正反対の命令を出す。しかも午後一時になって、すなわち発令から八時間も経《た》って、われわれに下達される。この奉勅命令は本物だろうかな」「本物だと思います」脇中尉は答えた。「しかし、矛盾している」「いや、矛盾しません。軍の上層部は初めから蹶起部隊鎮圧の方針でありました」「上層部、つまり幕僚の方針にわれわれが従う必要があるのか」「しかし正式の奉勅命令であります」「正式かどうかわからんぞ。おれは、こいつは贋《にせ》の命令だと思う」「まさか……」「いやな、たとえ本物だとしても、この命令に従えば、皇軍相撃は必至だぞ。おれにはそんなむごい行為はできん」「しかし命令は命令であります」「脇中尉、きさまは骨のある奴《やつ》だと思っていたが、彼らを見殺しにするつもりか。われわれは出鱈目《でたらめ》な命令に服従はできんぞ」「ではどうするおつもりでありますか」「わからん。ただ言えることは、おれには、絶対に、彼ら――尽忠の同志と兵隊たち――を撃てんということだ。いや、興奮して悪かった」新井中尉は、握りしめていた拳《こぶし》を開いて肩の雪を払った。それから何かを決心したように大きく頷《うなず》くと、雪の簾《すだれ》のなかに大股《おおまた》に消えていった。

脇中尉はおのれの守備位置である高橋蔵相邸前に帰り、部下に奉勅命令を下達した。直立不動に強張《こわば》っていた兵たちは一斉《いっせい》に白い溜息《ためいき》をつき、列中より立ちのぼる白煙に彼らの受けた衝撃が読みとれた。島津軍曹《ぐんそう》が質問した。「占拠部隊が原隊復帰しない場合は、攻撃でありますか」脇中尉は答えた。「まあ、そうだな。ただし、お前たちに言っておく。攻撃命令があっても、彼らを撃ったり、刺したりは絶対にするな。銃も剣も捨てて素手でむかえ。そして彼らを原隊に引っぱってくるんだ」この言葉に兵たちは安堵《あんど》した様子で、なごやかな私語が列をゆるめた。歩哨《ほしょう》以外の兵を折敷《おりしき》で休ませると脇中尉は、前方の大部隊に目を移し、奉勅命令について考えだした。新井中尉のように贋の命令だとは思わぬ。しかし、発令されてから八時間も経って下達された事実に、奉勅命令の実行について軍上層部の迷いがあるのではないか。奉勅命令を出したのは参謀総長の載仁親王だが、小田原別邸に引っこんでいるこの方は名目だけの地位にすぎず、参謀本部の実力者である参謀次長の杉山元中将と作戦課長の石原莞爾《かんじ》大佐あたりが起草者に違いない。脇中尉は彼ら幕僚の動静や思想を、風間振一郎から紹介された参謀本部付の佐官たちから教えられていた。そうして、現在進行しつつある事態――蹶起部隊の大部隊による包囲殲滅《せんめつ》作戦――が、幕僚による維新派一掃につながることを見通していた。そういう幕僚の冷徹な方針に対して、戒厳司令官の香椎中将と歩一聯隊長の小藤大佐など、維新派に近い考えを持ち、青年将校に同情する人々が抵抗しているのが、奉勅命令下達の遅れとなったと彼は思う。奉勅命令の下達に対する新井中尉の憤懣は、彼にもよく了解しうるものの、新井中尉のようには蹶起将校たちに同情できなかった。陸軍部内の勢力分布や派閥に目を配り、おのれの位置と力を自覚したうえで革新を実行すべきだ。「有効性のない行為は、たとえどんなに目的が立派であっても暴虎《ぼうこ》馮河《ひょうが》の勇にすぎない」と父脇礼助が常々口にしていたのを彼は思いだした。

脇中尉は、高橋蔵相邸を守る着剣銃の兵たちを眺めた。おとといの朝、ここに蹶起部隊がなだれこんで蔵相を殺害した。彼らが引いたあと包囲軍がここを護《まも》っている。渡櫓門《わたりやぐらもん》のある立派な家だ。元政友会総裁の高橋是清は、父の礼助とも親交があり、敬助は父に連れられてこの屋敷を訪問したことが何回かある。肥《ふと》って坊主頭《ぼうずあたま》でひげ長く、達磨《だるま》の愛称が似合う老人だった。大正十四年三月、脇礼助は政友会より立候補して衆議院議員に初当選し、四月に敬助は陸軍幼年学校に入学した。礼助は幼年学校の制服を着た敬助を連れて政友会総裁に挨拶に行った。そのおり、高橋が言った言葉が未だに脳裡《のうり》に刻みつけられている。「父は政治家の第一歩、息子は軍人の第一歩だな。これからの日本は政治家と軍人が動かしていく。しっかりやりなさい。ただし、これだけは忘れんように——軍隊に無知な政治家は国をあやまつが、政治に無知な軍人も国をあやまつ、とな」その高橋の言葉と一緒に敬助が思いだすのは軍人勅諭の一節、「世論に惑はず政治に拘《かかは》らず只々《ただただ》一途《いちづ》に己が本分の忠節を守り……」である。〝政治に拘らず〟という文句を政治に無関心であれとか政治に無知なほうが軍人らしいという意味にとる軍人が多いのだ。今度の蹶起将校たちも、日本の政治のカラクリにあまりにも無知で、それではおのれの理想の実現は覚束《おぼつか》ない。

脇中尉は、今、はっきりと自分の行く道を見定めた。数々の不審はあるけれども、一旦《いったん》奉勅命令が出た以上は、それに従うほか道はない。要するに占拠部隊を説得して原所属部隊に復帰させねばならない。しかし、もし彼らが従わない場合は討伐に踏み切らざるをえないが、その場合でも流血の惨を避けるよう出来るだけの注意を払おう。

午前中、一度は帰順するかに見えた占拠部隊は、午後になって徹底抗戦の構えを見せだした。聯隊から説得におもむいた将校たちの報告を総合すると、彼らは、赤坂見附の閑院宮邸付近、三宅坂の陸軍省と参謀本部と陸相官邸、首相官邸、山王ホテルと幸楽、新議事堂に位置して守りを固めていた。歩三関係では坂井中尉と清原少尉が陸軍省に移動し、安藤大尉が幸楽にいる。入れ代り立ち代りの説得工作は全部失敗で、彼らは奉勅命令を自分たちをだまして帰順させるための贋の命令と思っているらしい。現に、包囲軍の新井中尉でさえ、そう思ったのだから、彼らがそう思うのは無理もないが。

おや、戦車隊が移動を始めた。鹿砦《ろくさい》を出て、占拠部隊の真っ正面へ向っていく。住民の立《た》退《の》きが始って、憲兵の誘導で女子供たちの群が歩いてきた。雪下駄《ゆきげた》で滑るのをこらえ、子供を負ぶう母親、ランドセルの小学生、孫にかかえられる老婆《ろうば》、若い娘。脇敬助は、不意に、きのう営門を出るとき見た時田夏江の切れ長の目を思い出した。その目は、ずっと心のどこかに沈んでいたのだが、強《し》いて取り出してみようとは思わなかった。昨夜から現在まで、自分の部隊の指揮、移動、陣地構築、情報蒐集《しゅうしゅう》にかまけていて、夏江を思い出す暇もなかったのだ。彼女は営門のかたわらにいた群衆の中からいきなり飛び出してきて、たしか「あなた」と呼び掛けてきた。おれはびっくりしたが、兵たちの面前で妙齢の婦人から声を掛けられたとあっては指揮官の沽券《こけん》にかかわるので、あえて知らん顔をした。ところで、なぜ彼女はあんな所にいたのだろう。偶然ではあるまい。おそらくおれに会いに来たのだ。あの目は一所懸命にこちらを見詰めていた。見たいという熱意が切れ長の目を輝かせ、常にも増す精彩を見せていた。日頃《ひごろ》口数少なく控え目な女が、何かの拍子に見せる激しい熱意、それをおれは好いていた。明朗でお喋《しゃべ》りだが、万事に分別くさくて常識を越えず、結婚したらたちまち主婦然とおさまり返った百合子とは違う。しかし、時田病院の医師と婚約し、近々結婚するという彼女が、何だって唐突におれに会いに来たのだろう。

「脇中尉、ちょっと」と小林中尉が目くばせした。小林中尉は脇中尉を兵たちから離れた場所に連れて行き、ささやいた。「今な、新井中尉に妙なことを相談された。奉勅命令は皇軍相撃の結果をまねくので、自分としては服従できない。かかる命令を出す幕僚ファッショに反省をうながす意味で、自分の中隊は行動をおこす、今から靖国神社に行こうと思うが、どうかというんだ」

「靖国神社……何のために」

「ともかく参拝するという目的があるから行くんだと。そこでおれは何も答えられず黙っていたら、自分で決心したらしく、行ってしまった」

「靖国神社へでありますか」

「その方向に彼の中隊は移動しつつある。青山墓地から神宮外苑を通って行軍中だ。この件をどう思う」

「勝手に守備地を放棄して部隊を移動させたとなると重大な命令違反になります」

「そんなことは彼が百も承知だ。問題はだな、中隊を動かした彼の真意は何かだ。越智少尉は、奉勅命令を無視し、蹶起部隊と呼応して包囲軍の外側から攻撃するためだという」

「そんなことはありえません、皇軍相撃を嫌《きら》っていた新井中尉に限って……」

「おれもそう思うが、聯隊長や大隊長は、すわ叛乱なりと周章狼狽《ろうばい》その極、何とか説得して帰隊させようと井出大佐に頼むことにしたらしい」

「何もそんなにあわてなくても、新井中尉は大丈夫帰ってくると思います。あの人は熱血漢だが、心やさしい武士《もののふ》で、軍の統制を乱すような人ではありません」

「おれもそう思う」小林中尉は、安心したように頰笑《ほほえ》み、しきりと頷いた。井出宣時《のぶとき》大佐は、歩三の前聯隊長で新井中尉が信服する人だが、今は参謀本部付だ。何もそんな人まで狩出して大騒ぎするほどの事件ではないと、脇中尉は苦笑した。

同じく午後二時過ぎ

時田利平は、「懐中電灯」と間島婦長に言った。渡された電灯を右手に持ち、繃帯《ほうたい》した左手で不器用に病人の両の目蓋《まぶた》を押しひろげ、光芒《こうぼう》を注意深く瞳孔《どうこう》に通した。光に対して虹彩《こうさい》輪《りん》が収縮する反応、すなわち対光反射が欠如している。つまり病人は完全な昏睡《こんすい》状態におちいっているのだ。しかも、悪い徴候を発見して利平は眉《まゆ》をひそめた。右の瞳孔が大きく、左の瞳孔が小さい。この瞳孔不同症は脳の深部の出血を示す重大な徴候である。さらに、両の目が内側を向く、寄り目、すなわち共同偏視がある。これまた、脳の深部、視床核あたりの出血を示す。利平は電灯を間島婦長に返すと、枕元《まくらもと》に坐っている風間振一郎と藤江に頭を振った。

振一郎は頷き、藤江は表情を曇らせた。

「左半球内側深部出血です。重態です。ともかく安静が第一、ここからは動かさないほうがいい」

藤江は物問いたげに利平を見上げたが、つと目を伏せると父親に近寄って、口から垂れた唾液《だえき》をガーゼで拭《ぬぐ》った。抜襟《ぬきえり》から細い首が折れている。

永山光蔵は、おだやかな顔付で横たわっていた。右の口角が閉らず、唾液がひげを濡《ぬ》らすほかは、ぐっすり眠っているかのようである。昼食中に爺《じい》やが駆けこんできて、光蔵が便所で倒れたと知らせた。やっとチェーンを買って装着した車で雪の中を飛ばして来てみると、丁度見舞に来ていた風間夫妻が待ちこがれていた。鉱物学関係の友人たちも数人いて心配げに見守っている。利平は一目で脳溢血《のういっけつ》と診断した。問題は出血部位と出血量である。表層部の小量出血なら助かるが、逆だと危い。診察の結果は危いほうの公算が大きかった。

「さあて」と利平が言うと、すぐ藤江が目をあげた。

「ずばり、あとどのくらいの命ですかな」と振一郎が無遠慮に尋ねた。

「それはわからん。この数日が勝負じゃ。それで意識が回復すれば持ち直すが、そうでないと予後が不良じゃ」

「意識は回復しますか」

「それもわからん。どうじゃろ。帝大の野村教授に往診をお願いしてみてくれんか」

「それはいいですが、にいさんの診察で充分だと思いますよ。どうせ動かせないのだし……」

「いやな、風間さん。おれは後悔しちょる。おととい、あんたとやりおうて、自分の傲慢《ごうまん》に気付いた。なあに、おれの医学なんて、ちっぽけで無力なものじゃ」

「わかりました。すぐ頼みましょう。ここには電話がないから駅まで車で行って掛けてみます」

「ついでにな」利平は常にもなく、気弱に言った。「菊江の診察もお願いしてください。おとといから急速に衰弱しおってな。しかし、おれが診ると身贔屓《みびいき》があって客観的判断ができん。前から大学病院に入れようとしとったんじゃが、本人が嫌だと駄々《だだ》をこねるんで時期を失した」

「おねえさま、お悪いんですか」と藤江が尋ねた。

「おととい、喘息《ぜんそく》の重積発作を起してから、どうも思わしくない」

「まあ、間の悪い……おねえさま、おとうさまのお見舞にあんなに来たがってらっしゃったのに。ここに連れてくるのは無理でしょうか」

「無理じゃと思う」利平は辛《つら》そうに言った。「菊江もかなりの重態じゃ。今は動けん」

「まさか、万一という……」藤江は、さっき泣いて腫《は》れた目に、また涙を溢《あふ》れさせた。

「判断は野村教授に御一任する。おれには、わからんのじゃ。ふん」利平はおのれの不甲斐《ふがい》なさを叱《しか》りつけるように咳払《せきばら》いした。

午後五時すこし前

雪はいつしか霙《みぞれ》に変り、頬を濡らした。小暮初江は研三と駿次の手を引き、濡れるから傘《かさ》をもっと傾けなさいと悠太に注意し、大通りを油断なく見回した。さっぱりタクシーが来ない。市電にすればよかったと後悔するが、気が急《せ》いていて、やはり車でなくては叶《かな》わぬと思う。

まだ日暮れには間があるはずなのに、あたりには夜さながらの闇《やみ》が立ち籠《こ》めている。やっとヘッドライトが坂の上に現れた。タクシーだ。初江は悠太に命じて停《と》めさせた。

「三田《みた》の綱町《つなまち》、五十銭」

「五十銭はひどいや、奥さん」年輩の鄙《ひな》びた顔付の運転手だ。

「いくらならいくの」

「そうすねえ、一円五十銭」

「それは高いわ。いつも五十銭でいくのよ」

「きょうは特別。何しろ、この雪でタクシーは奪い合いでさ。それに三田までは真《ま》っ直《す》ぐいけないすよ。あっちこっち通行禁止でね、うんと回り道しなくちゃならねえす」

「いいわ。一円五十銭」

車に乗りこんだ。補助席に膝《ひざ》を立てて前を見るのが悠太と駿次だ。研三は兄たちの真似《まね》をしようと騒いだが、膝に抱いてやるとすぐ眠ってしまった。新宿の伊勢丹前に来たとき運転手が、「どっちから回るかねえ」と聞いた。初江は、「おまかせするわ」と答えた。明治神宮外苑《がいえん》に入ったとき、一隊の兵隊がやってきて行手をさえぎった。襟に3の金文字だ。敬助の聯隊《れんたい》だと分った。しかし指揮官の中尉《ちゅうい》は敬助ではなかった。兵隊たちは背嚢《はいのう》を背負い銃をかついで、それを見ただけで汗と革の臭《にお》いを感じた。敬助がこのあたりにいるらしいと見渡すと、青山通りのあたり、カーキ色の兵隊がうようよ群れている。「ちえ、駄目だ」運転手は引き返した。車が雪に横滑りして奇異な感覚が伝わり、子供たちが喜んだ。

罰が当ったんだわ、と初江は思った。きのう晋助とあんなことをしたから、神様が罰として母の病気を重くした、そうとしか思えない。この前の悠太の怪我《けが》も、あれも罰だったのだ。

さっき、史郎から、「お袋の衰弱がひどいんだ」と電話があったときから、罪の思いが胸を真っ黒に塗り潰《つぶ》してしまった。「帝大の野村教授の診察が、さっきあってね、重態だとわかったんだ。心臓がひどく弱っていて、心臓不全を起しかかっているそうだ。そうそう、悪いことは重なるもんだね、きょうの午後、永山の爺さんが卒中で倒れた。こっちはもう意識がない。その知らせを聞いたらお袋が、心配してまた発作をおこしたってわけさ。そうして、もう一つ悪いことが重なった」史郎は電話を盗聴されているかのように躊躇《ちゆうちよ》し、考え考えゆっくりと言った。「妹が、その筋につかまった。なあに、大したことはないらしいが……」「えっ、どういうこと」と初江が仰天していると、「じゃあな」と史郎は電話を切った。夏っちゃんが警察か憲兵に逮捕されたということかしら、と初江は考えたが、どうしてもその理由が推し当てられぬ。たった一つ帝大セツルメントに出入りしているため主義者と間違えられた可能性があるけれども、何年も安全だったのが、突如として逮捕されたのはなぜかしら。ああ、悪いことが立て続けだ。たしかドストエフスキーだったかしら、いつか読んだロシアの小説家の言葉、「不幸は列をなしてやってくる」っての本当なんだわ。

「畜生、こっちも駄目か」と運転手が苛立《いらだ》った。霞町《かすみちよう》の交叉点《こうさてん》に兵隊が材木と鉄線でバリケードを作っていた。ヘッドライトに銃剣が刺々《とげとげ》しく光っている。「奥さんよ、一遍渋谷に引っ返して、白金《しろがね》を回るより仕方がねえすね。そりゃ抜け道ならあるが、細い道は雪でつるつるでね。でさ、物は相談だけど、あと五十銭奮発してくれねえかな。でなきゃ渋谷から省線で行ってってほしいんだ」

「奮発するから、渋谷回りで行って下さい」疲労にめげて、初江はぐったりとシートに背をあずけた。

「そうかね。そんなら行きますよ」運転手は急に愛想がよくなり、初江に東北訛《なま》りらしい言葉で話し掛けてきた。「こう雪ばかしじゃ、商売あがったりすね。しかし、思い切ったことやったもんだね、今度は。大臣をずっぱり殺すっつうの、大きな声じゃ言えねえが、わしらなんか、大臣も悪がったたってえ気ィするね。大日本帝国は景気がいい、貿易は大黒字だっちゅうに、わしら貧乏人にゃ、ちィとも金が入らねえで、みんな大臣だの財閥だのに奪《が》られるんだから。そして軍需景気でよ、お偉がたがたんまりもうげでるあいだ、兵隊さんは満蒙《まんもう》で匪賊《ひぞく》狩りとはね。兵隊さんが怒るのも無理ねえすね。で、兵隊が大臣をやっつける。てえと、その兵隊を別な大臣の命令で別な兵隊がやっつける。どうなってるんかねえ、これは……」

初江が黙っていると、運転手はふと口を噤《つぐ》み、バックミラーに不機嫌《ふきげん》な目付きを一杯にしてスピードをあげた。霙はやんで、路上の雪が凍り始めたらしく、バリバリと薄氷を割る音がした。時田病院が見えた。雪をかぶって寒々と見える。玄関も外来診察室も仄暗《ほのぐら》く、廊下の裸電球だけが淋《さび》しい光を奥に連ねていた。しかし、食堂のドアを押し入ると、そこに看護婦、医師、薬剤師、事務員、賄方《まかないかた》など大勢の職員がびっしり詰めていた。鶴丸看護婦がすぐ進み出た。

「みなさま、お二階でございます」

食堂脇《わき》の階段を登って時田家の居住区に入った。病室は、洋間の寝室から畳の〝お居間〟へと移されていた。襖《ふすま》をそっと引くと、目をつむっている菊江の顔が、きのうより一層無惨に脹《ふく》れあがっているのが見えた。中に飛びこもうとする子供たちを手で抑えて、間島婦長が言った。「今、お休みになった所です」

「静かにするのよ」と子供たちに言い渡し、一緒に来た鶴丸にあずけると、初江は、「どんな御様子なの」と間島に尋ねた。すると中林が出てきて、「むこうでお話しましょう」と夏江の部屋にあがって行った。婚約者の特権と心得てるのかも知れないが、男が女の部屋に平気で入るのが初江には蟠《わだかま》りがあった。

しかし、中林は平然として、夏江の座蒲団《ざぶとん》を初江にすすめ、自分も長い脚を組んだ。

「帝大の野村教授の御診察では、糖尿病性の冠状動脈硬化症が重度で、心臓不全と虚脱状態を起す可能性があるということです」

「つまり、どうなんですの」

「危篤《きとく》です。きょう、あすにも、危いと……」

「まさか」初江は悲鳴をあげ、泣き出した。「きのうなんか、まだまだお元気でした。そんな急に危篤におなりになるなんて……どうしてでしょう」

「お父上の病気を心配しておられたところへ、脳溢血の発作で倒れられた知らせがきて、それから喘息の発作が再発したんです。今、大切なのは精神の安静なのです。そっとしてさしあげるべきを、風間夫人なんか、お父上の病気をペラペラ話してしまわれるもんだから、困ったもんです。あ、そうそう、夏江が事件を起した。夏江の事件、お聞きになりました」

「史郎ちゃんからの電話でちょっと。何があったんですの」

「困った人です」中林は、穢《きたな》らしいという具合に口をゆがめた。「主義者として逮捕されたんです。何でも、けさ、帝大セツルメントに出掛けたそうだが、戒厳令のさなかに赤の巣窟《そうくつ》に行くなんて非常識です」逮捕された婚約者を心配するのでなく、そうなった夏江の越度《おちど》を責めるような態度に初江はあきれた。

「夏っちゃんは、絶対に主義者じゃありませんわ。何かの間違いです。誰かが警察に行って申し開きすれば大丈夫です。中林先生、どうしてすぐ行っておあげにならないの」

「ぼくじゃ力不足ですし、それにぼくまで疑われます」中林は当然でしょうと念を押すように合点した。

「だって」初江は腹を立てた。「先生は婚約者ですよ。飛んで行くのが人情でしょう」

「ぼくが疑われれば病院の名に傷がつきます。副院長たるものは慎重に行動しませんとね……それに夏江が来て欲しがってるのは、ぼくじゃなくおお先生なんです」

「夏っちゃんから連絡がありましたの」

「太平署から身元確認の電話がありました。本人は時田利平院長の来署を請《こ》うておるというので、おお先生が出向かれました。おお先生なら疑われず……」

「父と一緒に先生もいらっしゃるべきでした」

「でも」と中林は落ち着き払って初江を下目に見た。「そうしたら、おかあさまを誰が診ます」

「そうでした」初江は唇《くちびる》を噛《か》んだ。何やら執拗《しつよう》に中林を非難してきたが、彼も彼なりに義務を果してはいるのだ。

「今度の件でぼくに一番不快なのは、夏江が、帝大セツルメントにこっそり行っている事実をただの一言も言ってくれなかったことです。ぼくのほうは何もかも告白しているのに、彼女のほうはそうではなかった、それが一番不快です」

「夏っちゃんはきっと、先生に余計な心配を掛けたくなかったのですわ。ところで、夏っちゃんの件、母は知ってますの」

「いいえ、お知らせしてありません。お知らせできません。あの様子では……」

「そうですわね」初江はやっと素直に頭を下げた。

午後八時

雨が降り出したらしく、屋根を打つ音が繁《しげ》くする。雨戸をゆすって吹き入ってくる風はまだ冷たいが、この雨で雪も融《と》けてしまうだろうと時田利平は思った。春の雨だ、菊江よ、何とか生きのびて一緒に花見をしようと病人の蒼白《あおじろ》い顔を見た。

「あなた」と菊江は右手を出した。利平はそれを両手で包み、さすってやった。浮腫《ふしゅ》にふくれた冷たい皮膚が、剝《は》げたようにずるずると動く。「わたし、いよいよ死ぬ気がします」と細い声が言った。

「何を言う。まだ死にはせん」

「蠟燭《ろうそく》の芯《しん》がいよいよ消える前に、ゆらゆらする、そんな気持なんです。ふっと火が消えると、死んでしまう」

「死にはせん」

「あなた」菊江は苦笑した。「相変らず、頑固《がんこ》でらっしゃるわね。自分の死は自分でわかりますのよ。だから今ぜひ申し上げときたいのです。まず収支決算ですが、去年末まではきちんと出来てますので所得税申告にそのまま用いて下さい。去年は、外来患者も入院患者も開院以来の多数でございますが、普請《ふしん》が多うございました。隔離病棟のサナトリウムやら新田《にった》の増築やらで赤字に近うございますよ。ですから、税務署宛《あて》の〝希望〟を作文してございます。はい、それです」


現今ノ状態ハ一般施療病院ガ実費治療ヲ開始シタルニヨリ開業医ハ最モ苦難ニ有リ加ヘテ医学進歩ニヨル設備費増額著ク傭人《ヨウニン》ノ俸給《ホウキュウ》ヲ払フニ精一杯ニテ所得税支払ニツキ右御勘考御留意アリタシ

「赤字にはならなかったか」

「赤字にはなりませんが、恩給と年金をのぞいた病院収入だけでは生活がむつかしゅうございます」気を張り詰めていたのか、ここまでは滑らかに話してきた菊江は、にわかに苦しげに何度も息を継いだ。

「よくわかった。所得税申告はうまくやる。だから、すこし眠りなさい」

「いえ……まだ……あるんです」菊江は腫れた目蓋をやっと開いて、喘《あえ》ぎ喘ぎ言った。「夏江と中林の結婚費用……五千円預金……この結婚を急いで下さいまし……事務長を夏江にするのです。夏江には帳簿の説明をよくしてあります……頭のいい子だから大丈夫……」

「わかった……すこし休め」

「あなた」菊江は一所懸命に右手を差出そうとしたが、手は力無く蒲団に這《は》った。「いとと別れて……あの女が物入りのため病院経営がうまくいかない……新田の増築……あの女の着物……宝石……出費が多すぎます。あの女は……疫病神《やくびょうがみ》です……菊江の……最後の……お願い、いとと別れて……別れて……」菊江は、息切れが激しく、頬《ほお》が紫がかってきた。呼吸不全である。利平は間島婦長を呼び、酸素用のゴム管を病人の鼻孔に挿入《そうにゅう》させた。切迫していた呼吸が、しばらくして整い、青藍色症《チアノーゼ》も褪《あ》せてきた。病人は今や、ほんのわずかの条件の差にも耐えられぬほどに弱っている。

「菊江」と利平は呼んだ。病人は目を開いて頬笑んだ。さきほどの紫色が鴇色《ときいろ》に変化して肌《はだ》の白さが際立《きわだ》っている。

「入っていいですか」と初江が顔を覗《のぞ》かせた。史郎もいる。藤江もいる。その他大勢が廊下に集っていた。

「まだじゃ」利平は大声で言い、間島婦長に「外へ出ておれ」と命じると、ピシャリと襖を締め切って菊江の枕元《まくらもと》にいざった。医者の経験で、病人の生命がもうすぐ尽きようとしているのがよくわかった。脈をとると、おそろしく速い、一四三、微弱な搏動《はくどう》だ。やがて疲れ切った心臓が鼓動を停めるときがくる。数日後か。いや数日は持つまい。野村教授はあと一、二日と言った。教授の診断が正しいらしい。

「菊江」と利平はまた呼んで、病人の肩をさすった。「聞えるか」妻は存外元気よく頷いた。「お前の言うとおりにする。いととは別れる。新田の家も整理する。夏江の結婚を急ぐ。そしてのう、夏江に事務長になってもらう。それじゃから、もう、何も心配するな。本当にお前とは長い付合いじゃった。日露戦争が終った年の暮、伊皿子坂《いさらござか》の永山邸を訪ねたのが、きのうのようじゃが、あれからもう三十年も経《た》ったのう。あの頃《ころ》おとうさんはお元気で、おれの海戦譚《かいせんたん》を熱心に聞いて下さった。でもミクルフ艦長の死のくだりでのう、お前が泣き出さんやったら、おれとお前の縁はなかったじゃろう。お前は美しゅうて、可愛《かわい》かった。でのう、おれも夢中になったんじゃ。きょう、おとうさんが倒れなすった日に、お前にこんな話をするのも何かの因縁じゃのう。横須賀、大連《だいれん》、旅順《りよじゆん》と二人であっちゃこっちゃ転々して、ここに診療所を開いたのう。待合室が四畳半、診察室が八畳間、そこで手術も製剤もやって、お前は事務員兼看護婦兼薬剤師で働いてくれた。そのうち、胃洗滌《いせんじよう》による胃潰瘍《いかいよう》の新治療法で患者が増えて、増築につぐ増築で、ついに病院となったのう。あっというまの二十年じゃった。先おととし、開院二十周年を祝おうたのも夢みたいじゃのう。博士になって、サナトリウムができて、病院がこれから大発展、お前にも老後を愉《たの》しませようと思うちょる、その矢先にお前の病気じゃ。お前には、ほんまに世話になってしもうた、苦労を掛けた。ありがとう。そしてすまんやったのう。菊江、どうか長生きしておくれ。お前がのうなったら……いかん、お前をすっかり疲れさせてしもうたな」

菊江は目を閉じている。利平は脈をとった。心臓はか細く動いている。すると菊江が目を開いて微笑した。

「あなた……ちゃんと全部聞いておりました……あなたのお言葉聞いて……ほんとに嬉《うれ》しい……わたしのほうこそ、こんな不束《ふつつ》かな妻を……ながいこと有難う……でもう旅立ちます……お元気でお暮しなさい……それから……あなた、まだ気力のあるうち、みんなにお別れを言いとう存じます。みんなを……」

利平の拍手で襖が開いた。初江を先頭に子供たち、史郎、風間夫婦と娘たち、中林医師、それに主だった看護婦や久米《くめ》薬剤師などがそっと入ってきて菊江の枕を囲んだ。

「おかあさま」と初江がにじり寄った。「初江よ」

「ええ、ちゃんと見えますよ」と菊江は、明瞭《めいりょう》な声で言った。「わたしは……いよいよ……あの世に旅立つよ……。今のうちにお別れを言いたくてね……わたしの言うことわかるかい」

「わかります」初江は涙に咽《むせ》びながら答えた。ずっと泣き続けていたらしく、手のハンカチが濡《ぬ》れそぼって、役に立たない。

「お前も元気でね……幸福に暮しなさい……悠次さんによろしく……悠ちゃん、駿ちゃん、研ちゃん……立派に大きくなってね……おばあちゃまは遠い所に行ってしまう……さようなら」さすが悠太と駿次は事情がのみこめ、多分初江に言い含められていたのであろう、「おばあちゃま、さようなら」といたいけな声を揃《そろ》えて言ったが、研三だけは枕元の吸い呑《の》みに手を出し、中の蜜柑《みかん》ジュースをこぼした。

史郎に別れを告げたあと、菊江は夏江に会えぬのを悲しがった。初江が、外出中でまだ帰らないと言うと、菊江は溜息《ためいき》をつき、「あの子は……肝腎《かんじん》なときに……いない子だねえ」と言い、「中林先生、夏江をよろしく頼みます」と枕の上で頭を下げる仕種《しぐさ》をした。

利平は、さっき本所の太平署で会った夏江を思い出した。余程ひどい扱いを受けたらしく、髪は乱れ、紺サージの洋服は皺《しわ》くちゃだったが、意外にしゃんと立っていた。これは娘の時田夏江ですと利平が証言すると、夏江は警官に引かれて奥へ去ってしまった。一体、どういう事件に巻きこまれたやら何も知らされず、警官は、日頃の夏江の行跡や学歴などをいろいろと訊問《じんもん》してきた。医学博士の肩書が効いたのか、相手は丁寧な言葉遣いだったけれども、訊問の内容は厳しく、主として赤化思想との関係を問題にした。もっとも、この方面について利平は何も知らず、相手も苦笑いを繰り返した。

藤江にお別れを言ったあと、菊江は急に意識を失なった。しかし、心臓はなお動き、呼吸もおだやかだった。利平は、「疲れたんじゃ。すこし眠らせてやれ」と言い、徹夜で付き添うと言い張る初江をひとり残して、みんなを別室で待機させることにした。

同じく午後八時

雨の中を、脇中尉と越智少尉は、聯隊本部を出て守備位置へむかって歩いていた。今しがた聯隊長より、陸軍大臣の陸密第一三三号を示されたところである。それは、占拠部隊の行動が、「軍紀ヲ紊《ミダ》リ国法ヲ侵犯セルモノタルハ議論ノ余地ナシ」とか「戒厳司令官ハ此《コノ》勅令ニ反スルモノニ対シテハ仮令《タトヘ》流血ノ惨ヲ見ルモ断乎《ダンコ》タル処置ヲ執《ト》ルニ決心セリ」という、はげしい言辞で、占拠部隊の殲滅《せんめつ》に第一師団をあげて邁進《まいしん》せよと命じていた。同じ陸軍大臣が一昨日出したばかりの大臣告示の、「蹶起《ケッキ》ノ趣旨ニ就《ツイ》テハ天聴ニ達セラレアリ諸子ノ行動ハ国体顕現ノ至情ニ基クモノト認ム」から百八十度の方向転換である。陸軍大臣みずから最初は蹶起部隊を煽動《せんどう》しておいて、今度は一転彼らを叛乱《はんらん》部隊として殺そうという朝令暮改を平気でおこなっている。しかも厚顔にもおのれの職名を堂々と示している。こうなることを見越していた脇中尉は聯隊長の伝達を冷静に受けとめたが、将校団のなかには依然として反撥《はんぱつ》をする者がいた。午後、守備地を離れ、中隊をひきいて青山墓地、外苑、靖国神社と回ってきた新井中尉は、「断じて皇軍相撃はなりません」と叫ぶし、第二大隊長の伊集院少佐は、「兵を殺してはならない。歩三の将校の不始末は、われわれ歩三の将校団で片付けましょう。斬《き》りこむのだ。安藤を、野中を斬るのだ」と泣きながら訴えるし、越智少尉は、「兵は殺せません。しかし蹶起将校はなお殺せません。むしろ、われわれが彼らの面前で帰営せざれば腹を切ると言えば、彼らは帰ります。腹を切る覚悟でやるのであります」と拳《こぶし》を振りあげた。しかし、新井中尉らの意見や心情は、すでにして少数派なのであった。奉勅命令が出た以上、勅令に反すれば叛逆者となることを大方は知悉《ちしつ》していたし、わが身を殺してまで、叛乱部隊のために尽そうという者はまれであった。ともかくも、双方が傷つかぬ唯一《ゆいいつ》の方法、彼らを説得して帰順帰営させる方法に、全力を傾注しようと申し合わせて散会したのだった。直後、中隊長代理小林中尉から脇中尉は、「今となっては、暴走は許されん。きさま、越智少尉が暴走せんよう、手綱を引き締めてくれ」と頼まれた。

雨がやんだ。風は冷たいが乾いている。あすは晴れるな、と脇中尉は思った。霙《みぞれ》にも雨にも融け残った雪が路面を覆《おお》っている。兵たちは吹き曝《さら》しの中、凍結した群像となって連なっていた。

「越智少尉」と脇中尉は言った。「ともかく命令通り動くんだ。それしか、われわれの任務はない」

「彼らを説得に行きたくあります。中尉殿、行かして下さい」

「いかん。説得に行けと命令があるまではここを動くな。いつ部隊に移動命令が出るかわからん。守備地を護《まも》れ」脇中尉は、いつもと違って、この三期後輩の新品少尉にむかって、語気鋭く言った。

5

午前零時
昨日午後十一時戒厳司令官の戒作命第十四号が出された。
叛乱部隊ハ遂《ツヒ》ニ大命ニ服セス依《ヨ》ツテ断乎武力ヲ以《モツ》テ当面ノ治安ヲ恢復《クワイフク》セントス

第一師団ハ明二十九日午前五時迄《マデ》ニ概《オホム》ネ現在ノ線ヲ堅固ニ守備シ随時攻撃ヲ開始シ得ルノ準備ヲ整ヘ戦闘地境内ノ敵ヲ掃蕩《サウトウ》スヘシ……

続いて旅団命令が出され、聯隊《れんたい》は守備区域を変更し、溜池《ためいけ》から日枝《ひえ》神社西南側への線を守備し交通遮断《しゃだん》をおこなうことになった。脇中尉《ちゅうい》は五中の一隊をひきい、新町三丁目、すなわち山王ホテル前から延びた小路に来た。時、午前零時。付近の住民はすべて避難をおえ、無人の家々は雨戸を鎖《とざ》していた。野良猫《のらねこ》が塀《へい》の穴から這い出し、ゆっくりと道を横切っていく。兵たちは折敷の姿勢で銃を立てている。各自に二十発の実包が配られているが、弾込めはさせていない。しかし、実戦近しの緊張のためか、演習の際に見られる私語は全くない。雲の相間から星がまたたいていた。静かで平和な夜景である。

しかし、坂下の、叛乱軍の主力がいる山王ホテルのほうはざわめいていた。軍歌がつぎつぎに唱《うた》われ、彼ら全員が目覚めているとわかる。『歩兵第三聯隊歌』と『歩三の春』は、ともに北原白秋の作詞、山田耕筰の作曲で、兵が好んで唱う。おや『第六中隊の歌』が聞えてきた。

鉄血の雄叫《をたけび》の声龍土台《りゅうどだい》
勝利勝利時こそ来《きた》れ我等が六中隊……

安藤大尉の作詞した歌だ。では、今、山王ホテルに籠《こも》っているのは六中なのだ。青年将校のなかで最も人望の高い人物と言われる安藤大尉は、おのれの中隊を完全に掌握していて、兵たちの結束も固く、したがって戦うとなると手強《てごわ》い敵だ。たしか昼間の情報では六中は幸楽にいるとあったから、夜になって山王ホテルに移動したのだろう。

鎮圧軍側も山王ホテルを中心に包囲網を作りつつある。大部隊の動く気配が前方に充《み》ちている。銃器の音や号令は耳に、無数の編上靴《へんじょうか》の鋲音《びょうおん》は地面から腹に、響いてくるのだ。靴音《くつおと》がして、二人の将校が雪明りに姿を現わした。歩哨《ほしょう》の誰何《すいか》に答えている。小林中尉と天野少佐だった。脇中尉は走り寄った。

「情勢はどうでありますか」

「おう脇か」と小林中尉が言った。「今な、山王ホテルに行って安藤大尉に会ってきた。おれはこう言った。『安藤大尉殿、間もなく総攻撃が開始されます。もし第六中隊が脱出するなら、自分たちの正面においで下さい。第五中隊は喜んで道をあけます』するとな、安藤大尉は断乎として言うのだ、『小林ありがとう。御好意は感謝する。しかし断じて脱出はしないぞ』とな。立派な人だ。信念の人だ。おれは討つに忍びない」

小林中尉は声を震わせた。そばで天野少佐が頷《うなず》いた。小林中尉は鉄帽をかぶって軍刀を帯び、完全軍装だが、天野少佐は不断の軍帽に指揮刀《サーベル》で外套《がいとう》も着ていない。彼は聯隊本部付で定まった中隊を持たないので、軽装で各中隊を回っているらしい。

「全く惜しい男だ」と天野少佐はまた頷いた。「安藤だけじゃない。野中も坂井も、蹶起した彼らは、みんな実に立派な奴《やつ》らだ。彼らが立った志の高さを思うと、掃蕩など狂気の沙汰《さた》だ。何とか帰隊させようと説得に努めたが、力及ばなかった。残念だ」

「天野少佐殿は、もう何回も、彼らの説得に出掛けられた」と小林中尉が言った。「歩三生えぬきの少佐殿でも彼らは聞く耳を持たない。おれなんかが、のこのこ出掛けたぐらいじゃ駄目《だめ》なわけだ」

「総攻撃は午前五時か」と天野少佐が天を仰いでつぶやいた。「おれは見たくないぞ。流血の惨だけは絶対に見たくないぞ。絶対にだ」

天野少佐は、特徴のある跳ねるような歩き方で去った。

「越智はどうしとる」と小林中尉が言った。

「あそこにいます」脇中尉は、近衛《このえ》歩兵第三聯隊の塀近くに、ぬうっと立つ細長い影を指差した。「なるべく後方を守備させています。何だか、不機嫌《ふきげん》で部下に怒鳴り散らしています」

「維新という理想が一挙に崩壊したのだからな、無理もない。若いだけに、希望も強いが落胆も激しい。銃撃戦が始まったら気をつけろ。あいつは彼我《ひが》の真ん中に飛びだして撃ち合いをやめさせようとするかも知れん。おや、安藤隊がまた唱ってるぞ。彼らはな、白鉢巻《しろはちまき》に白《しろ》襷《だすき》、決死隊の出立《いでた》ちで徹底抗戦を叫んでいる。死ぬ覚悟の部隊ほど怖いものはない」

　軍旗翻《ひる》がへる　起《た》て　関東児
　歩兵第三聯隊　帝都のみなみ

　龍土ヶ丘に　爛漫《らんまん》の花と輝やく
　臨幸閲武《りんかうえつぶ》の　我が誉　我が誉

『歩兵第三聯隊歌』だ。唱う敵も歩三、聞く味方も歩三である。

「あれを聞くと、たまりませんな」

「ああ、たまらんな」

「命令に忠実に従った純真な兵たちが虐殺《ぎやくさつ》されます」

「このような皇軍があっていいか」小林中尉は拳で目をこすった。

午前四時半

　脇中尉は五中の主力を引率して前進した。空が白み、街並が幾分見分けられる。凍《い》てついた坂道に滑らぬよう足を踏みしめつつ、電車通りに下った。むこう側が山王ホテルだ。戦車の轟音《ごうおん》があたりを掻《か》き回している。拡声器が何やら放送しているが意味不明だ。山王ホテルは灯火を消して黒々と立つ。窓という窓は銃口の矢狭間《やはざま》であろう。

　伝令が追いついてきた。

「師団命令。歩兵第三聯隊は師団予備隊となって兵営に位置すべし。第五中隊は、元の守備位置にもどるべし」

　脇中尉は拍子抜けした。いよいよ総攻撃だと覚悟を決めていたのが、突然予備隊となり、しかも麻布に帰営せよというのだ。しかし、この命令には温情が含まれている。歩三の同士討ちだけはこれで回避させようというわけだ。

「よかった」と脇中尉は言った。

「しかし」と越智少尉は力弱く言った。「彼らを見殺しにするわけで、気が重くあります」

「仕方がない。われわれは、全力を尽した。これ以上は、われわれの力の及ばぬ所だ」

「中尉殿は冷静でありますな。しかし、わたくしはこの仇《かたき》を取らずにはいられない」

「仇……」

「殺される者たちの万斛《ばんこく》の怨《うら》み……彼らは殺される」越智少尉は両手を幽霊のように差出した。この三日間で、さらに痩《や》せた青年は、本当に幽鬼のように漂って見えた。薄暗いなかに不眠のため血を吹いたような目が光っている。

同じく午前四時半

胸騒ぎがして小暮初江は目を覚した。ずっと起きていて母を見守るつもりであったのに、つい居眠りしてしまった。

母が何か言っている。よかった。気がつかれたのだ。

「おかあさま。おかあさま。初江よ、わかる」

「初江……」菊江は浮腫《むく》んだ目をしばたたいた。「まだかねえ……朝は」

「もうすぐよ。よくお眠りになってたわね。御気分はいかが」

「気分はいい……だけど……息苦しい」

初江は酸素の圧力計を調べた。針は、間島婦長が教えた標準値を指していた。

「朝はまだかねえ……暗いねえ」

「あら」初江は驚いた。百ワットの電灯で室内は明るかった。「おかあさま」と呼び掛けると、母は一層苦しげに喘《あえ》ぎ、「あなた……」と言った。呼吸がふと咽喉《のど》に詰った。見る見る紫色が顔全体にひろがった。初江は異変を悟り、「おとうさま」と廊下口で悲鳴をあげた。

利平が間島婦長を従えて走って来た。史郎、振一郎、藤江、風間の姉妹たち……。

利平が脈を取ると菊江は一瞬息を吹き返し、「あなた」とささやいた。「いろいろと……ありがと……」

利平は、しばらく脈を見ていたが、「死んだ」とささやき、がっくり肩を落した。

「おかあさま」初江は母の胸に顔を埋めた。「死んじゃいや。いやよ」涙がとめどもない。背後から人々の嗚咽《おえつ》が浴びせかかってきた。しばらくして初江は母より身を離し、その死顔をじっと見た。誰かが目蓋《まぶた》を閉じてやった、ふっくらとした顔は若々しかった。明治十八年生れの菊江は五十二歳、老婆《ろうば》と言うほどの年齢ではない。早すぎた、あまりにも早すぎた死であった。

間島が新品の筆と茶碗《ちゃわん》の水を運んでき、鶴丸が子供たちを連れてきた。まず利平が死者の唇《くちびる》を湿した。初江、史郎と順に来て、夏江の不在が今さらながら思われた。

湯灌《ゆかん》と死に化粧を鶴丸と間島と初江の三人でした。遺髪を切り取って、白毛《しらが》が多いのに驚いた。死に装束を何にするか。この正月、三越へ行って一緒に見て買った縞小紋《しまこもん》の紬《つむぎ》にしよう。帯は正倉院模様の名古屋で、春にはこの姿で花見をしたいとおっしゃっていた。あらたな涙が湧《わ》いてきた。
鶴丸が窓を開け放した。中庭の雪に薄日が射《さ》し初めていた。軒端《のきば》の氷柱《つらら》から落ちた雫《しずく》がキラリと消えた。

午前八時二十分

時田利平は死亡診断書を書いていた。しかし〝死亡ノ原因〟の欄に来て考えこんだ。まず、〝イ直接死因〟は「心臓機能不全」とした。そして〝ロ(イ)ノ原因〟は「糖尿病末期ノ高血圧ト動脈硬化症ナラビニ喘息《ゼンソク》ノ重積発作」とした。問題はそのつぎ、〝ハ(ロ)ノ原因〟である。菊江の発作は、このところ頻繁《ひんぱん》であった。正月には御節《おせち》料理作りの過労のためだったが、大抵は何か心配事があるとおこすのだった。心配事の最たるものは利平と秋葉いとの関係で、何かというと嫉妬《しっと》のため興奮し、その揚句の果てに発作となった。一月二月は、その回数が増えて、どんどん衰弱していった。それを知っていながら、休日になると利平は新田のいとの所に出掛けた。博士論文を終えて、ほっとしたせいか、何だか性欲が昂進《こうしん》してきて、いとの体を求めずにはおられなかった。そうして先おととい、永山光蔵が風呂場《ふろば》で倒れたのを気遣っている折も折、利平が振一郎と諍《いさか》いなどしたものだから、そのショックで、激烈な発作をおこしてしまった。利平は、おのが医学的知識を総動員して治療に当ったが、発作をなかなか止められず、ついに最悪の重積発作におちいった。何とかそれを鎮《しず》めて、やれやれと思っているところ、きのうの野村教授の診察で、もはや治療不能《マハトロス》の末期状態だと宣告されてしまった。こうなる前に慶応医学部のT教授の診察を受けさせようと考えていながら雑事に取り紛れてそれを怠り、大学病院への入院は本人がいやがり、結局最良の診断治療をおこなう機会をのがしてしまった。死因〝ハ(ロ)ノ原因〟は、つまるところ、この自分の不行跡、そして医師としての力量不足ではないか。利平は、胸を割く悔恨とともに、悲しみを覚えた。妻が死んでから呆《ほう》けたようになっていた彼は、初めて涙を流した。その一滴が死亡診断書の文字をにじませ、あわてて吸取紙を当てると、にじみはさらにひろがった。

　ノックがあって史郎が入ってきた。

「お通夜《つや》は今晩七時、〝花壇〟でやります。大松寺の住職に読経《どきょう》を頼みました。坊さん二人」

「二人は少ない。五人は呼べ」

「五人も」

「当り前じゃ。ここらは寺町だから、坊さんなんか何人でも集められる」

「葬儀は明日午後一時、告別式は午後二時、さいわい大松寺は明日本堂が空いてるそうで……」

「きょうのあすとなれば、須佐《すさ》あたりの親戚《しんせき》は来られやせん。もっと日延べせい。それから大松寺では狭すぎるな。時田病院院長博士夫人の病院葬じゃ、もっと広い寺がいい。そうじゃ、増上寺がいい」

「あんな大きな所……今から予約は無理でしょう」

「先方の空いている日にすればいい」

「はいはい」史郎は頭を掻いた。「おとうさん、法事関係は全部ぼくに任すと言うから、決めてきたんだけど、やっぱり相談してからやったほうがいいみたいだな」

「相談なんかいらん。お前の一存でやれ。おれは疲れ切っておって、頭が働かん」

史郎は頬《ほお》を脹《ふく》らませ、何か言おうとしたが、ふっと踵《きびす》を返すと出て行った。

続いて、間島婦長が来た。

「回診は、きょうは副院長に代らせますか」

「莫迦《ばか》を言え。おれがやる」利平は、さっと立上ると白衣を着た。けさは胃洗滌《いせんじょう》も浣腸《かんちょう》も朝食もすませていない。しかし、診療だけは何が何でも休むわけにいかないのだ。

午前八時五十五分

「おい、兵隊たちへの呼び掛けが始まったぞ」という声があって、将校たちはラジオの前に集った。脇中尉も大急ぎで近付いた。アナウンサーのすこし鼻詰りの声音が文章を棒読みしていた。

「……お前たちは上官の命令を、正しいものと信じて、絶対服従をして、誠心誠意活動して来たのであろうが、すでに天皇陛下の御命令によってお前たちはみな原隊に復帰せよと仰《おお》せられたのである。このうえお前たちが、あくまでも抵抗したならば、それは勅命に反抗することになり、逆賊とならなければならぬ……今からでも決しておそくないから、ただちに抵抗をやめて、軍旗の下に復帰するように、せよ。そうしたら今までの罪も許されるのである……」

棒読みであるだけに、かえって説得力がある。下士官、兵のなかには動揺して帰隊するものが出てくるだろう。すでに、七時半機関銃隊下士官兵三十七名が帰還したのを始め、二十人、三十人と帰ってきている。飛行機によるビラ撒《ま》き、拡声器による放送などを使った宣伝作戦は効を奏した。このラジオ放送はそれに止《とど》めを刺すだろう。

脇中尉は、ラジオから離れると窓一杯にひろがっている緑の葉を眺《なが》めた。おびただしい兵士のように、葉は群がって、中隊・大隊・聯隊・師団の塊りをつくっている。楠《くすのき》の木だ。朝日に光る常緑樹は、営庭や街の雪景色を背景に、熾《さか》んな生命の息吹《いぶ》きを示して揺れている。兵営正面の車回しに生《お》うるこの数本の楠の緑陰こそは、青年将校たちが好んで集った場所であった。去年の秋、安藤大尉や野中大尉たちとそこで会した折の思い出が葉のそよぎから甦《よみがえ》った。誰かが、「元老重臣は斬《き》る」と言い、安藤大尉が考えこんだ。それから、彼はおもむろに言った。「斬ると言っても、その方法が問題だ。時期も問題だ。事は慎重なるを要す」安藤大尉の、丸眼鏡の奥の小さな目がその一瞬突き刺すように光った。こんどの蹶起《けっき》にも、歩一の栗原中尉や、歩三の坂井中尉のような若手急進派に対して、安藤大尉は終始、慎重派で通したらしい。その安藤の中隊は、今や叛乱《はんらん》軍の総崩れのなかにあって、飽くまでも徹底抗戦を叫んで、山王ホテルに立て籠《こも》っている。慎重居士《こじ》にして徹底居士、安藤輝三大尉……。

楠の中でひときわ大きな樹《き》が目についた。幹から枝へ、枝から小枝へ、小枝から葉へと、整然とした秩序が、その旺盛《おうせい》な生を支えている。が、このような堅固な大樹も、いつかは枯れ凋《しぼ》む。安藤大尉も……。大樹が倒れていく姿が見えてきた。大廈《たいか》の顚《たお》れんとするは一木の支うる所にあらず。いや、安藤大尉は、つまるところ、独活《うど》の大木ではなかったのか。若手急進派の熱気に目が眩《くら》み、起つべき時と方法を誤った。

越智少尉が、床から浮き上ったような奇妙な足取りで近寄ってき、押し殺した声で言った。

「天野少佐殿が自決されました」

「何だと」電撃を受けて、脇中尉はのけぞった。「どこだ」

「青山射場であります」

二人は走った。

青山射場は営庭の西側斜面下にある。戸山射撃場を小さくしたような場所で、堤に囲まれて、不断は人が通わず、荒涼としている斜面を下るにつれて雪は深くなり、ともすればまろびそうになった。副官、大隊長など、聯隊《れんたい》幹部が固って、衛生兵が担架に少佐を運ぶのを見守っていた。頭と目を巻いた繃帯《ほうたい》が拳銃《けんじゅう》の自殺を推測させる。口髭《くちひげ》と角張った顎《あご》が少佐を思わせたが、頬は土気色に変り、軍衣の胸に血が染《し》みていた。

二人は敬礼して担架を見送った。雪は白一色で、すでに血の痕跡《こんせき》は消されてあった。腕組みして考えこんでいる第二大隊長伊集院少佐に脇中尉は言った。

「拳銃でありますか」

「そうだ。惜しい人物を死なしたぞ」きのう、安藤と野中を斬ると息巻いた少佐は、きょう、沈み切った声で言った。「早まったな。兵たちの原隊復帰は、実現しつつあり、皇軍相撃は避ける情勢にあるのに……」

「早まりはしません。立派であります」と越智少尉が言った。

「なんだ、きさま……」何を生意気な、と言いたげに伊集院少佐は新品少尉をジロリと睨《にら》んだ。が、彼は凝りを揉《も》みほぐすように右手を項《うなじ》に当て、しきりと首を振りながら去っていった。

「死んだのはずっと前、夜の明ける前だろうな」と脇中尉はつぶやいた。「総攻撃が始まる前に、少佐は引鉄《ひきがね》を引いた。皇軍相撃ちを見たくなかったのだ」

「しかし、それは早まった行為ではない……」

「そうだ、少佐が今もし生きていたとしても、辛《つら》い事態となったろう。今起きつつある事態は、少佐の一貫した信念に反するからな。けさ、兵たちが帰還し始めてから、聯隊内部には一件落着を喜ぶ風が充ちている。しかし、蹶起将校たちはどうなるか。いずれは軍法会議で断罪される。そうすれば、皇軍相撃と同じ結果だ」

「しかし、まさか死刑にはせんと思いますが。五・一五事件でも、求刑は死刑だが判決は十五年でありました」

「海軍は甘いのだ。陸軍は違う。今回鎮圧の方針を出した幕僚は、おそらく徹底的に維新派一掃を画すだろうな。そのためには彼らを贖罪山羊《しょくざいやぎ》に仕立てあげる必要がある」

越智少尉は、痙攣《けいれん》でもおこしたように震えだした。

「もしそうだとすると……日本は暗黒に突入していきますな。財閥は富み栄え、重臣は私権をむさぼり、軍閥は皇軍を私有化し、民は塗炭の苦しみ……」

「そうだ。今までよりずっと悪くなる。日本は暗い道を歩き出したのだ」

坂道を駆け降りてくる下士官があった。島津軍曹《ぐんそう》だった。

「ただいま、お宅よりお電話がありました。何でも、御親戚に御不幸がおありになったとかいうことであります」

誰が死んだのか。夏江か。まさか……時田の叔母だろうか。それとも……脇中尉はふと振り返った。今踏んだあたりに赤い雪が剝《む》き出しになり、淡い陽《ひ》に蛇《へび》のようにぬらぬらと光っていた。

同じく午前八時五十五分

小暮悠次はラジオ放送に耳を傾けていた。戒厳司令官が叛乱した兵隊たちに直接語りかけている。

「……このうえお前達が、飽くまでも抵抗したならば、それは勅命に反抗することになり、逆賊とならなければならぬ。正しいことをしていると信じていたのに、それが間違っておったと知ったならば、いたずらに今までの行懸《ゆきがか》りや、義理上から、いつまでも反抗的態度を取って、天皇陛下に叛《そむ》き奉《たてまつ》り、逆賊としての汚名を永久に受けるようなことがあってはならぬ……」

なかなかの雄弁で、戒厳司令官は名文家だ。これで騒擾《そうじょう》部隊も内部から崩壊するだろう。悠次は、さっき日比谷の交叉点《こうさてん》のバリケードに近付いて、永田町方面を見てきた。宮城前から日比谷公園にむけて、鎮圧側の大軍がびっしり詰めて、これでは騒擾側は手も足も出ぬと思われた。遠くにアドバルーンがあがり、双眼鏡で見ると「勅命下る軍旗に手向ふな」と読めた。ラウドスピーカーの放送もおこなわれ、空からビラが撒かれていた。さて、ホテルに帰ったところで「兵に告ぐ」の放送を聴いたのである。

悠次は新聞を開いた。

戒厳司令官下の軍隊　大命を奉じて行動中
騒擾部隊永田町附近に屯《たむろ》す
その他の地区は平静

皇族方続々御参内　重要御懇談遊ばさる
閑院総長宮も御帰京

事件発生以来、悠次は新聞とラジオに注意して、出来事の意味を知ろうと努めてきたが、それだけではさっぱり真相がつかめなかった。

〝一部青年将校ら〟が重臣を襲撃し、首相、内大臣、教育総監、侍従長、蔵相などを殺し、それに対抗措置として帝都に戒厳令が布《し》かれた。そして、新聞とラジオは、〝帝都の平穏〟と〝警備隊への市民の感謝〟ばかりを伝えて、肝腎《かんじん》の青年将校らの動機については何も語らず、何のために、彼らが重臣を襲撃したのか、全く不可解なのだった。五・一五事件と同じ目的で、同じような青年将校が起ったのだとは思う。しかし、五・一五は海軍士官だったし、今回のように軍隊を使用するような大規模な叛乱ではなかった。

会社の幹部は、つてを求めてあれこれの情報を集めたらしいが、民間会社の情報網には、政府や軍部の複雑怪奇な動静などまるで引っ掛ってこず、むしろデマに類する情報——騒擾部隊が会社を襲撃する云々《うんぬん》——が会社幹部を恐慌《きようこう》におとしいれ、保険契約書など重要文書だけでも疎開させようということになって悠次が保管掛に選ばれたのだった。京橋の裏町にある、このホテルに若い社員二人と寝泊りする生活が始まって、きょうで四日目だ。居場所は頭取、副頭取、常務取締役の一部だけが知っている。もちろん、家族にも秘密だ。

悠次は、ラジオを聴き終えると、ふたたび碁を打ち始めた若い社員を後目《しりめ》に、この三日間、暇にまかせて読んだ経済雑誌のメモを整理していた。手帳を開き、彼一流の米粒みたいな細字で感想を書きつける。

昨、昭和十年は国家的に見て多難な年であつた。満洲《まんしう》事変を契機とする非常時未《いま》ださらず、対外的に重大事件が連発、終始緊張裡《きんちやうり》に暮れた。また内に一昨年来の東北凶作の傷痍《しやうい》癒えざるに関西にも水難続き、被害地方の打撃は勿論《もちろん》、これが一般経済界に及ぼしたる直接間接の影響大。然《しか》るに生命保険界は斯《かか》る内外事象の重圧に不拘《かかはらず》空前の盛況、新契約の数もニュー・レコード。昭和九年三月末で百億達成、十年末に百二十五億……

世の中が不安になればなるほど保険事業は発展する。今回の騒擾事件などは、まさに恰好《かつこう》の刺戟剤《しげきざい》ではある。すでに、東京以外の支店出張所では新契約を増やすように店長所長が発破《はっぱ》をかけた。東京でも、これから忙しくなる。ま、今は束《つか》の間《ま》の閑暇である。

「ちょっと電話をしてくる」と悠次は若い社員に言い置いて部屋を出た。受付脇《わき》の公衆電話ボックスに入る。まず、初江だ。おとといの朝、掛けたが、きのうはつい忘れてしまった。

電話口に出たのはなみやだった。

「もしもし、あのう、奥さまはきのうから三田でございますです」

「また三田か」悠次は軽く舌打ちした。亭主の不在をよいことに里びたりしている妻がうとましい。

「もしもし……あのう、旦那《だんな》さまからお電話があったら、三田のほうにかけて下さいと、申し上げろと、あのう、ございますです」

「なんだ面倒だな」悠次は、今度は相手にも聞えるように舌打ちした。時田病院に電話するのは苦手なのだ。専従の交換手がいなくて、院内のどこかに掛る。大抵は看護婦溜《だま》りだが、時にはいきなり利平や菊江の部屋に掛ってしまう。「子供たちも三田にいるのか」

「もしもし、はいはい、さようでございますです」

悠次は電話ボックスを出た。別に当方に大した用事があるわけではない。朝一度は電話してやると約束しただけだ。時田病院の初江を呼び出すのは億劫《おっくう》だった。部屋にもどると感想の続きを書いた。

生命保険界の一般情勢は大会社偏在傾向顕著なり。財閥系の我安田生命も業界の隆盛とその軌を一にす。きはめて順調なる発展それなり。

昭和十一年こそは我社飛躍の年。前途洋々。

ふと悠次は万年筆を停《と》めて考えた。我社を始め保険関係の大企業は現在繁栄を誇っている。軍縮会議の決裂で無条約時代となれば軍需産業も繁栄の時代をむかえる。すでに綿布の輸出量が世界一となった大日本は、あらゆる産業が世界一を目差して大躍進を始める。ところが〝一部青年将校ら〟が狙《ねら》い撃ちしているのは、この繁栄を誇る大企業から政治資金を得ている政治家だ。彼らは、企業の繁栄が国民の不幸の原因だと考えている。しかし、満洲・支那へ一斉《いっせい》に進出した企業の吸い上げる利益は、国家の富となって国民を潤《うるお》すのではないか。〝赤系分子〟と〝一部青年将校ら〟の考えは、あまりにも短見浅慮でありすぎる。悠次は、〝一部青年将校ら〟こそ自分の敵だと心に決め、この種の矯激《きょうげき》な叛乱は一刻も早く鎮圧すべきだと思った。この四日間の異常事態、重要資料を守っての寝泊りを早く終らせたい。まったく四日間がひと月もの長さに感じられる。

「きょうは土曜日だったな」と悠次は言った。独り言のつもりが、若い社員の一人が答えた。

「そうです。世が世ならば半ドンです」

「まあ、昼までに事件が片付くのを願おうや」と悠次は言った。

土曜の午後と日曜の一日は大事な休養日でこのところ鵠沼《くげぬま》の佐々竜一《さ さりゅういち》宅での麻雀《マージャン》を習いと

していた。〝世が世ならば麻雀だったのに〟と悠次は、自分でも気の滅入《めい》るような溜息《ためいき》をついた。昼までに鎮圧が成功すれば、鵠沼に直行できるかも知れない。もうすこし様子を見るべきだ。悠次は、最近、一流会社の社員の嗜《たしな》みとして吸いだしたハヴァナの端を切って火をつけた。

同じく午前八時五十五分

　時田史郎が顔を覗《のぞ》かせた。

「いとが、ぜひお参りさせてくれと言ってる」

「まだ駄目《だめ》よ」と、人形にはたきを掛けていた初江は頭を振った。「やっと死化粧が終ったところ。お焼香の準備もできてないの」

「もうすぐ葬儀屋が来る。そしたら、まくら飾りをしてお経をあげてもらう。そのあと納棺して、〝花壇〟にお棺を運んで、お通夜の準備をする。職員はお通夜まで焼香を待ってもらう」

「そうよ、それまで待ってもらってて」

「それが、どうしても待てねえってゆうんだ。お世話になった方だから、一目お会いして手を合せたいって」

「勝手ね」初江は眉《まゆ》をひそめた。「まだ駄目ったら駄目」初江はきっぱりと言うと、人形のはたきを続けた。葬儀屋が来るまでに〝お居間〟を綺麗《きれい》にしておこうと掃除を始めたのだが、母の作った人形の一つ一つが懐《なつか》しく、はたきの手を止めては眺め、それを作った母の心を偲《しの》ぶので、仕事にはさっぱりはかがいかなかった。三味線の名手で藤間流の名取でもあった母は、芝居や舞踊の人形を好んで作った。人形を見ると、母の踊る姿や、一緒に見た歌舞伎《かぶき》の舞台が彷彿《ほうふつ》としてきて、初江はつい追憶にふけるのだった。

階段に足音がして、史郎と秋葉いととが争っていた。やがて、いとが黙って襖《ふすま》を引いて入ってきた。入ってしまってから、「お邪魔いたします」と両手をついて丁寧に初江にお辞儀をし、つと遺骸《いがい》ににじり寄った。

「何をするのよ」

自室にずかずか踏みこまれた気持で、初江は剣突《けんつく》をくらわした。そうして顔を覆《おお》う白布を剝《は》ごうとするいとの手を押えた。

「失礼だわ」

「おや」いとは、押えられた手を、ぐいっと強い力で引き抜き、しかし顔には穏やかな微笑を浮べて言った。「なぜでございましょう。わたくしは、生前、おお奥さまには大層お世話になった者でございます。一目お顔を拝見し、ご冥福《めいふく》をお祈りしとう存じます」

「まだ準備ができてないわよ。職員は午後、〝花壇〟でお焼香していただくことになっています」

「わたくし職員ではございません」いとは突如として泣き出した。丸味を帯びた肩が震えた。両手を合せて遺骸をおがむ。「おお奥さま、お亡《な》くなりになって、悲しゅうございます。わたくしはひとりぽっちになりました。ほんとうにお世話になりました。有難うございました」

大粒の涙で畳を濡《ぬ》らす。

初江は史郎と顔を見合せた。二人ともいとの素振りが真実か演技か判じかねている。もっと判《わか》らないのはいとの意図であった。菊江の子供たちに嫌《きら》われ軽蔑《けいべつ》されている自分の立場を知りつつ、あえて強引にやってきたのはなぜだろう。すると、史郎がすこし和らげた声で言った。

「秋葉さん。あとで、〝花壇〟にお棺を運ぶから、そこでお焼香して下さい」

「はい」いとはうやうやしく頭を下げた。「どうも勝手を申しまして、相済みませんでした。つい、一目お会いしたくって取り乱しました」

史郎は白布をあげて顔を見せた。いとは、はあっと低頭しつつ合掌し、何度も拝し、二人にくどくど礼を述べて出て行った。

ふたたび二人は顔を見合わした。

「あれ、本気かね」

「本気なもんですか。空涙よ」初江は毒々しく言った。

「でも、半分は本気みたいだったな。空涙なら、あんなに沢山はでないと思うよ」

「もし半分本気だとすれば、罪の意識かしらねえ。あの女がいたため、おかあさまの病気が悪くなったんじゃないの。あの女を思い出すたんび、発作が起きて……おかあさま、あの女に殺されたようなものよ。なにも史郎ちゃん、あんなに優しくしてやる必要なかったわよ。追い出してやればよかったのに」

「そうもいかんよ。仏の前で無下にもできん。それに、ああ泣かれちゃ……」

「女の涙に騙《だま》されちゃ駄目。女の涙ほど怖いものはないんだから。悲しいから泣くなんて思ってたら大間違い。怖《おそ》れ涙、悔し涙、空涙、それに嬉《うれ》し涙だってある。そうだわ、さっきのは嬉し涙よ。小うるさい正妻がいなくなって、これからは、わたしの天下だという……」

「まさか」

「史郎ちゃん、あなた甘すぎるわよ。これからおかあさまに代って病院を守《も》り立てるの、あなたの責任じゃない」

「何度も言うように、おれは病院経営なんて辛気くさいのはまっぴらなんだ。四月からは古河電工に勤めが決っているし、病院なんかに係《かかわ》る気は全然ねえよ」

「そうなのよねえ」と初江は嘆息した。「おかあさまに代る人を探すのが、大変だわ」

午後二時過ぎ

時田利平は昼食をとっていた。朝食を食べずに働き詰めだったためひどく腹が空《す》いていた。妻が亡くなったという新しい事態にまだ馴染《なじ》めず、こうして鯵《あじ》の干物を突っついていても、菊江がひょっこり現れて給仕をしてくれそうな気さえする。いや、食事を始めるとき、菊江がいないので一瞬腹立たしく思ったりしたのだ。回診、外来診察、小手術、レントゲン撮影と多忙な半日であった。この三日間、悪天候で減っていた患者が、晴れてどっと繰り出してきた。それにしても、診察し診断を下し治療法を考え手術し投薬する、一連の医療行為を、全くいつもと同じように、まるで妻の死亡など何の痕跡《こんせき》も残さなかったようにこなした自分に利平はすこし不満だった。妻の死を悲しむ、悲痛に打ち拉《ひし》がれて茫然《ぼうぜん》自失する、のが人間らしい反応だと思う。そしてこの食欲旺盛《おうせい》も気に入らぬ。胸が一杯で食事が咽喉《のど》に通らぬとあらば、妻を愛していた男らしいのだが……オムレツを平げ、二杯目の飯を頰張《ほおば》りながら、利平は新聞をひろげた。

戒厳令下の軍隊の行動が報じられている。まだ騒擾が続いている。まさしく非常事態だ。

高橋長官打合せ

東京湾警備の命に接し二十七日夕刻第一艦隊の艨艟《もうどう》を率ゐて横須賀軍港に入港した聯合《れんがふ》艦隊司令長官高橋三吉中将は二十八日幕僚を従へて戒厳令下の海軍省に登庁首脳部より帝都の状況を聴取した上種々打合せた。

おとといの午後、永山光蔵宅で見た大艦隊は第一艦隊の一部であったらしい。

しかし新聞を丹念に読んでも大した報道は得られなかった。騒擾をおこしている部隊が依然として日本の中枢部を占領しているのは確からしいとしかわからない。むしろ利平は外来患者から聞いた事柄《ことがら》のほうが、事件の様子を伝えてくれたと思っている。東海道線の電車は川崎まで、列車は横浜までしか来ず、中央線の電車は吉祥寺、列車は八王子止りとなり、市内の電車自動車バスいずれも休止となって交通は途絶した。過激派なる一部青年将校は命令に服せず、叛旗《はんき》を翻《ひるがえ》している……。

菊江よ、と利平はひとりごちた。「お前は大変なときに死におったわ」

ノックもなしにドアが開くと、秋葉いとが入ってきて、利平が無礼を咎《とが》めて睨《にら》みつけるのに構わず、隣に腰掛けた。喪服にエプロンを重ね、襷掛《たすきが》けだ。白い半衿《はんえり》の上に形のよい項《うなじ》を見せている。

「どうして来おったんじゃ」

「御挨拶《ごあいさつ》ですわね。お手伝いにまいりました。あっ」と改まり、「このたびは、まことにご愁傷さまでございました」と丁寧に頭を下げた。

「フウム」と利平は顔をそむけ、香々《こうこ》をカリカリ嚙《か》むと茶碗《ちゃわん》に残った飯を搔《か》っこんだ。茶を湯呑《ゆのみ》につごうとすると、いとが素早く急須《きゅうす》を手にとって注いだ。それをわざとグビグビ飲み干して、また新聞をめくりだした。今度は別に読んでいるのではない。不意に出現した女に、どう対応したものやら作戦を練っているのだ。菊江と約束したばかりだ。「いととは別れる。新田の家も整理する」と言ったのは真実そう決心したからだ。しかし、女のほっそりとした項、襷掛けの袖《そで》から出た柔肌《やわはだ》、黒羽二重《くろはぶたえ》のむっちりとした尻、困ったことにそれらを利平の目は、眩《まぶ》しげに見るのだった。あれほど堅く、臨終の妻の前で約束しながら、いとが出現したとたん体の中に燃え立った欲望が決心を鈍らせる。

「いと」と利平は言った。「おれは忙しい。お前を構っとる暇はないのだ」

いとは、くすりと笑って肩をすぼめた。

「新聞をお読みになる暇はおありになるんですか」

「これは大事件じゃ。読まずに暮せるか」

いとは、真剣な表情になった。きつい目付きである。

「お願いがあります。わたくしを家族の一員に加えて下さいませ」

「結婚してほしいいうことか」

いとは、ちょっと考えて頷《うなず》いた。

「今さら何を言う」と利平は怒声を発した。「そのような約束をした覚えはない。住居と生活費をあたえる、それだけの条件じゃった」

「事情が変りました……」

「何も変っとらん。菊江の死とお前の処遇とは無関係じゃ。しかも、きょうという日に、そんな要求を持ち出すとは不謹慎じゃ」

「いいえ」いとはついぞ示さなかった強い口調で利平の言葉を否定した。「奥さまが生きていらっしゃるときに、こんなことを申したならば、それこそ不謹慎でした。今は事情が変りましたゆえ、わたくしの望みを申しましたのです。お聞きいたします——わたくしには全く何の希望もございませんのですか」

「……今まで通りじゃ。それでは不服なのか」利平はそう言って、自分が既にして菊江との約束を違《たが》えたのに気が付き、内心狼狽《ろうばい》した。「しかし、新田もな、いずれは整理せにゃならん。あそこは物入りでな」

「それでは今まで通りではございません。わたくしの住み家を奪う、では別れるとおっしゃるのですか」

「そんなことは言っとらん」

「でも、新田を整理するなんて出し抜けにおっしゃる。何ですか、奥さまの遺言でもあったのですか」

「そんなものはない」利平は胸を張って大声を出そうとしたが、出たのは弱々しい声音であった。「おれはな、きょう、頭が混乱しとって、物事を筋道立って考えられん。この話は、一件落着してからにせい」

「どの話を、でございますか」

「だから、お前の希望の件じゃ」

「希望……」と言いさして、いとは表情をゆるめた。「希望があると考えてよろしいんですか」

「だから、待てと言うちょる」

「待ちますとも、希望がすこしでもございますならば」

「妙なやつじゃ。もし、絶対に希望がないとおれが言ったらどうするつもりじゃ」

「死にます」いとは明瞭《めいりょう》に言った。「もしそうだったら、本当に死ぬ気でございました。ここを出まして、真っ直《す》ぐに露台に登りまして、飛び降りるつもりでした」

「フウ……」利平は、心ならずも話が妙な方角に辿《たど》り着いたので、吐息を漏らした。

「わたくし、けさは辛《つら》い思いをいたしました」いとは腰から上をひねって甘えかかるように身を寄せた。「奥さまのお姿を一目おがもうとしたら、史郎さまと初江さまから、駄目だと追い出されました。それでは、お手伝いをと看護婦溜りへ行くとみんなが口をきいてくれません。間島さんなんか、わたくしがそこにいるのも穢《けが》らわしいという仕種《しぐさ》をするし、院内にわたくしの居場所なんてないのです」

「お前はここに顔を出さんほうがいい。新田に帰っておれ」

「病院の一大事に、何もお手伝いできないなんて本当に情無くて……先おととい、博士のお祝いなさったんでしょう。いかがでした」

「ああ、盛会だった」

「先生が博士におなりになった、陰の助《すけ》っ人《と》は、このわたくしでございましょう。それが祝賀会にも呼ばれず、新田の田舎で雪に埋れて一人侘《わび》しく……ねえ、先生、わたくしの気持おわかりになります」

「わかるさ」

「いいえ、すこしもおわかりにならない。女の気持なんか、全然わかって下さらない。ああ、わたくし、やはり死んだほうがよかった。死んで、化けて、先生の枕元《まくらもと》に出てやればよかったわ」

いとは利平の膝《ひざ》に倒れかかったが、ノックがあったので飛びのいて、そ知らぬ振りをした。鶴丸看護婦だった。いとがいるので不意打ちを喰《くら》ったようにのけぞった。

「あのう……人が見えてます」

「誰じゃ」

「それが……」鶴丸はいとを気にしている。

「構わん、言うてみい」利平はいとの機嫌《きげん》をとろうと磊落《らいらく》に言った。

「それが……」鶴丸はなおもいとにこだわっている。

「構わん、言え」利平は癇癪《かんしゃく》をおこした。

「は、はい。警察の人です。夏江さまのお部屋を見せろと言ってます」

「一人か」

「三人です」

「よし、すぐ行く」

鶴丸が去るといとが尋ねた。

「夏江さま、どうかなさったんですか」

「人違いでな。警察にちょっと留置された。なあに、大したことじゃない」

「へえ、ちっとも存じませんでした。そんな大変なこと、わたくし……」

いとが、また絡《から》んで来そうなので、利平は大急ぎで部屋を出た。

午後四時半
小暮悠次は鈴の音を聞きつけた。日本橋のたもとに人が群がっている。「号外、号外」と少年が叫んでいた。

叛乱鎮定さる!!
全部の帰順を終る
（戒厳司令部午後三時発表）叛乱部隊は午後二時頃を以《もっ》てその全部の帰順を終り茲《ここ》に全く鎮定を見るに至れり
香田大尉《たいゐ》外十四名　本官を免ぜらる
けふ内閣より発令
二十九日午後零時四十五分内閣より左の如《ごと》く発令された
陸軍歩兵大尉　香田清貞
同　安藤輝三
同　野中四郎
陸軍歩兵中尉　中橋基明
同　栗原安秀
同　丹生誠忠
同　坂井　直
陸軍砲兵中尉　田中　勝
陸軍歩兵少尉　林　八郎
同　池田俊彦
同　高橋太郎

同　　　　麦屋清済
同　　　　常盤　稔
同　　　　清原康平
同　　　　鈴木金次郎

一部青年将校は十五名だ。大尉、中尉、少尉の尉官ばかりで、一人砲兵中尉がいるほかは全員歩兵将校だ。叛乱を起したのは麻布の聯隊だと社の情報通が教えてくれた。もしかすると脇敬助の歩三かも知れぬと姉の美津へ、これで四度も電話を掛けてみたのに、いつも留守なのだ。留守番のはるやからは、もちろん何も情報をえられなかった。そうだ、三田の初江へ電話しようと悠次は思いついた。夫が社用で泊り込みで働いているのに、妻は子供を連れて里帰りで遊んでいる。小言の一つも言ってやろう、重要書類を社に戻したら帰宅するから風呂《ふろ》を沸かしておけと命令してやろう。

ホテルの公衆電話前に列ができていた。やっと番が来て掛けると今度は先方がお話中だった。悠次は不機嫌をいきなり初江にぶつけた。

「何をやってるんだ。おれは今晩帰るぞ。連日の宿直でくたくただ。風呂ぐらい沸かしておけ」

「あなた、何を怒ってらっしゃるの。おかあさまが亡くなったの」初江は涙声だった。

「そうだったのか。だったら早く知らせてくれればいいのに」

「だって、あなた、居場所は秘密でこちらからは連絡とれないぞとおっしゃった」

「社に電話すれば、社員が連絡をとってくれる」

「社のどなたに電話すればよかったんですか。あなたの居場所は一般の社員にも秘密だとおっしゃったでしょう」

「そう……」悠次は言葉に詰った。そうして、初めてお悔みを言った。「突然だったね。お前も大変だったな。がっかりしたろう」

「けさ、四時半過ぎ、亡くなりました。先おとといにひどい発作がおきてから、どんどん衰弱なすって……」初江は啜《すす》り泣きした。「お通夜《つや》は今夜七時。お葬式は三月三日、火曜日ですか、午後一時、芝の増上寺です」

増上寺と聞いて悠次は感心した。大寺である。病院経営というのは儲《もう》かる仕事らしい。

「あなた、どうなさる」

「もちろん、お通夜に行くつもりだが……今、号外で叛乱が鎮圧され、交通遮断《しゃだん》が解かれたそうだから、今から書類を社に戻そうと思う。それから家に帰って、着替えていく」

「わたしも喪服を取りに家に帰ります。子供たちもちゃんとした洋服着せないと……そうそう、あしたの引越しどうしますか」

「予定通りやるさ。運送屋に頼んでしまったし、事件も終ったしな」

「わたし、もう疲れて……元気がなくて……引越しどころでは……」

「何言ってんだい」悠次は叱《しか》りつけた。「ずっと前から決っていて、今さら変更できやしない、そりゃ取り込みで疲れてるだろうが、おれだって疲れてる。な、頑張《がんば》って済ましちゃおうよ」

「はい……」初江は渋々ながら承知した。

妻には強く言ったものの、その実、悠次は引越しの件を失念していて、もし事件が終結したら、麻雀《マージャン》をやろうなどと予定していたのだった。

同じく午後四時半

抜身から血がしたたった。腥《なまぐさ》い臭《にお》いが鼻を突く。軍刀の柄《つか》がぬるぬる手に滑る。おのれは人を殺したと思う。あたりに集う戦友たちも面々朱に染った殺人者だ。「御苦労であった」と隊長が言った。「では、これから全員自刃《じじん》する。おたがいに向き合って、相手の胸を刺せ」敬助が向き合ったのは坂井直だった。幼年学校の制服を着ている。「いくぞ」と叫んで相手の胸を突くと、敬助の心臓も刃《やいば》に貫かれた。

敬助は目覚めて、球形の電灯を眺《なが》めた。あれは天井、ここは小隊長室だった。軍衣を投げ捨て、長椅子《ながいす》に横たわっていた。今刺された胸をさすってみる。何も異常はない。四時半だ。二時間ほど眠った勘定になる。寝足りない。しかし起きねばならぬ。就寝許可を与えた兵たちを起し、通常の日課にもどす——昨日出た叛徒取扱に関する命令により、下士官を野砲兵第一聯隊ほかの営倉に、兵を近衛《このえ》歩兵第一聯隊ほかへ宰領者をつけて送る——そして、やっと一件落着である。帰宅して風呂に入り、一杯やれる。いや、駄目《だめ》であった——時田菊江の通夜に行かねばならぬ。

午前九時四十五分から帰順部隊がつぎつぎに帰還してきた。下士官に引率された百五十名から二百五十名の部隊が整然と営門を入ってきた。まるで、通常の演習より帰った趣きで歩調をそろえて残雪を踏み、出て行ったときと同じく従順なる兵の集団であった。ただ、将校の姿が見えぬのが通常と異なった。午後一時三十分、最後の部隊百五十名が帰還し、ここに帰順部隊の全員約千名の復帰が実現した。

将校たちは陸相官邸に集められた。

午後二時三十分、戒厳司令部は、戒作命第十五号によって、「叛乱部隊ハ鎮定セラレタリ」と告げた。午後三時、同司令部は一般国民むけの発表をおこない、叛乱部隊の帰順鎮定を午後二時頃と確定した。

安藤大尉の自決の報がもたらされたのは、第六中隊が帰ったときである。大尉は山王ホテルの前に中隊の兵を整列させ、一場の訓示で兵たちの団結をたたえたあと、全員に『第六中隊の歌』を唱《うた》わせ、彼らの面前で拳銃《けんじゆう》で自分の咽喉《のど》を撃った。弾は顴骨《かんこつ》を貫通したが、重傷で陸軍病院に収容された。

誰かがノックした。脇中尉が起きあがる暇もないくらい、素早く現れたのは越智少尉であった。

「今、聯隊本部へ行ったら、野中大尉殿が自決したと報告が入っていました」

「野中大尉殿もか。これで二人目……やはり拳銃か」

「はい」走ってきたらしく越智少尉は荒い呼吸である。「即死だそうであります」

「安藤大尉殿はどうしたろう」

「急所をはずれたので一命は取り留めたといいます」

脇中尉は机に向って坐《すわ》った。さっき計算して作った表が置いてある。

中隊	将校准士官《じゅんしかん》	下士官	兵	計
第一中隊	三	八	一四三	一五四
第二中隊		六	一二	一八
第三中隊	一	一〇	一四一	一五二
第六中隊	一	一一	一四七	一五九
第七中隊	二	一二	一四二	一五六
第十中隊	一	九	一三二	一四二
機関銃隊		九	一四七	一五六
合計	八	六五	八六四	九三七

「見ろ」と脇中尉は言った。「これはな、各中隊に問い合せて、おれが作成した蹶起《けっき》部隊の一覧表だ。けさ、おれの計算では、歩三関係者は七百九十名と踏んだのだが、実際には百五十名ほど多かった。約千人、大変な数だ」

「こうしてみると、改めて驚きます」越智少尉は繁々《しげしげ》と表を見た。「しかし、中尉殿はこういうものをお作りになるのが早い。几帳面《きちょうめん》でおられる」

「いや、こういう面倒なものは、元来おれの得手ではない。ただな、現有兵力をすみやかに知る練習として無理してやっとる。実戦となったら、常に味方の兵員を把握《はあく》せねばならん。五月にはわが聯隊《れんたい》は満洲へ行き、匪賊《ひぞく》討伐をせねばならぬ。越智、この表を見て何かわかることがあるか」

「九中は北支派遣中と……要するに全くの不参加はわが五中と十一中だけであります」

「そうだ。なぜそうなったかわかるか」

「……わかりません。偶然……」

「いや、軍隊の統率に偶然などはありえない。中隊長が将校および中隊全員を統率してるかどうかの差だ。五中の小林中尉、十一中の浅尾大尉の統率力がすぐれているからだ。逆に蹶起部隊で中隊長に率いられて行ったのは六中の安藤大尉、七中の野中大尉のみで、あとは、中隊長を差し置いて隊付将校が兵を動かした。ということは何を意味するか」

「……」

「兵を動かすには将校の命令一つでできるということ、しかし真の統一行動は中隊長と将校の意思の疎通《そつう》が完全でないとできないということだ。今回、蹶起部隊で最後まで強情に頑張ったのは安藤中隊、反対に残留部隊で終始統一ある行動をとったのは、わが小林中隊だ。つまり満洲に行ったらば、わが中隊こそが歩三の中心として聯隊全体を引き締めねばならぬ」

「中尉殿は渡満後の聯隊を考えておられますが、わたくしは、まだ、事件で頭が一杯であります」

「事件はもう終ったのだ」

「昭和維新は……」

「維新の夢は破れたのだ。つぎに来るのは、今回の事件処理で力をえた幕僚の支配だ。戦局をよく見て、先手先手でいくのが戦勝の要《かなめ》だぞ」

「脇中尉殿」越智少尉は、力無く腰を下ろすと坊主頭《ぼうずあたま》をごしごし掻《か》いた。「けさ、天野少佐殿の自決した姿を見たとき、わたくしは遅れを取ったと思いました。やはり、わたくしも死ぬべきであったと……」

「莫迦《ばか》、何のために」

「理想のために。理想が破れたら、いさぎよく自尽の決意をする。それが筋でありましょう。天野少佐、安藤大尉、野中大尉は立派であります」

「まだ夢から覚めんのか。維新の実現はもはや不可能なのだ。目を覚せ」

脇中尉は、瘦《や》せた青年の肩を叩《たた》いた。青年は突き飛ばされたようによろけ、それから水中を浮び上るようにゆっくりと立った。

脇中尉は言った。

「一緒に内務班を見回ろう。そうして満洲征途の心構えを兵たちに徹底させよう。これからが大変なんだ。元気を出せ」

午後五時十五分

脇中尉は野中大尉の遺骸《いがい》に手を合せていた。二階の医務室の隣の、がらんとした室内には花も祭壇もなく、鉄製のベッドに横たえられた大尉の顔には白布も掛けてなかった。頭に繃帯《ほうたい》が巻かれ、浅黒い肌《はだ》は土色で生気を欠き、特徴である濃いひげのみが生前の大尉の面影《おもかげ》を残していた。逆徒の首魁《しゆかい》である以上、聯隊としては何の憐《あわれ》みの情も示してはならぬ、仏としてではなく単なる屍体《したい》として取扱えというわけである。この寒々とした情景は、いやしくも聯隊の中隊長であった人に対しては冷遇でありすぎた。脇中尉は遺骸から後じさりすると、枕頭《ちんとう》に坐っている野中夫人と父の野中少将、母刀自《ははとじ》に黙って頭をさげた。三人が項垂《うなだ》れた顔をあげると、赤い目が悲しみを示していた。

脇敬助は見習士官の頃《ころ》、四谷左門町《よつやさもんちよう》の野中宅を訪ねたことがある。本当に寡黙《かもく》な人で、質問をしなければいつまでも黙っていた。敬助も口数は多くないほうで、二人は黙りこくって庭を眺めたり、母刀自の出してくれた蕎麦《そば》を食べた。聯隊内の将校寄宿舎で隣同士となってからは、敬助が怪文書や北一輝の諸著作について質問するだけ、野中大尉の発言も増え、したがって以前よりは付合いが深まったが、それでも何もかも打ち明け、肝胆相照すといった間柄《あいだがら》ではなかった。おそらく、今度の蹶起将校たちにしても、最年長者である野中大尉が何を考え何を感じていたかの委細を承知していた人はなかったのではないか。

野中大尉の自決にしても、他の将校との相談の上で実行したものでなく、全く唐突であった。陸相官邸に集められた蹶起将校たちが自決を決意したとき、最後まで自決をとめたのは野中大尉であった。それが、同志たちと別れて別室に行くと突然拳銃で自殺してしまったという。
よくわからない人なのだ。蹶起将校のなかで安藤大尉は、いつかは立つ人物だと目されていた。人をそらさぬ話術の持主で兵想《へいおも》いの人情家の彼は、おのれの内面を他人に隠さず、常に昭和維新の意義や必要性を説いてやまなかった。しかし野中大尉は、他人を説いたり、一味の中心で目立ったりする人ではなかった。彼が蹶起したと聞いたとき、蹶起軍の代表として『蹶起趣意書』の筆頭名儀人となったとき、彼を知る人々はみな意表をつかれたのである。そして、その死にもまた意表をつかれた。

脇中尉は、もう一度遺族に頭をさげ、部屋を出た。せめて夫人にはお悔みを言おうと思ったのだが言葉が何一つ出てこなかった。三階へ登った。将校集会所、酒保、貴賓室、応接室などが並んでいる。娯楽室に誰かがいる。見ると越智少尉だった。撞球台《どうきゅうだい》にむかって球を突いている。脇中尉に軽く一礼したなり、かまわずキューを構えた。突かれた白球は赤球に当り、ワンクッションのあと白球にピタリと当った。彼は聯隊切っての玉突きの名手であった。

「中尉殿もやりませんか」

「やあ、どうも気乗りがせん。しかし、きさま、こういう時に、よく遊ぶ気になるな」

「遊んどるんじゃありません。英気を養っとるんで。明日は日曜日、明後日よりは渡満のための猛訓練であります」越智少尉はさっきまでの悄然《しょうぜん》とした青年とは見違えるほどに元気よく言った。キューで手球を勢いよく突いた。ひねり球は小気味よく、二つの球に当って軽快な音をたてた。

日が沈みつつあった。山々が黒いシルエットを見せ、雪に覆《おお》われた富士が紫色に映えている。赤い太陽がじわじわと山肌に隠れるのを見届けると、脇中尉はつぶやいた。

「さて、おれも家に帰るとするか」

午後六時過ぎ

時田利平は洋服箪笥《だんす》の洋服を掻き分けていた。モーニングが見付からないのだ。この前着たのは二月九日、脇敬助と風間百合子の結婚式であったから、そう奥に仕舞ってしまったとは思えぬのだが、どうしても出てこない。必要なときに必要な洋服を出してくれた菊江の不在が、ひしひしと感じられる。途方に暮れた利平は、ワイシャツに股引《ももひき》掛けのままソファに腰をおろした。仕方がないから黒い背広姿で行くか。しかし喪主が背広では恰好《かっこう》がつかない。


史郎が入ってきて、父親の姿に目を剝《む》くと嗤《わら》い出した。

「どうしたんです」

「モーニングが見付からんのじゃ」

「それは困りましたね」と言った史郎はちゃんとモーニングを着込んでいた。「ええと報告です。〝花壇〟の準備できましたよ。祭壇は特等のにしました。坊さんは大松寺の住職が五人集めてくれました。通夜振舞いに伊勢屋の仕出弁当を四百注文しました。酒は津の国屋……」

「弁当は貧相じゃ、賄方《まかないかた》に料理を作らせられんのか。時田病院は自家製の御馳走《ごちそう》で人を持て成すので有名じゃ」

「今からじゃ時間がありませんよ。それに、〝時田料理〟は、お袋さんの指揮があったから出来たんで……」

「まあいい。お前の思った通りやれ。ところで、おれのモーニングどこにあるか知らんか」

「知りませんよ」史郎は逃げるように出て行った。

利平は、なおも引出しをあけたてして探しまくり、ついに癇癪《かんしゃく》を起した。が、しばらくすると自分を嗤う気持になった。——このおれは自分のどの衣裳《いしょう》がどこに収納してあるのか全く無知である。

ノックがあり鶴丸看護婦が顔を見せた。

「おお丁度いい。おれのモーニングを知らんか」

「さあ、存じませんが」

それは当然で、内々のよろず世話係を自認する鶴丸にしても、利平の身の回りだけは菊江に譲っていたのだ。

「何か用か」

「夏江さまがお帰りになりました」

鶴丸の後に隠れるようにして夏江が入ってきた。紺サージの洋服を着て、先生に叱られる女学生のようにおずおずとしていたが、父のなりを見て微笑を浮べた。

「何がおかしい」

「だっておとうさま、そのお姿」

「モーニングがないんじゃ」

「あそこにあります」夏江は洋服箪笥の上に積み重ねた紙箱の一つを指差した。そこに菊江の字で小さくモーニングと書かれてあった。夏江は踏台に乗って箱を引きだした。中に、三つ揃《ぞろ》いのほか小物類も入っていた。ネクタイと靴下《くつした》は慶事用、法事用に区別して束ねてある。

「おとうさま、そのネクタイも靴下も、おかしいですわ。こちらの黒になさいませ」

利平の着替えを夏江が甲斐甲斐《かいがい》しく助けた。鶴丸はいつのまにか姿を消していた。上着の袖《そで》に腕を通しながら利平は尋ねた。

「詳しい話はあとで聞くが、どうして釈放された」

「証拠不充分ということでした。いろいろ御心配かけてすみません。おかあさまにお会いしたかった。それが本当に残念です。まさか、おかあさまが……」夏江は急に幼い顔付になって父を見上げた。

「ウム、最後にこう言っとった。『あの子は肝腎《かんじん》のときにいない子だねえ』」

夏江はむせび泣きを始めた。立っておれず、ソファに俯《うつぶ》した。

「夏江、案ずるな。おかあさんはな、みんなに別れを告げて、やすらかに、眠るように逝《い》った」

「おとうさま」夏江は起きあがって椅子に坐り直し、涙を拭《ぬぐ》いもせずに言った。「実はおといい、おかあさまと約束をしたんです、おかあさまに、もしものことがあったら、わたし、病院の事務長になるって。そして、留置場に一晩いて決心したんです、中林と結婚しますって」

「だってお前、中林とは婚約しとるじゃないか」

「ええ、でも、正直申してまだ迷いがありました」

「莫迦もん、そんなあやふやな婚約があるか。恥っ曝《さら》しじゃ」

「自分でも恥っ曝しだと思います。けれど……そのあやふやが急にしっかりいたしましたんです」

「なぜじゃ」

「迷いが無くなったからです」

利平は、夏江のか細い体と、涙に濡《ぬ》れた顔が、突然強い意思を示しているのを、わが子ながら不思議な思いで眺めた。

同じく午後六時過ぎ

麻布《あざぶ》北日《きたひ》ケ窪《くぼ》町の自宅の玄関の格子《こうし》戸《ど》を、脇敬助はあけた。妻の百合子は式台に手をついて夫を迎えた。

「お帰りなさいませ」

「うむ、ただいま」

「御無事でなによりでした。大変でしたね。お疲れでしょう。ラジオで叛乱《はんらん》が鎮定されたって聞きました」

「留守中変りなかったか」と革長靴を脱ぎつつ言う。

「変りありません。婆《ばあ》やと二人で閉じ籠《こも》りでした」と百合子は、奥でお辞儀をしている常の方に頷《うなず》いた。常は百合子の幼いときから風間家にいた女中で、嫁入りのときについて来た。

「どうなさいます。お風呂《ふろ》、お食事」

「風呂だな。それから着替えて、時田のお通夜に行く。食事はいい。どうせお通夜で何か出るだろう」

茶の間で軍装を解く。拳銃にまだ実弾を装塡《そうてん》してあったのを抜いた。風呂場に直行する。桶《おけ》一杯の湯をかぶって湯船に沈んだ。熱した柔肌のような湯が体中を撫《な》でる。膚《はだ》に貼《は》りついていたこの四日間の不快な時間が融《と》けて流出していく。不眠と疲労の毎日だったが、敬助の若い肉体は、水を含むとにわかに生き返った。熱とともに快感が骨まで染《し》みてきた。

百合子が磨硝子《すりガラス》に姿を映した。彼の脱ぎ捨てた下着を洗濯籠《せんたくかご》に入れているらしい。戸の隙《すき》間《ま》から、甘えたような声が漏れた。

「あなた、湯加減どうですか」

「丁度いいよ」

「よかった。お帰りになるってお電話いただいてから、何度も何度も湯加減をたしかめたの。あなたって熱好きでしょう」

「そうか……」

「そうそう、夏江さんが突然見えたのよ」

「いつだ」

「ええと、おととい」

「何時頃だ」

「さあ、夕方でした。暗くなってたから、五時半、六時ちょっと前かしら」

「あがってったのか」

「ええ、ちょっとだけ。六本木のお友だちを訪ねたついでに、寄ってみる気になったんですって」

「何しに来たんだろう」

「それが、あの人近く結婚するでしょう。新婚の家ってどんなものか、見たかったんですって。だから家の中をざっと案内しました」

「そうか……」敬助は気の無さそうに言ったが、夏江の裸体が不意に艶《なまめ》かしく見えてきて、その幻影を消すように、腕で勢いよく湯を搔き、ざっざっとしぶきを飛ばした。

同じく午後六時過ぎ

小暮初江は美津と晋助を認めた。羽二重の喪服と一高の制服とが病院の玄関へと歩いていく。長身の青年が左腕にかかえているのはマントであろう。形のよい脚で屈託もなげに進んでいく。初江は胸が重苦しくなり、青年の後姿から目をそらそうとしたが、それがどうしても出来なかった。

「降りるんですか」と苛立《いらだ》った運転手の声がした。

「降ります」

あわてて料金五十銭を払い、子供たちと降りた。悠太と駿次が美津と晋助に駆け寄った。そのあとを走っていた研三が転んだ。晋助は飛んで来て子供を抱え上げた。

「このたびはとんだことで御愁傷さまです」と美津は他人行儀に頭を下げた。晋助は黙って会釈《えしやく》した。

「わざわざ有難う存じます。何ですか、ほんとに突然でして、夢のようで……」と初江は言い、つつましやかに目を伏せた。晋助の顔を正視できない。彼と抱擁などしたため罰が当った、その顔を見たらもっと不吉なことが生じる気がする。

玄関脇《わき》の天幕に弔問者の受付と携帯品預かりが設けられていた。鶴丸をはじめ看護婦たちが並んでいる。凶事の簾《すだれ》を下げた玄関では下足番の爺《じい》やを書生たちが手伝っていた。病室の廊下を鯨幕《くじらまく》で仕切って通路としてあるが、不断でも迷路じみた廊下が一層錯綜《さくそう》して、迷い客がうろうろするのを看護婦が懸命に案内していた。

〝花壇〟の隣の病室が控室になっている。すでに大勢の人々が詰めていて、風間家の人々も顔を揃えていた。美津は振一郎と藤江に頭をさげて、中央奥の一番立派なソファ（利平の居間から運んだもの）に腰を下し、振一郎と何やら話し込んだ。子供たちは変ったあたりの様子が物珍しく、悠太が「探検に行こう」と廊下へ出ると下の子二人は喜んで従った。「あんまり遠くへ行っちゃだめよ。すぐお通夜が始まるんだから」と初江は追って出て、史郎と鉢合《はちあわ》せした。弟は鼻に玉の汗をかいている。

「まだ祭壇の準備ができてねえんだ。葬儀屋がドジでね、花と供物《くもつ》の数が多いのをさばききれない。祭壇を特等にしたら大きすぎるんだ」

「おとうさまは」

「居間にいる。あ、そうそう、モーニングが見付からねえって困ってた。部屋中の引出しを全部あけちゃってさ、癇癪玉を破裂させてる」

「洋服簞笥の上よ」

「なあんだ。それ教えてやれよ。親父《おやじ》ときたら……おや、随分大勢だな。あっちの控室も一杯なんだ。弁当が四百じゃ、足りねえかな」

「足りなきゃ、何か作ればいいでしょ」

「おれには、どうしていいかわからんよ」

「賄方にやらせればいいのよ。配膳《はいぜん》の材料でちょっと工夫すれば何でもできるわよ。いいわ、わたしが作らせてあげる」

「頼むよう。夏っちゃんがいなかったんで……おれ独りじゃどうしようもない」

「夏っちゃんは、まだ……」

「ついさっき帰ってきた。証拠不充分で釈放だとさ」

「そう」初江は喜びながらも母の死に間に合わなかった妹が哀れであった。

まず利平の居間にあがっていった。父はモーニングを着込んだところだった。

「見付かったんですね」

「夏江が教えてくれた」

「夏っちゃん、どこです」

「今出て行きよった」

「みなさん、大勢お集りですわ」

利平は頷いた。今日一日で、すっかり萎《しぼ》んで年寄り染みてしまった。初江は、父の上着の傾きを直し、肩の頭垢《ふけ》を払った。口髭《くちひげ》が不揃いだ。利平のおしゃれは毎朝丹念に口髭を切ることなのに、けさはそれを怠った証拠だ。

「おひげが伸びてます」と初江は手を自分の鼻の下に当てた。

「そうか」利平は鏡に向い髭鋏《ひげばさみ》で切り始めた。その背中が年寄りじみて丸い。父は娘を横目で睨《にら》んだ。「血筋じゃのう」

「何がですか」

「お前、菊江と同じ調子で言いよるわ」

初江は首をすくめて居間を出た。すると父に渡すべきものがあったのを思い出した。昼間〝お居間〟を掃除したとき、手文庫の中から、紫袱紗《むらさきふくさ》に大事に包まれた変色した古い絵葉書を発見したのだ。いずれも利平が旅先より出したもので、宛名《あてな》が永山菊江とあり、結婚前の手紙だった。つまり恋文らしく、読むのがはばかられそのまま包んでしまったが、誰かの目に触れると父も恥かしかろうから早く渡しておこうと思ったのだ。それを取りに〝お居間〟に入ると、夏江が卓袱台《ちゃぶだい》に俯して泣いていた。

「夏っちゃん」「おねえさん」

初江は夏江に寄り添い、一緒に泣き出した。せっかく入念にした化粧が崩れると思ったが涙はとめどもない。けさから、もうどのくらい涙を流したことか。

「大体の話は聞いたの」

「ええ、鶴丸が詳しく話してくれたわ」

「警察の話、聞きたいけど時間がないわ。七時からお通夜の御法事が始まる。あなた着替えなくっちゃ」

「その前にお風呂に入りたいのよ。警察ってすごく不潔なんだもの。蚤《のみ》、虱《しらみ》、南京虫《ナンキンむし》」

「ワッ」と初江は飛びのいた。「あなた、うつしちゃいやよ」

「もう、うつっちゃったわ」

「何だか背中がむずむずする。大変だ」本当に背から脇腹がかゆい。初江は襦袢《じゆばん》と皮膚とをこすり合せた。

夏江は立つと、手元に用意してあった下着や着物を持った。出て行きながら言う。

「大丈夫よ。わたしの体は瘦《や》せて栄養不良だから虫が食べないの」

「でも運んできた可能性があるでしょ。ああかゆい」初江はなおも体をくねらした。初江は虫がつきやすい体質だ。夏など二人でいると、蚊にくわれるのは決って初江のほうで、夏江ときたらいつだって平気だった。しばらくしてかゆみが治まった。やはり気のせいだったと思う。

炊事場では十人ほどの賄方が忙しく立働いていた。最古参のおとめ婆やに初江は近付いた。

「お通夜のお料理だけど、一応弁当四百」と言いかけて、山積みになった折詰を見た。「もし足りない場合は……」

「今作っております」とおとめが言った。「海苔巻《のりまき》、稲荷鮨《いなりずし》、それに〝時田揚げ〟と〝時田煮〟と〝時田焼鳥〟……おお奥さまのお作りになりそうな物はみんな作ります」

「よかった。心配してたのよ。史郎ちゃんが弁当が足りないなんて言い出すから」

「足りなきゃ、いくらでも作ります」おとめは、赤くひび割れた頬《ほお》を縦に振った。

6

市電から軍人と若い女が降りて慶応義塾横の坂を降りていく。脇敬助と妻の百合子だろうと察した小暮悠次は足を早めて後を追った。上弦の月が明るく二人の肩に銀を散らしている。商店街もすでに雨戸を閉じて暗く、行き交う人もまれである。やっと地蔵尊の前で追い付いた。やはり敬助と百合子だった。

「遅れちゃって」と敬助が言った。「ずっと出動していて、夕方やっと帰宅できたんです」

「ぼくもだ。ホテルに泊り込みで会社の重要書類を保管してたんだ」

「大変でしたね」

「本当に今度の事件は大変だった」

「時田のおばさん、急でしたね」

「……急だった。ぼくもきょうの午後聞いて、驚いたんだ」

「初江さん、悲しんでらっしゃるでしょう」

「そりゃあな。ぼくも母親を亡《な》くしてるからあの悲しみは察しられる。ところで敬ちゃん」

と幼い時からの呼び方で悠次は呼んだ。「今度の事件だけどね、真相がさっぱり摑《つか》めない。ホテル住いで暇だったから、新聞とラジオは余すところなく見聞きしてみたが、一体どこの聯隊《れんたい》がどのくらい叛乱を起したんだか」

「うちの聯隊でしたのよ。大勢が叛乱軍に加わった」と百合子が得意げに言うのを「莫迦《ばか》、そういうことは口にするもんじゃない」と敬助は叱《しか》りつけた。

「だって」と百合子は不服そうに言った。「おとうさまが教えて下さったの。妹たちだってみんな知ってるし、麻布に住んでれば誰でもわかるんですよ。御用聞きも言ってましたよ、出撃したのは第一聯隊と第三聯隊だって。魚屋の親爺《おやじ》さんなんか、自分の目で大部隊が営門から出て行くの、見たんですって」

「歩一と歩三が叛乱したのか」と悠次は落ち着いて言ったつもりが驚きのため上擦《うわず》った声になった。「それでわかった、叛乱軍の将校に歩兵が多いわけが……そう、ほとんどが、歩兵の大尉《たいい》中尉少尉だったな」

「まあ叔父さんだから言うけど、うちの聯隊から相当数の将校兵が叛乱に参加したのは事実です。そこで聯隊あげて、彼らを原隊復帰させるべく大車輪の努力をした。結局、一弾も撃たず説得で復帰させたけれど……」

「それは御苦労さんだったね。敬ちゃんも説得に当ったのか」

「ええまあ」

「何なんだろうねえ、今度の叛乱の動機は……五・一五と同じかなあ」

「まあ大体同じでしょう」

「すると永田事件とも関係があるわけだ。ずっと一連の動きだね、元老重臣の暗殺と維新革命政府の樹立だ。そうそう、七時のニュースで言ってたが、岡田首相は生きてたんだってね。殺されたのは義弟の松尾大佐で、顔がそっくりなため身替りになったと。叛乱軍もとんだ失敗をしたもんだ」悠次は笑ったが、敬助がむっつり黙りこんでいるので、笑いを途中で抑えた。


三人は時田病院の前に来た。「時田家」の提灯《ちょうちん》を持った看護婦二人が門前に立っている。中に入ろうとしたが長い列が玄関前に出来ていて待たねばならぬ。その人々の夥《おびただ》しいのに悠次は感心した。年輩の女性が多い。故人は愛国婦人会の支部長をしていたから、多分その関係の婦人たちなのだろう。

鶴丸看護婦が悠次に気がつき、みずから先に立って遺族親族席に案内してくれた。人いきれで眼鏡が曇り、人々を押し分けて前に出るのが難儀であった。五人の僧の誦経《ずきよう》のさなか、丁度焼香が始まったところで、時田利平、史郎、夏江の順で、つぎが悠次一家だった。祭壇に進んだとき、故人の遺影を見て悠次は思った——時田菊江とはほとんど話をしたことがなかったと。初江は泣き腫《は》らした目をしていて、合掌したとき、また忍び泣きを始めた。母親に感染して悠太も泣いている。感じやすい子だ、ちょっと女みたいな性質だと悠次は思った。席に戻るとき広間を埋めた大群衆にまた感心した。故人が人々にしたわれ惜しまれているせいよりも、病院長としての時田利平の威勢のせいだろうと推測する。医師会員、患者とその家族、病院の職員、近所の人々、まあ、いるわいるわ、びっしりと身を寄せ合っている。

一般参列者の焼香が始まったが、これがうんざりするほど長い列だ。五人の僧は、長時間の読経《どきょう》に疲れ、二人三人と交替で誦《とな》えだした。悠次は脚がしびれ、腹が減ってきた。西大久保に帰宅してお茶漬《ちゃづ》けでもと思ったが時間が迫っていたのですぐ出掛けてしまった。いつになったら通夜振舞いとなるのか。そのとき、空《す》き腹がグウーッと鳴った。弱ったと思うと、一層大きくグウーッと鳴った。腹を押して何とか鎮《しず》めようとする。駿次が気がついて吹き出したのを初江がそっと叱った。研三が眠くてむつかるのを初江は抱きあげ、あやしている。人々の列はいっかな切れず、ついに僧は引き揚げた。

悠次は敬助夫婦と連れだって利平に悔みを言い、遅参を謝り、理由を述べた。岳父は平素の元気を失ない、古びた人形のように棒立ちになっている。剃《そ》り残しの鬚《ひげ》が顎の下で光り、頬の染みが爺《じじ》むさい。

振舞い席の準備のため一旦《いったん》人々は控室に入った。看護婦たちが総出で〝花壇〟に飯台を運びこみ、折詰や料理や酒を配る。史郎と中林が指図に飛び回り、それを初江と夏江が援《たす》けている。祭壇を幕で隠して席ができあがった。史郎と中林がどうぞ席に着いて下さいと触れて回った。風間振一郎が利平と敬助をさそって坐《すわ》ったそばに、悠次は席を占めた。今度の事件について、振一郎と敬助から、そっと情報を聴き出せるかも知れぬと期待したからである。事実、脇中尉は人々の注目の的であった。彼こそ大事件の渦中《かちゆう》にいた人物だと身内は知っていたし、医師や看護婦も軍服を着た青年将校を指差したり振り向いたりしていた。

史郎にうながされて利平が挨拶《あいさつ》に立った。しかし足がもつれて倒れかかったのを史郎があわてて支えた。

「今晩は、故時田菊江の通夜に、御多用中かくも大勢のみなさまがお集り下さって感謝に耐えません」それだけ言うと利平は絶句し、高い明り取りやくすんだ梁《はり》を見上げ、それから集った人々を眺《なが》め渡して、咳払《せきばら》いをした。「この大広間は、今思い出しましたが、当院が最初の拡張工事をしたとき、故人の発意で作ったものです。当時、入院患者の食事は家族が煮炊《にた》きしましたので、この大広間に流しや調理台や煉炭焜炉《れんたんこんろ》を並べ百人の家族が同時に働ける場所としたもんです。食事時には煙があの窓から一気に流出し、何度も消防車が――当時は手押しのポンプ車でしたが――やってきて、お目玉を頂戴《ちようだい》したものでした。考えてみりゃ、本院がこれまで大きくなるには、故人の創意工夫が大きい。その後、病院の賄方《まかないかた》ができてこの部屋が不用になったとき、この広間に四季折々の花木の鉢植を並べ、入院患者の憩《いこ》いの場所としたのも故人の発案でした。じゃから……」利平は突然声を詰まらせくるりと祭壇の方角を向くと、語り掛け始めた。「この大広間を〝花壇〟と言うんじゃ。のう、菊江、〝花壇〟では沢山の宴会をやってきたのう。開院記念、正月、職員の結婚祝賀会、数限りない宴会をお前は取仕切ってくれたのう。みんなよう覚えちょる。お前がのうなって、これからは宴会もようできん。これが最後の会じゃ、お前も一緒に飲め」利平は祭壇を隠していた幕をひいたが、なかなかはずれない。運転手の浜田と大工の岡田が助けて幕を取除いた。棺と遺影があらわれた。利平は猪口《ちょく》に酒を注ぐと祭壇に置き、不意に慟哭《どうこく》を始めた。膝《ひざ》を打って叫んでいる。余人がおこなったら芝居染みたと見える行為が、その場の人々の心を打ち、まず看護婦たちがこうべを垂れて鼻をすすり、初江や夏江や風間の姉妹がむせび、人々は一斉《いっせい》に肩を震わせた。悠次は人々に習おうとしたが、どうしても涙が出ないので俯《うつむ》き、横目で振一郎の二《に》重顎《じゅうあご》が神妙な三重顎になったのを見ていた。こういう愁嘆場が彼には苦手だった。自分の父や母が死んだときもそうだった。むろん悲しみはあった。しかし、悲嘆に暮れる自分を別な自分が嘲笑《あざわら》っているような気がして涙が引っ込むのだった。妻の初江が何かにつけて涙がちなのも、理窟《りくつ》を越えた主張を通す女の策略と見えて好きになれない。今も、散々涙を流したすえに、またもや目にハンカチを当てている初江に、「もうやめろ」と言いたい気持になっていた。

ようやく一同の興奮がおさまると、史郎が立って一礼し、「何もありませんが、どうか故人を偲《しの》んで召上って下さい」と言った。

悠次は、まずは空き腹を充《み》たそうと鮨を三箇《こ》ほど呑《の》み込み、料理を大急ぎで腹に入れて、やっと人心地がついた。冷えた酒を振一郎や敬助や史郎についでやる。利平には振一郎がついだ。湿っぽかった席は、アルコールが回るにつれて、すこし賑《にぎ》わしくなってきた。利平は空き腹にコップ酒をあおり、たちまち酔って、振一郎と高話を始めた。そんな父を案じた初江は徳利をこっそり遠ざけたりした。

「こういうときに盛会と言うのは不謹慎だが、菊江さんの人徳ですな、これだけの人が集るのはただごとじゃない」と振一郎が言った。

「葬儀と告別式を増上寺にしてよかったです。最初、むかいの大松寺にしたんですが、あそこでは狭すぎましたね」と史郎が自分の手柄《てがら》のように言ったのを、利平がピシャリと咎《とが》めた。

「増上寺にせいと言うたのはおれじゃ」

「はいはい、そうですよ」と史郎は首をすくめた。

「本堂を借り切った。あそこなら千人以上でも入れる。菊江も喜ぶじゃろう」

「三日でしたな」と振一郎が言った。「例の大鏡関も参ると言ってました。そうそう、敬助君、あす高橋蔵相の密葬があるのを知ってるかい」

「知りませんでした」

「正午からだ。赤坂の自邸でいとなまれる。きみも行ったほうがいい。脇礼助先生は高橋総裁に可愛《かわい》がられて世に出たんだ」

「ぜひ参ります。そう、不思議な御縁でした。実は、今回の鎮圧出動で、わたしの中隊は高橋邸の前に陣取ったんです。で、お会いしたときのことをあれこれ思い出しました」

「警世の大政治家だよ。つい先だって出た、『自伝』は自伝文学の傑作だね。渡米して奴隷《どれい》みたいな生活を送りながら、自分の道を切り開いていった。大した人物だ」

「ちょっと聞きたいんじゃが」と利平が敬助に言葉を掛けた。「陸軍ちゅうのは、どっかたるんどるんじゃないか。永田事件と言い、今度の事件と言い、下級の者が上級の者を殺す。これがようわからん」

「陸軍だけじゃありませんよ」と振一郎が割って入った。「五・一五の首謀者は海軍の士官だ。だから、陸海軍の若手将校に下剋上《げこくじょう》の風潮があるのが問題なんだ。彼らは国民が選挙で選んだ政治家など無視して、国民を侮蔑《ぶべつ》している。政党政治の敵は彼らだ。そもそもわが政友会は、総裁の暗殺が続いている。五・一五じゃ犬養毅《いぬかいつよし》先生がやられ、今回は、まあ前総裁だが高橋是清先生がやられ、その前に原敬《はらけい》先生、さらにその前は伊藤博文先生とやられてる。今の鈴木喜三郎総裁だって危い。まったく物騒だ。しかし、暗殺という前近代国家特有の現象は今回で終りにしたいですね。それには強力な国家統制をおこない、治安の維持をはかるしかない。まずは今度の事件の首謀者を徹底的に断罪しないと駄目《だめ》です」

「あの青年将校たちはどうなりますかねえ」と、やっと隙間《すきま》を見付けて悠次は会話にもぐりこんだ。「五・一五事件じゃ、無期懲役から禁錮《きんこ》十五年、軽いのが四年でしたが」

「あんな温情判決はもうありえないでしょう」と振一郎は自分の発言の重み――確かな情報にもとづいて判断を下しているという自信――を印象づけるように、一段と低い声で言った。「第一に被害の規模が違う。五・一五じゃ犬養首相一人が殺され、西田が重傷を負っただけだが、今度は蔵相、内大臣、教育総監の三人が殺され、侍従長は重傷、首相……首相は生きていて義弟の松尾大佐が身替りになって殺され、あと巡査五人が殺され、三人が重傷を負った。第二に、方法が違う。二十人の青年将校が千五百名からの軍隊を動かした。陛下の皇軍を言わば私用に供したのだ。第三に鎮圧側の態度が違う。なによりも陛下が断乎《だんこ》鎮圧の決意をもたれ、その御意志を受けた幕僚が強い憤懣《ふんまん》の情で徹底的に禍根《かこん》を断とうとしている。戒厳令の発布などもその証拠だ。しかも事件が解決しても戒厳令はまだ解かれていない。首謀者の処断まで続ける気なんだ。戒厳令下なら軍法会議も極端な判決を出せるからね」

「すると彼らは死刑でしょうか」と悠次は尋ねた。

「おそらくはそうでしょう。しかし、それよりも重大なのは、軍部が異常に大きな発言力を持ち、日本を動かして行くということです」

「政党人としては軍部と張り合って政治をせにゃならない、大変ですね」

「張り合うんじゃない。協力するんだ。ぼくはこの点現実主義者でね。軍部が勢力を増すため軍備を拡張しようとすれば協力する。たとえばわが社の石炭は大増産して軍に提供する。軍の勢力が増せば経済が繁栄する。いいですか、史上、経済的繁栄をした国で強力な軍隊を持たなかったためしは一つもないんだ。史郎君は四月から古河電工に入社するそうだが、電線の需要は軍隊が一番多いんだ。きみは、いいときにいい会社に入れたよ」

「いや、どうも」と史郎は頭を下げた。彼の入社には振一郎の引きが役立ったと悠次は聞いていた。

「生命保険事業の将来はどうでしょう」と悠次はなおも尋ねた。

「今はいいでしょ。保険事業は空前の好景気ですな。しかし、軍需景気が進みインフレとなるとどうかな。それに戦争でも始まるとね……生命保険てのは平和な時代の事業でね」

「戦争は始まらないでしょう。列強が軍備を拡充している。海軍無条約時代となって建艦競争がおこる。そうなれば戦争は相互の国で大損害をおこす」

「いや戦争はおこる」と振一郎は酔った勢いで高調子になった。「もうおこってる。満洲《まんしゆう》事変以来、日本は匪賊《ひぞく》討伐の名のもとに中華民国と戦い続けている。そして、日本の好景気は一にこの戦争のおかげなんだ」

「もう飲むのおやめあそばせ」と初江が利平に言った。彼女はいつのまにか父親の隣に坐っていた。利平はコップの酒を倒し、そのまま横倒しになった。中林が飛んできて脈をとった。

「奥でお休みになったほうがいいわ」と夏江が言った。史郎が浜田と岡田を呼び担架に利平をのせて運ばせた。酒豪で鳴らしている利平が酔いつぶれたのは珍しく、人々は同情と気遣いから大急ぎで道をあけた。「いいわ、夏っちゃん、わたしがついていくから」と初江は妹を制した。「あなたは、こちらにいて、みなさんのお世話に目を配って……」

脇敬助は初江の席、つまり自分の隣に坐った夏江に会釈《えしやく》した。女の喪服の袖口《そでぐち》からのぞく手が眩《まぶ》しい。白い繊細な指は、百合子のふくよかな指と異質な魅力を示している。

「留守中家に来て下さったそうですね」

「はい」と夏江は言い、ほんのり赤くなった。

「お夕食を一緒にと誘ったのに」と百合子が口を尖《とが》らせた。「あなたったら、すぐお帰りになるんだもの。どうでした新婚家庭の印象は」

夏江はそれに答えず、敬助に切れ長の目を向けた。

「あの日、第三聯隊の前にいたら、敬助さんが兵隊を率いて門から出てらした。そこでわたし、思わず前に飛び出してしまったんです。気が付いてらした」

「もちろん気が付いてましたよ」

「あら、そうでしたか」夏江は睨《にら》みつけた。「それにしちゃ敬助さん、随分冷たかったわ。わたしを見ても知らん顔してらっしゃるんですもの」

「この人ってそうなのよ」百合子は、〃この人〃と言うとき鼻際《はなぎわ》に皺《しわ》を寄せて皮肉るような表情をした。「一緒に外出してもわたしには知らん顔、並んで歩くのもいやがるから、仕方なしにわたしは金魚の糞《ふん》になるの。麻布には兵隊が多いでしょ。将校が女と歩いてるのを見られると恥かしいですって」

「それでわかった」と夏江は目を細めて頷いた。「あのときの恐《こわ》いお顔」

「でも夏っちゃん」と百合子は不審顔をした。「あのとき、うちの人に会ったなんて言わなかったわね」

「会ったんじゃないの。偶然擦れ違っただけ。そしたら、お宅を思い出したってわけ」夏江は、またすこし赤くなった。富士額の、薄いすべらかな肌《はだ》に浮き出した静脈が赤味によく映えた。「お宅素敵でしたわ。さすが軍人さん。清潔で簡素で気持がいい」

「まだ家具が揃《そろ》ってないから、がらんとしてたでしょ。でもね、どうせ五月、聯隊は満洲行きだから、必要最小限しか揃えなかったの」

「満洲ですって」と夏江は驚いた。「遠い所へ行くのね。お二人で行くの」

「そのつもりだけど……」と百合子は敬助に向って眉《まゆ》をひそめた。「あなたったら、あそこは危険だから一人で行くなんておっしゃるんだもの、結婚前のお約束じゃ、わたしも一緒に行くというので楽しみにしてたんですよ」と夏江を向き、「女って、外国へ行く機会って無いでしょう。満洲だって外国、赤い夕日の大平原だなんて素敵だと思ってたのに」

「最近満洲の治安は悪いんだよ」と振一郎が言った。「敬助君も匪賊討伐に行かねばならぬ。女の住める所じゃない」

「そんなことありませんわ。ねえ悠次さん」百合子は、三年前夫婦で満洲旅行をした悠次の助け船を求めた。「匪賊なんていないでしょう」

「大都市にはいませんよ」

「敬助君の聯隊が行くのは北方の僻遠《へきえん》の地なんだ」と振一郎が言った。

「あなた」と百合子は夫に言った。「どうなんですか」

「わからない」と敬助は頭を強く振り、それから渋々口を開いた。「今のところ発表されているのは第一師団が渡満するということだけだ。しかし……」と言葉を切り、これ以上は軍機に属すると思った。今回叛乱《はんらん》軍を出した責任を問われ、歩三は解散させられるという風評が聯隊内にもっぱらなのだ。となれば満洲行そのものも御破算になる公算がある。ところで歩三の主力はチチハル、一部は洮南《とうなん》に駐留する予定だ。チチハルなら治安はよいが、洮南では匪賊の不穏な動きがある。妻子帯同の件もまだ決っていない。佐官以上は許されるが尉官には猶予《ゆうよ》させるという噂《うわさ》もある。

「ところで、あしたは満洲建国四周年ですな」と悠次が誰に向ってでもなく言った。「新京を始め全満各地で記念式典が行なわれる予定とか」

「あれからもう四年も経《た》ったか、早いもんだ」と振一郎は大きく頷《うなず》き、美津を向いた。彼女は敬助の隣に坐り、ずっと藤江との話に夢中になっていた。「満洲建国の最大の功績者は脇礼助先生だとぼくは思っているんです。不肖わたくし、脇先生の御地盤から代議士に出させていただいた人間として、最近先生の御事績を勉強しましてね、先生の先見の明には敬服しますな」

美津は振一郎を、あなたがそうおっしゃるのは当然でしょうという庇護者《ひごしゃ》の余裕をもって、振り向いた。一月の議会解散から一箇月間の選挙戦のあいだ、美津は栃木第二区へ乗りこみ、故脇礼助夫人として新人風間振一郎の応援演説会に出ずっぱりで、振一郎が脇礼助の正統の後継者であると選挙民に印象づけた。敬助が脇礼助の遺子として時々彼地に駆けつけたのも美津の要請があったからだ。その結果、天秤《てんびん》の棹《さお》が逆に傾くように風間振一郎に対する脇美津の重みが増し、何かというと美津は庇護者然とした態度をとるのだった。もっとも、政治政策上のことについては美津は終始、そういうことは女の私にはわかりませんの、という姿勢をくずさず、壇上に立っても、もっぱら振一郎の誠実な人柄や男らしい決断力、家庭でのよき父親といった面だけを話した。

「脇先生が外務政務次官時代に田中内閣が山東《さんとう》出兵に踏み切りましたが、あれは弱腰の内閣に脇先生が活を入れてさせたことでした。ともかくこの山東出兵以後、日本の支那における権益は増大の一途で、ついに満洲建国にいたるわけで、先生の先見の明には驚きます」

美津は敬助を見た。そういう話はお前のほうが詳しいからお相手しなさいという目付きだ。

「山東出兵の頃、わたしは陸幼にいましたが、父はよく『これからの日本の生命線は満蒙《まんもう》だ。満蒙を何とか支那から独立させねばならん』と言ってましたね」

「それです」振一郎は敬助と美津とに視線を往復させながら続けた。「満蒙生命線論こそ、脇政務次官が東方会議で打ち出したものなんです。あのころ先生は満洲を飛び回っておられてね、武藤関東軍司令官に会い、対満強硬政策を説いておられます。その一方、来日した蔣《しょう》介石《かいせき》に箱根で会って、国民政府の支那統一を認めるかわりに、日本の満蒙権益を保証せよと取引しておられる。脇先生の敷いた線路の上を日本帝国は驀進《ばくしん》して満洲事変に突入し、満洲建国駅に到着したんです」

「その満洲国が建国四周年をむかえました」と悠次が言った。

「そういうことです」と振一郎は、悠次に相槌《あいづち》を打ちながら、美津と敬助に頷いた。男たちの話に美津は「はい」と頷き返したが、男たちの話に入っていけぬ夏江と百合子は顔を見合わした。

「ところで敬助君」と振一郎は、ざっくばらんな口調になった。「満洲への出発の準備はできたの」

「準備も何も……戒厳令下の警備に追われてそれどころじゃないです。今晩も、これから聯隊に泊り込みです」

おやそんなこと聞いてませんよという表情の百合子に、敬助は目顔で、そうなんだと告げた。百合子はたちまち失望をあらわにした。せっかく四日ぶりの夫の帰宅がこれでふいになった。

「叔父さま」と出し抜けに夏江が振一郎を呼んだ。「わたし、この春、結婚いたします」

「ほう」と振一郎は曖昧《あいまい》に言った。その〝ほう〟には、思いがけぬ人から呼ばれた驚きとともに、夏江と中林医師の結婚は周知の事実ではないか、何を今さらに言うという咎めが籠《こ》められていた。

「お式の日取りが決ったの」と藤江が尋ねた。

「いいえ、まだです」

「おやまあ」と藤江は振一郎に似た曖昧な間投詞を投げた。それから、睫毛《まつげ》の長い涼しげな目をしばたたいた。「でも、こんな御不幸のすぐあとでは、どうかしらんねえ」

「それなんですわ、叔母さま」と夏江は臆《おく》せずに言った。「わたし、母と約束したんですの、もしも母が亡《な》くなったら、一刻も早く結婚すると。そうすれば母も喜んでくれるんです」

「なるほどね」と振一郎はやっと合点《がてん》がいった風だった。

「でもあなた」と藤江が夫の注意をうながした。「忌服《きぶく》ということがございますわ。母親の場合は十三箇月の服喪が普通でございましょう」

「最近はそんなに厳格でなくても構わんのじゃないか。それでも五十日忌まで、結婚は遠慮したほうがいいかな……」

「五十日というと」と百合子が指折り数えた。「四月十九日までだわ」

「それに故人の意思となれば」と振一郎は言った。「そんな仕来《しきた》りに従うことはなかろう。この病院も菊江さんという中心が失なわれると何かと困る。夏っちゃんの決心はいいと思うよ」と振一郎は遺影を振り向いた。「おかあさまも喜んで下さるよ」

「はい」と夏江はにっこりした。

「お通夜の席でなんだけど」と百合子が夏江に言った。「おめでとう。ね、あなた」と敬助の同意をもとめた。「本当に、おめでとう」と敬助も言った。

夏江は敬助が〝おめでとう〟と言ったときほんの一瞬躊躇《ちゅうちょ》したのを見逃さなかった。この躊躇には、彼が夏江との約束を破って百合子と結婚した後ろめたさが含まれている気がした。そしてさらに、百合子との結婚を悔み、いまだに夏江を好いている証拠とも思えた。ともかく隣に坐《すわ》ってから、敬助の眼差《まなざし》は頻繁《ひんぱん》に夏江に落ちるのだった。手を眺《なが》めるかと思うと、腰に来る。かと思うと、顔から頸《くび》を撫《な》でる。いずれもほんの刹那《せつな》の動きなのだが、それが合わさるとまとまった形を成してくる。つまり女の体を吟味する男の欲望を示していた。ところで、敬助が満洲へ去ると聞いたとき、夏江は悲哀と安堵《あんど》の混った、矛盾した気持を覚えた。彼が遠くに行ってしまうと思うだけで胸が潰《つぶ》れるばかりに悲しい。しかし、彼とどうしても会えないとなれば、むしろ諦《あきら》めがつき、中林との結婚にも迷わずに進めそうだった。まず病院の事務長になることは母との固い約束事であった。「ねえ、お前、もしもわたしが死んだら、お前が事務長になっておくれ。おとうさまの病院にはいろいろな秘密があってね、たとえば秋葉いとのためのお金は看護婦十人分の給料として落したり、伊豆に隠し財産があったり、時田式レントゲン工場の借金が嵩《かさ》んでいたり、何やかや複雑怪奇で、これを頭に入れて税務署むきの帳簿に作り変えるのは、身内のもの、それも頭がよく秘密を守れるものでなければできないのだよ。それはお前しかいない。おとうさまは、細かい会計など全く無頓着《むとんじやく》な方だから、もしもわたしが死んだら、病院は滅茶苦茶《めちやくちや》になってしまうよ」「わかったわ、おかあさま、心配なさらないで、わたしがやります」「そうかえ、くれぐれも頼んだよ」とそう母が言ったのが、ついおととい の早朝のこと、目覚めの早い母が夏江を揺り起して言ったのだ。そのとき、初江は眠っていた。母と夏江の二人だけの約束だった。その約束を留置場でまざまざと思いだしたのは、不思議なことにきょうの夜明け前で、何だか胸苦しくて目を覚し、「約束するわ」と母に言った、丁度そのとき母は死んでいたのだ。若い自分が事務長になるためには、中林と結婚して副院長夫人になっていたほうが職員に示しもつく。結婚式は早いのが得策だ。で、さっき敬助の隣に坐ったとき、急にそのことを口にしてみたくなったのだ。むろん敬助がどういう態度で応じるかが関心の的ではあった。

「結婚してもね、わたし、百合ちゃんみたいないい奥さんにはなれないと思う」と夏江は言った。

「それどういう意味」

「病院の事務を引受けるつもりだから、多分忙しくて家庭のことなんかかまう暇はないわ」

「女中を置けばいいのよ。家だって常がいるわ。お料理なんか常からみんな教わるの」

「でも自分で作るんでしょう」

「そうよ」百合子は敬助を流し目に見た。

「はは、どうかな」と敬助が冷やかした。「常の料理を百合子が手伝うってのが真相じゃないかな」

「まあひどい」と百合子は敬助の腕をつねる手付きをした。いかにも新妻らしい嬌態《きょうたい》が夏江には妬《ねた》ましかった。彼女に対して、敬助はいつも四角四面で冗談一つ言わなかったのだ。そんな彼が「百合子と結婚する意思はない」と断言したのでわたしは信じてしまった。それなのに……。

広間の隅《すみ》がさっきから騒々しかった。中林を囲む医師たちが酔いに乗って羽目をはずしているのだ。とくに中林の張り上げた蛮声が聞き苦しい。職員たちもそれに気付き顔をしかめているのだが、副院長のすること故《ゆえ》誰も注意しに行かない。夏江はやめさせようと勢いよく席を立った。その勢いに、みんなが注目した。看護婦、薬剤師、事務員、近所の人々……すると、「おやめなさいまし」と止められた。鶴丸だった。「わたしがやめさせます」と老看護婦は猫背《ねこぜ》をあらわに、獲物を追う猫のように進み、副院長に何か言うと騒ぎを鎮《しず》めてしまった。今夜の振舞いの責任者である中林があの有様では、いかにも頼りない。ましてあの男は、未来のわたしの夫なのだ。夏江がなさけない思いでいると、松子に呼ばれた。梅子、桜子、晋助がいる。みんなは悠太の描く絵を見ていた。

「夏っちゃん、御覧なさいよ、これ、悠ちゃん所の新しい家ですって。うまいでしょう」

画用紙にクレヨンで二階屋が描かれている。おもちゃの家のように中の間取りが見て取れる所は子供の絵だが、畳数や押入れの具合、とくに階段下に作られた三角形の押入れが正確に描かれている。

「悠ちゃんの部屋はどこ」

「ここ」と指差したのは玄関脇《わき》の茶色い床の部屋だ。

「畳が敷いてないわね」「コルク張りだもん」「まあモダンね」「金庫はお納戸《なんど》に入るんだよ。下はコンクリートで、重い物のっけても大丈夫なようにしてあるんだ」悠太は得意になって新築家屋のあれこれを自慢した。新しい家に引き移るのが余程嬉《うれ》しいらしい。「お引越しはいつ」「あした」

「あした……」夏江はびっくりした。「それは大変。悠ちゃん、もう帰らなくちゃ。今晩泊ってくとばかし思ってたもんだから。もうおそいわ」と駿次と研三が眠ってるのをチラと見た。

「十時十二分です」と晋助が腕時計を見て言った。「ぼくもそろそろ失礼しなくちゃ」晋助は美津のほうを窺《うかが》った。美津や藤江や大人たちの集団はまだ熱心に話しこんでいる。

「おねえさん、遅いわねえ」と夏江は気遣った。利平を送って奥に行ったきり戻ってこない。

「あ、叔母さんだ」と晋助が背を伸ばした。初江が入口から見回している。夏江に近寄ってきた。髪が乱れ、腫《は》れあがった目蓋《まぶた》が痛々しく、溜息《ためいき》をついている。

「どうしたの」夏江は姉の背をかかえるようにして言った。

「夏っちゃん、ちょっと来て」初江は真剣な面持《おももち》で妹を廊下へ誘い、ささやいた。「おとうさまが心配なの。どうも様子が変なのよ」

「何だかひどく酔ってらした。珍しいわ」

「そう。あんなに酔ったおとうさま、初めて見た。寝室へお連れしてね、寝かせたの。そしたら、すぐ起きてしまわれて、興奮して眠れんと駄々《だだ》をこねる。それをあやして、今やっと寝かせたとこ。精神的にすっかりまいってらっしゃる。わたし、そろそろ帰らなくちゃならないから後を頼むわ」

「わかったわ。あした引越しですって」

「そうなのよ、間が悪い時にね」

初江は悠次を呼びに行かなくてはと思ったが、すっかり疲れ果てていてその場に坐り込んでしまった。咽喉《のど》が渇《かわ》く。誰かが飲みさしたサイダーに手を出すと、「それは気が抜けてる」と晋助が言い、新しい瓶《びん》の栓《せん》を抜き、綺麗《きれい》なコップについでくれた。「ありがとう」と頭をさげ、きょう初めて晋助と言葉を交わすのだと思った。ずっと彼を避け続けていた。なるべく目が合わぬように、言葉を交さぬようにと心掛けてきた。が、悠次を呼びに行かねばと思ったら、それが嫌《いや》で億劫《おっくう》で、晋助のそばで一息入れたくなった。男の体が磁石のように自分を吸い寄せた気がする。初江は自分のふわふわした心が空恐しくなった。生温いサイダーを一気に飲んだ。晋助がまたつごうとしたのを断り、ビール瓶に手を出した。それも晋助が素早く新しい瓶の栓を抜いてついでくれた。

「叔母さん」と晋助は改まった口調で言った。

「あした手伝いに行きましょうか」

「あらいいのよ」初江は頭を振った。「運送屋が全部やってくれるから」

「すぐ隣への宿替えだけど、それでも面倒でしょう」

「本当に……古い家でしょう。得体の知れぬ物が一杯あって……新しい家は狭いから入りきれない。結局お蔵だけは鍵《かぎ》を閉めてそのままにしておくより仕方がないでしょうね」

晋助はわざと顔を寄せて熱い息を初江に吹き掛けた。初江がよけると、男は意味ありげなウインクを送ってきた。満座の中で大胆過ぎる行為ではある。初江は男を振り切って立ち、悠太にクレヨン画用紙を仕舞わせ、眠っていた駿次を起し、研三を抱きあげ、悠次の所へ行き、「帰りましょう。浜田が車で送ってくれます」と言った。

車が動き出したとき、悠次が言った。

「やれやれ大事件の連続で疲れたよ」

「ほんとうに……」初江は頷いたが、自分の心に浮ぶ思いは、夫のとまるで違うと考えた。何よりも母の急死が大事件だった。父があんなにもそれを悲しんでいるのが大事件だった。そうして、おのれ自身の悲しみは、父の悲しみを痛む心でいや増した。悲しみの底に真っ黒な罪の悔恨があった。

「晋助さんたら、引越しをお手伝いしましょうかですって」

「そいつは有難いね。手伝わせろよ。男手は多いほうがいい」

「お断りしましたわ。だって気詰りですもの」と初江が強く言うと、悠次は、「それもそうだな」と大きな欠伸《あくび》をした。

利平は目を覚した。すこし残った酔いが気を高ぶらせて睡気《ねむけ》を追い払ったのだ。もう明け方に近いと思うが外は暗い。玄関の赤い常夜灯の反映で菊江のベッドが浮き出している。主のいない空虚なベッドだ。利平は溲瓶《しゅびん》を取って小便をした。起きあがって電灯をつけて伸びをする。四時七分だった。定刻の五時よりすこし早いが起きてしまおうと決めた。洗われたような星空、摂氏七度、湿度二三パーセント。

階下に降りた。賄方《まかないかた》はもう起きていて調理場では菜をきざむ音が賑《にぎや》かだ。風呂場《ふろば》に入り褌《ふんどし》一つになると胃洗滌《いせんじょう》を始めた。いつもより時間が早いのに器具が揃えてあるし、注入液も適度に温めてある。気の利《き》く当直看護婦がいる。多分鶴丸だろう。利平は胃の中に一杯になった液を外へ流し出した。また注入液を入れて出す。胃がからっぽになった。えも言われぬ快感だ。続いて浣腸《かんちょう》にかかった。排泄《はいせつ》してみて便の多いのに驚いたが、きのう浣腸しなかった以上、これは当然なのだ。温水で腸内を洗うと、清潔な一本の管になった心持になった。長さ九メートルの一本の管。しかしなお完全には清潔ではない気がする。きのう入浴をしなかったのを思い出した。飲みすぎて睡くてならず、初江の手伝いで寝巻に着替えるや否《いな》や眠ってしまった。いやいや、そうではなかった……おれは眠るとすぐ目が覚め、目が覚めると睡くてならず、何だか胸苦しく不安で、初江に濡《ぬ》れ手拭《てぬぐい》を持って来いとか、モルヒネを打つから用意しろとか、その他いろいろ命じて散々梃摺《てこず》らし、娘が困るのを面白がり、娘があれこれ諫《いさ》めるのが嬉しく、何だか気が変だった。そして汗まみれのまま眠ったのだ。朝の行事として浣腸のつぎは井戸水を頭からかぶることだが、風呂に入りたくなったな。岡田を叩《たた》き起して風呂焚《た》きをさせよう。利平は誰かを呼ぼうとして、ふと五右衛門《ごえもん》風呂の蓋《ふた》から湯気が立っているのに気付いた。こんな早くに誰かが入浴したのか。蓋を取って覗《のぞ》いてみる。湯加減は丁度よいが、清潔かどうかはわからぬ。利平はさら湯でなければ入らないのだ。

「まだ誰も入ってません」と声がした。秋葉いとだった。利平の裸を気にもせず中に入ってきた。襷掛《たすきが》けのおさんどん姿だ。「わたくしが沸かしました」

「胃洗滌もお前か」

「はい、わたくしが全部用意いたしました。深酔いなさったときは朝がお早いと決ってますので」いとは、裾《すそ》をからげ、むっちりした脛《すね》を出した。「お風呂にお入りなさいませ。わたくしが背中をお流しいたします」

「おいおい」利平は手を振った。風呂場は調理場と食堂の近くで人目が多い。朝っぱらから女と風呂場にいるのははばかりがある。利平は底板を踏んで浴槽釜《よくそうがま》に沈み、いとを睨《ね》めつけた。「よい。一人で入る。お前は早く新田《にった》へ帰れ」

「追い出すんですか」

「家に帰れと言うちょる」

「ここが家です」

「らちも無いことを」

「昨夜は研究室に泊りました。眠れないので、ずっと考えていました。先生は日曜日にしか新田に来て下さらない。あとの六日は、わたくし一人ぽっちで淋《さび》しくて退屈で死にそうです。それならこちらに住んで看護婦として働いて、日曜日に先生のお供をして新田に参ればいいと考えました。職員になっていれば、きのうのお通夜のように、遺族席にも職員席にも坐れず、一般参列者の列にくっついてお焼香するような惨《みじ》めな仕打ちを受けずにすみます。お願いです。看護婦として採用して、看護婦寄宿舎に入れて下さい。今までは奥さまがおられたから、三田でのわたくしは目障りでしたけれど、今は違います」

「弱ったやつだ」火の勢いが強くなって熱い湯の拳《こぶし》が尻《しり》の穴を突きあげた。利平は、熱い湯を払いながら言った。「とにかく、その話はあとでしよう」

「いやでございます。今すぐお返事下さいませ。でなきゃ、わたくし、裸になって御一緒にお風呂に入ります」いとは甲高く言った。

「莫迦《ばか》な」

「何が莫迦なでございます。新田ではいつも御一緒しております」

「いと、もうすこし小さい声で話せ」湯が熱くなり、利平はふうふうしだした。水を加えたいが、井戸のポンプの柄《え》は離れた所にある。

「先生、お返事をすぐ下さいませ。でなきゃ……」

「わかった」利平は、ついに我慢しきれず釜から外に出た。底板が勢いよく浮び上ると湯を弾《は》ねた。いとは身軽に飛びのき、落ち着き払って言った。

「先生、お約束しましたですよ」

いとは出て行った。水をうめて、温度を調節すると利平はもう一度、今度はのんびりした気分で湯に漬《つか》った。苦笑いする。厄介《やっかい》なことになった。いとを看護婦として採用する件に間島婦長は断乎《だんこ》反対するだろう。医学研究室助手ならよいが、博士号を取った今、新しい研究に着手する気はない。では、地下の発明研究室助手か……いやいや、電気や機械に何の知識もない女は役に立たない。利平は考えあぐね、溜息を何度もついた。

風呂あがりのさっぱりとした気分で居間に行くと、机上の袱紗包《ふくさづつみ》が目に付いた。文鎮で押えた病院用罫紙《けいし》に、「おかあさまの手文庫で発見しましたハツエ」とあった。

包を開くと古びた絵葉書の束が出てきた。スタンプの日付はすべて明治三十九年の二月上旬から五月上旬にかけてで、旅先から出したものである。海軍志願兵の医学検査のため、名古屋を振出しに中部地方、東北地方、北海道へと公用旅行をしたのであった。先妻のサイと離別したのが前年（日露戦争が終った年）の十一月末、翌年の一月に菊江と婚約し、六月下旬に結婚したのだから、この絵葉書は、婚約時代のものである。

利平はばらばらだった絵葉書を出した順番に整理した。全部で百二十一枚ある。一日に一通以上、日によっては四、五通を出している。いずれの葉書も直径二ミリほどの小さい字でびっしりと書きこんであった。当時三十一歳だった自分が二十二歳の婚約者に出した手紙である。利平は面映《おもはゆ》い思いで、一枚一枚読んでいった。

先日浜松より送りました浜納豆は着しましたか。亦《また》昨日藤枝より同地の名物甘露瓜を少し送りました。宿屋にて御手紙拝見嬉しく存じました。私一行は少佐と私とほかに看護兵二名水兵一名筆記が一名都合六名で対話は少佐とだけにてアキアキ致します。静岡の市中を散歩しましたをり漆器中に吾々《われわれ》の生活上中々入用なるものありましたから一つ買イマショーと思ひ価《あたひ》を聞きましたらくだんの少佐が独身者が買《こ》うても役に立たぬと冷評し赭顔《しやがん》の極中止致しました。これより互に楽しむべき家庭を造るには多少生活上の器具も入用の事と思ひますが少佐に内緒で買うて送りマショーカドーシマショーカ。しかし結婚の六月二十七日までは四ヶ月の余はあり実に永く感じられますよ！

亦先日掛川にて乗つた二等の汽車中にて年齢廿二三歳の婦人と四十前後の紳士と何でも結婚後まだ日も浅き様に見受けられる夫婦が向ひに坐《すわ》り仲睦《なかむつ》まじく吾々の将来を見る心地にてよきものでありましたよ。呵々《かか》。

今回巡行の静岡県下は遠駿《ゑんすん》二ヶ国の海岸に近き処故《ところゆゑ》中々風が強く塵埃《ぢんあい》飛散甚《はなはだ》しく眼《め》が充血して困ります。此《この》地方の人間は男女ともトラホームが多く志願者の体格検査にて十人の七八人はトラホームにて不合格です。中には海軍兵になりたくて思ひ止《とど》まる事の出来ぬ者が沢山ありまして私を神の如《ごと》く拝んで合格にして呉《く》れよと哀願いたします。日露戦役の戦《せん》捷《せふ》の結果として海軍に熱心に志願する者が多数です。八百人の採用に対して志願者八千人ですから少しでも病気のある分は悉《ことごと》くはねてしまひますから合格しました者の喜びは大したものであります。

明後日の晩に沼津を馬車にて立ち三島に至り三島の二日分を大勉強にて四十六人の検査を済まし東京に向ふ予定にて一日も早くお会ひしたき心既に東京に飛びてあります。これで一週間の余も田舎の田畑の臭気と田舎の人の皮膚の臭気と腋臭《わきが》と口臭にて最初は吐き気を催し食慾《しよくよく》減退しましたが此頃《このごろ》は慣れました。

明日はいよいよ東京です。何はともあれ伊皿子《いさらご》坂《ざか》に駆付けます。この前のお手紙の女中雇用の件家庭内の事は一切おまかせ致します。ドーカヨロシクお願ひ致します……。

この文章は、五枚の絵葉書に書かれてあった。「東海名園浮目楼」「静岡浅間《せんげん》神社」「久能《くのう》山《ざん》全景」「静岡凱旋門《がいせんもん》」「富士川よりの富士遠望」……厚く積った埃《ほこり》を払って思いがけぬ絵画を発見したように、古い記憶がよみがえってきた。

伊皿子坂の永山邸では異常なほどの大変な歓迎ぶりであった。永山光蔵の縁者知友が大勢呼び集められ、利平は主賓として中央に坐って、まるで結婚披露宴《ひろうえん》のような騒ぎで、それというのもみんなが利平の日本海大海戦の経験談を聞きたがり、永山光蔵は長女の婿《むこ》が歴戦の勇士であるのをみんなに誇りたかった故である。菊江は、細作りの体が愛らしく、妹の藤江とともに宴席の花で、中には彼女がすでに利平の許婚《いいなずけ》となったのをあからさまに残念がる青年もいた。当時、銅山を一つ発見した永山光蔵の威勢はなかなかのもので、屋敷の結構も、今の風間振一郎のほどではないにしても、豪邸の部類に属した。一方、利平の方は、貧乏な漁師の倅《せがれ》で薄給を食《は》む軍医、家格は段違いの低さだったが、その足らない分を補ってなおあまりあるのが日本海大海戦の勇士の威光なのだった。そして利平はその特権を最大限に利用して、宴席では大海戦の細部を、あたかもおのれがなべて実見したかのように滔々《とうとう》と述べたてた。そして旅先からの絵葉書にも、何かというとおのれが各地で大持てだと我褒《われぼ》めするのを忘れなかった。

昨日午後郡役所議事堂に於《おい》て中学校生徒及び町の老若男女四百余名集合、日本海大海戦を約二時間談話し大いに拍手を得ました。例の少佐は最初何かと小舅《こじうと》めきて私に辛《つら》く当りましたのを如何《いか》なる土地にても日露海戦の人気著しく私が大歓迎を受け盛宴に呼ばるるを見て方針を変へ私に媚《こ》び諂《へつら》ふも笑止千万です。談話後元海軍中尉《ちゆうゐ》たりしも現中学校々長平山太郎氏に誘はれ同氏宅に於て休息次《つい》で町の有志及郡役所々員の招待を受け当地に於て名ある金水亭にて夜十時過ぎまで飲みました。今朝は眼が鰯《いわし》の様であります。

午前十時築館《つきだて》を発し靴《くつ》にて三里歩き正午若柳《わかやなぎ》に着昼食をなし此度は草鞋《わらぢ》にて三里半を歩き午後三時半佐沼町に着阿部久旅館に投宿。此地方里程を六町を一里と云《い》ふ故初め築館より佐沼まで四十余里と聞きて一驚せしも実際は六里半。昔伊達《だて》公自衛の策として六町を一里と定む故に当時の来敵此地方の里程を聞きて一驚せりと云ふ、此語法現今も尚《な》ほ存するに由《よ》るのでありました。

御申越されし歯痛の件につき鈴木なる歯医者御紹介申上たく思ひます。此仁昨年末樺太島《からふと》攻撃のとき私の乗艦せし旗艦八雲に歯科医拝命にて乗艦し来り専《もっぱ》ら歯療に従事致し本人は其《その》際初めて軍船内生活をなしたるにつき海軍内の模様も能《よ》く知らざるため主として私が案内し世話致してやり知己となりたる次第。私も艦内の無聊《ぶれう》にまかせて本人より歯科技術を学び近く免許を取得しもし軍医失職にでもなりたれば歯科医開業も可なりと思料致し居ります。鈴木は戦後東京にて開業新式の技術を熟知し居ると云ふ訳でもありませんけれども親切なると余りホーガイに取らざるは彼の吾々海軍軍人に信用を有する故であります。歯痛にてさぞ御苦しみの事と存じ御紹介致します。鈴木には私よりうまく手紙しあり切角御治療あるべくソーロー……。

菊江には齲歯《うし》が多かった。結婚してからも歯痛に苦しみ歯齦《しぎん》を腫らし四十半ばでとうとう総入歯になった。大の甘口で、それが糖尿病の原因になったが、そのための齲歯はすでに結婚前からあったわけだ。それで思い出したが新婚旅行の箱根の宿で歯が疼《うず》きだし鎮痛剤を投与しても治まらず、ために破瓜《はか》の痛みは覚えずにすんだ。初江が嫁ぐとき、「初夜の痛みは大したことはないから心配しなくていいよ」などと娘に諭していたのがおかしい。

五月六日、旅の終りの一枚がある。

本日午後三時十五分上野着直ちに伊皿子坂に参る積りでありましたが札幌より直行にて体が疲労甚しく本日は伺ひかねます。明日は横須賀に参ります。家が借りてあるのを明日見に来ませんか。来ますなら午前中に知らせて下さい。正午横須賀着の汽車が便ならんと思ひます。家は海と港の見ゆる高台にて中々眺望《ちょうぼう》よく勤先の水雷団にも徒歩にて通へる位置で選びましたが女としての御意見もアリマショーカラ御聞かせいただき度《たく》草々。

眺望はよかったが海風が強く、それに風向きによっては港の騒音が一時に飛びこむ家であった。埃もひどく菊江は掃除に苦労したらしい。七月一日白服で出勤するようになって、洗《せん》濯《たく》して干した服に下の工事場から砂埃が舞い上り茶褐色《ちゃかっしょく》となって、洗っても元に戻らず、結局新品を買う羽目になった。

おかいこぐるみの菊江が家事は何かと不如意《ふにょい》だろうと永山の岳父が下女を貸してくれたのはいいが、小さな家とて夜菊江と性交すると家全体がきしんで下女に筒抜けになり、岳父の好意だから下女を無下に追い帰すわけにもいかず、横浜のホテルに泊りに行って思いを遂げたこともあった。あのころ菊江は本当に美しかった、可憐《かれん》であった……。

「何じゃ。ノックもせんで入って来よって」

いとが踏みこんできた。目敏《めざと》く机上の絵葉書に気付いて近寄る。利平はあわてて咎《とが》めた。

「ちゃんとノックいたしました」

「入っていいとは言わなかった」

「入ってはいけませんでしたか。おや、綺麗《きれい》な絵葉書ですこと」

いとが出した手を利平はいきなり平手打ちにした。いとはしぶとく手を差出したままで、しばらくして袖《そで》を捲《ま》くってみみず脹《ば》れを見せた。

「なぜお打ちになったのですか」

「余計な物に手を出すからじゃ」

利平は絵葉書を集めて袱紗に包むと、いとを険しい表情で睨《にら》みつけた。

「おお恐《こわ》い」いとはみみず脹れを袖でくるむとゆっくりと撫《な》でた。「それに痛い。わたくしが何か悪いことしましたでしょうか。さっぱりわからない……あの、さっきのお約束ですが」

「何も約束なんかせん」

「おや、もうお忘れですか、看護婦として……」

「出て行け」利平は怒鳴った。聞き取れぬ振りをしているいとに、彼はもう一度怒鳴った。

「デテイケ」

「本気ですか」いとは顔色を変えた。

「本気じゃ。何度でも言う。デテイケエー」と利平は絶叫した。

「わかりました」いとは薄笑いを浮べて頷《うなず》いた。皮膚から血の気が引き、蒼黒《あおぐろ》くなっていた。

「出て行きますとも。ただしもう二度と帰ってまいりませんから」

「フン、結構だ」

いとが身を翻《ひるがえ》して出て行ったのが一瞬遅かったら利平は彼女をもう一度打っていたろう。腹の芯《しん》に燃えあがった火が胸から咽喉《のど》へと爆発してきて、彼はすっかり自制を失なってしまい、女のかわりに机を二、三度拳で打った。

ノックがあった。

「誰だ」と叫ぶ。「夏江です」「入れ」

喪服姿の夏江は摺足《すりあし》で来て、利平の横の椅子《いす》に、彼女の癖で、すこし斜めの方角に腰掛け、顔だけはこちらに向けた。

「秋葉が泣きながら出て来ました。何かありましたの」

「無礼な奴じゃ。許せん」

「無礼なのはずっと前からです。でも、おとうさま、あんまりお怒りになるとお体に障ります。まだあさってのお葬式という大役があります」

「そうだ」利平は不意に思い出した――菊江の棺の中にドライ・アイスを詰め足さねばならぬ。ドライ・アイスは炭酸ガスのボンベの栓《せん》をひねって噴出させれば簡単に作れる。きのう二回とも利平が中林を助手に自分で作り、自分の手で詰めたのだ。「中林を呼べ」

「こんなに朝早くですか」夏江は錨形《いかりがた》の置時計を見た。六時二十分だった。

「もう起きとるじゃろ。ドライ・アイスを詰め足さんといかん」

「それならまだ大丈夫です。今見て参りました」夏江はちょっと睡《ねむ》たげな目をしばたたいた。生来一重の瞼《まぶた》を小さいとき自分の爪《つめ》でいじくって二重にしたが、朝腫《は》れているときは一重に戻って睡たげになる。「おとうさま、二つお願いがあります。聞いて下さいます」

「言うてみい」利平は咽喉を焼いていた怒りが娘を見ているうち、奥へと引っこんで行くのを覚えた。

「先おとといの早朝、おかあさまがわたしに二つのことをお頼みになりました。一つは、事務長になって帳簿をつけること、もう一つは中林と結婚して副院長夫人になること。そのうち事務長のほうは、名目はともかく事務の実際を今すぐ任せて下さらないと困ります。お通夜の費用をきちんと記録をとりませんと……昨夜、史郎ちゃんと二人で香奠《こうでん》、生花、弁当代、お寺への御膳料《おぜんりよう》、その他を整理はいたしましたが」

「お前に事務がとれるか」

「これでも簿記を習ったんですのよ。おかあさまからも全部……裏のほうまで……お聞きしています」

「頼む」利平は気恥かしそうに小声で言った。「お前に全部まかせるわ。実を言うとな、おれは会計は全然わからん。夏江や、助けておくれ」

「わかりました。ちゃんとやります。御安心なすって」夏江はすっくと立つと静かに出て行った。

七時過ぎ利平が朝食をとっている所にいとが来た。大きくノックをして許可をえて入ってきた。

「これでおいとまいたします」と立ったまま丁寧に頭を下げた。「ですから、さっきのお腹立ちの理由をお聞かせ下さいませ」

「もうよいわ」利平は苦笑した。「さっきは怒りすぎた。ゆるせ。きのうより、気が変に立ってな、おかしゅうなっちょる」

「もうお怒りになってませんの」

「おこっちょらん。あやまっちょる」

「お気の毒に」いとは、まるで栓をひねったように涙を目より吹き出し、手放しでひとしきり泣いた。「お気持本当によくわかりますわ」

「な、いと、新田に帰れ。悪いようにはせんわ」利平はいとの手を取り、優しく撫でた。いとはそのまま男に倒れ掛ろうとして、ふと踏み止《とど》まると出て行った。

7

三月一日は好晴に恵まれた。朝風は冷たかったものの、日高となって気温はあがり、この四日間の異常な緊張から解き放たれた人々は、日曜日を待ちかねたように戸外に繰り出した。北側の屋根や露地に名残りの雪はあるものの日の当る道には陽炎《かげろう》が立ち、あの雪と寒さの中の騒擾《そうじょう》は非現実な過去の夢としか思えなかった。

子連れの家族が浮々と歓声をあげる。兵隊たちは外套《がいとう》を脱ぎ捨て盛り場へむかって闊歩《かっぽ》していく。そんな華やぎをよそに西大久保の小暮家では、引越しで大童《おおわらわ》であった。運送屋三人のほか三田から浜田と岡田が手伝いに来た。隣り合せの家に移るとあって余り手間暇はかからず、荷物はどしどし運ばれたが、困ったのは古い広い家にゆったり納っていた家具や食器や蒲団《ふとん》が新しい狭い家にどうしても収納しきれぬことであった。

結局蔵の中の物はそっくり残し、さらに食《は》み出た長物雑物をもう一度運び戻して蔵に仕舞った。旧屋を人に貸すときは蔵に錠をかけておけばよいと悠次は考えた。ところが午後になって高橋蔵相の密葬からの帰途立寄った脇美津が蔵に不用の物を積み重ねたことに異議をとなえだした。蔵の中の古文書や骨董品《こっとうひん》を見るのを唯一《ゆいいつ》の楽しみにしていた美津は、雑品のためそれらの出し入れができなくなったと不満を表明し、たとえ旧屋を人に貸したあとでも住む人の許可をえて蔵にだけは出入りしたいと言った。さらに、「蔵には重要な物品のみを整然と入れ、不用の雑品の類は物置に積み重ねよ」という亡父小暮悠之進の遺訓を悠次に思い出させた。いざ出陣の際、蔵に雑品が山積みになっていたため甲冑《かっちゅう》を取り出すのに手間取り、遅れを取った武士の話を子供たちは何度となく聞かされたものである。結局、悠次は庭の端に新しく物置を作って不用品を収納する約束をさせられた。

姉と弟のこの議論のあいだ初江は終始中立の態度で黙っていたが、内心、義姉と夫がどうして不用の品を捨てようとしないのか理解できなかった。塗りの剝《は》げたお膳、薄汚れた破れ蒲団、半端《はんぱ》な食器、悠之進が集めたのらしい囲碁の和綴本《わとじぼん》などさっさと捨ててしまえばと思うのだが、義姉と夫にはそういうガラクタに何か思い出でもこびりついているのか、大事に仕舞いこもうとするのだった。

美津が来たため何だか心落ち着かず、新居の片付けが終らぬうちに夜となった。あまり遅くなるからと運送屋と三田からの助っ人を帰したあと、初江は子供部屋の整頓《せいとん》に掛った。幼い研三は夫婦と寝かせるが、悠太と駿次は今晩から親と別に寝かせるのだ。そして四月に小学生となる悠太のため、新品の勉強机や椅子や本箱を工合よく並べてやらねばならぬ。むろん、そうしていると駿次が羨《うらやま》しがって駄々《だだ》をこねたが、さ来年は駿次にも机を買ってやるからと宥《なだ》めた。

翌朝、初江は悠太を連れて大久保小学校へ向った。家の前の大通りを北に登って行きさらに下った所を東に行けば幼稚園だが、西に行くのだった。近間に住みながらまだ小学校までは行ったことがない。狭い道の左右は商店街で、角のミルクホールを手始めに、材木屋、米屋、本屋、氷屋、魚屋、八百屋、パン屋などが軒を並べている。特に目立つのは漢方薬局でガラス瓶《びん》に漬《つ》けられた蛇《へび》の白い鱗《うろこ》が気味悪く、店前には何かの生薬らしい強い臭《にお》いがした。大久保館という映画館が鬼王神社の鳥居の脇《わき》にまるで神社付属という感じで建っていた。そのむかいが〝白浜〟という床屋で、子供たちをよく連れてくる店だ。初江の〝領地〟はここまでで、その先に足を伸ばしたことはない。しかし、道を尋ねるまでもなく、子供連れの母親が床屋の脇の道へぞろぞろ入って行くので、ついて行けばよかった。木造二階建の小学校が現れた。校庭を横切った先の大きな講堂が、新入生の体格検査とメンタルテストの会場だった。

講堂を白幕で半分に仕切って控室としてある。六年生ぐらいの大きな子が幕の隙間《すきま》から現れては新入生の姓名を呼び向う側に連れていく。悠太が頼りなげな顔付で摺り寄ってきた。「大丈夫よ」と初江はわが子を笑顔で励ました。「何か聞かれたら、はっきり答えればいいのよ」初江は、自分は聖心の小学校（実は途中入学だが）から高等女学校まで通してきたため、子供も慶応の幼稚舎のように上の大学までつながっている私立に入れたかった。とくに慶応なら史郎が幼稚舎から通ったため校風もよく知っている。しかし、悠次が反対した。幼稚舎などに入れたら、勉強もせずに遊びほうけ、結局帝国大学に入れない。世間では慶応出身者など帝大出身者の下になるのが常だ。男の子は、区立小学校、府立中学校、国立の高等学校、さらに帝国大学へと進むのが一番だとゆずらなかった。結局、幼稚舎受験の時期を失したまま、ずるずると今日の体格検査となってしまった。初江はわが子と周囲の子供たちを見較《みくら》べた。体格がよいのや利発そうな子を見ると気後れし、鼻汁の二本棒を垂らしたのや身形《みなり》の貧しい子に出会うと安心した。

悠太が呼ばれた。半時ほどして帰ってきた。「どうだったの」「石が二つあってね、どっちが重いかって聞かれた。それからね、絵を描《か》いてごらんって言うから、巡洋艦八雲を描いたの。大砲の数をちゃんと描こうとしたら、もういいよ、だって」「そう、それはよかった」初江はほくそ笑んだ。悠太の軍艦の絵なら誰にも負けないに決っている。

三月三日、芝の増上寺本堂で故時田菊江の葬儀と告別式がおこなわれた。広い堂内を黒ずくめの優に千人を越す人々が埋めた。定刻に金襴《きんらん》の袈裟《けさ》をまとった老導師を護《まも》って僧十人が入場してきた。笙《しょう》の笛を吹き鉦《かね》を鳴らして煌《きら》びやかだ。ひとしきり誦経《ずきょう》がすむと弔辞を東京市医師会長、愛国婦人会東京支部長、北里研究所所長などがつぎつぎに読んだ。最後に立った唐山竜斎《りゆうさい》博士は、時田利平が大正のはじめ三田綱町《みたつなまち》に開業したころの思い出を語った。徳川伯爵《はくしやく》より借りた五十坪ほどの土地に小さな掘立小屋を建て、故人が夫とともに働いていた様子が紹介された。初江は母の思い出話が出るたびに目を湿らせていたが、若い母が甲斐《かい》甲斐《がい》しく働く様子を思い浮べると涙は堰《せき》を切った。

告別式となって一般参列者の焼香が続くさなかに、永山光蔵の爺《じい》やが主人の訃《ふ》を伝えてきた。まだ出棺、火葬、納めの経、骨あげを喪主として宰領せねばならぬ利平は、取りあえず中林副院長を永山邸にむかわせた。

時田菊江の葬儀の翌日が永山光蔵の通夜となった。引越しのつぎは、母と祖父の法事が続き、初江にとってはあわただしい早春であった。

暖い春に浮かれていると冬の寒さがぶり返し、晴れて霞《かすみ》がたなびくと翌日は猛烈な吹き降りであった。そして三月八日にはまたもや雪が降った。十センチ余の積雪で、かかる気象の異変は、二・二六事件（と公称されることになった）以上の大事がまた起る前兆ならんとの巷説《こうせつ》が流れた。しかし、日に日に暖気が増し、三月十八日の彼岸入りは、曇って蒸し暑く梅雨時を思わせた。麻布の歩兵第三聯隊《れんたい》を第一師団長堀丈夫中将が訪れた。冬の軍衣袴《ぐんいばかま》の下で汗を流しつつ、全将兵は営庭に整列して、直属上官を迎えた。聯隊の存続について何らかの重大な発表があるという取沙汰《とりざた》があって、脇中尉は直立不動の姿勢を、いつもよりも力を籠《こ》めて行なっていた。壇上の師団長は、渋谷聯隊長がうやうやしく差し出した紙を受け取ると目よりも高く捧《ささ》げ持ち、「聖旨」とよく透《とお》る声で言った。閃光《せんこう》のように声は全将兵を射った。師団長はもう一度最初から始めた。

「聖旨　聯隊は其儘《そのまま》存続し深く将来を戒めよ」

全員がほっと鼻息を吹き、それは大きな槌《つち》で大地を打ったように響いた。師団長は聖旨を聯隊長に返すと今度は軍衣の物入れから巻紙を取り出し、読みあげた。

「訓示　聖代の御世《みよ》、帝都警備の重任を有する当聯隊将兵の一部が、輦轂《れんこく》の下《もと》に於《おい》て前古未曾《み ぞう》有の今次大不祥事を惹起《じゃっき》し、聯隊歴史は素《もと》より、光輝ある我陸軍史上に一大汚辱を印せり。殊《こと》に、畏《かしこ》くも、宸襟《しんきん》を悩まし奉《たてまつ》るに至る。之《これ》本職不徳の致す所にして洵《まこと》に恐懼《きょうく》に堪へず。抑々《そもそもかく》斯の如《ごと》き越軌の行動は建軍の本義に悖《もと》り、聯隊は厳に処断せらるべきの所、畏くも特別の思召《おぼしめし》を以《もっ》て之を存置せらる。叡慮《えいりょ》深遠感激措《お》く能《あた》はざる所なり……」

〃越軌の行動〃という聞き慣れぬ言葉が脇敬助中尉の耳底に残った。〃叛乱《はんらん》〃という明確な言葉を用いぬところに、蹶起《けっき》に同情的立場をとった堀中将の苦衷《くちゅう》がある。ともかく、聯隊は、最初蹶起に沸き立ち、〃義軍〃だ〃維新部隊〃だと蹶起部隊を持ちあげ、陸軍大臣まで〃告示〃で「諸子ノ行動ハ国体顕現ノ至情ニ基クモノト認ム」などと言って〃地区隊〃として正式の市中警備を命じていたのに、それがあっと言うまに〃占拠部隊〃〃騒擾部隊〃〃叛乱部隊〃〃逆賊〃となり下った。その一部始終を、とくに統帥《とうすい》部の陰謀めいた動きを関知している師団長が、言葉鋭く〃越軌の行動〃などと言わざるをえない、その口振りには統帥部の権謀術数に屈した無念の影があった。

蹶起に参加した青年将校たちと下士官百人近くが軍法会議に起訴された。兵のほとんどは不問に付されたが、それでも二十名は起訴されている。四月より始まる軍法会議は戒厳令下のため戦地と同じ扱いで、「一審、上告なし、非公開、弁護人なし」の苛酷《かこく》な審判になる。青年将校たちに極刑を科すというのは統帥部の既定方針らしい。風間振一郎を通じて彼らの動静を逐一知っている脇中尉は、蹶起を逆利用して一挙に権力を握った者たちの黒々とした網がよく見えた。

「諸子は自ら省みて深く謹慎し」と師団長の訓示は続いた。「只管《ひたすら》当隊存置の辱《かたじけ》なき聖恩を拝し、一兵に至る迄《まで》挙措を誤ることなく更生の意気を以て益々《ますます》軍紀を粛正して団結を強化し、上下一致各々《おのおの》本務に邁進《まいしん》し、死力を竭《つく》して速《すみやか》に聯隊の栄誉を恢復《くわいふく》し、以て聖旨に副《そ》ひ奉らんことを期せよ。右訓示す」

歩三の歴史は日本の戦争史と一致する。明治七年軍旗を親授されてより、明治十年西南の役では熊本討伐作戦を実施、明治二十七、八年日清戦役では威海衛《いかいえい》占領の任にあたり、明治三十七、八年日露戦役では南山攻略、旅順攻囲、双台溝戦闘、凹字形山《おうじがたやま》占領、遼東《りようとう》半島岸花園口、大平山等の激戦に参加、世界大戦では青島《チンタオ》派遣隊となっている。このたび存置と決ったからには、予定通り五月には渡満して匪賊《ひぞく》討伐の任につくだろう。罪滅しに頑強《がんきよう》な敵に立ち向わせられるだろうとは今から覚悟していなくてはならぬ。満洲で落ち着いた生活ができる公算はあまりなさそうだ。すくなくとも百合子を連れ渡満することはしばらく差し控えたほうがよさそうだ。そういう趣旨の話を百合子にしたことがある。百合子は「あなたのいらっしゃる所ならどんな所でも行きます。それよりもあなたのいらっしゃらない所はどこだろうと恐ろしいの」と言い縋《すが》るのだった。脇中尉は、ますます流れ出した汗にまみれつつ、妻にもう一度同じ話をせねばならぬと思い、師団長を仰ぎ見た。

歩三の存続が決まった五日後、二・二六事件の責任を問われ、三月二十三日付で、第一師団長堀丈夫中将は待命となり後任には河村恭輔中将が、また二十八日付で、歩兵第三聯隊長渋谷三郎大佐が待命となり後任には湯浅政雄大佐が転補した。そうして、聯隊はあげて渡満準備のための実戦訓練に入った。

四月六日は曇って肌寒《はだざむ》い日であった。初江は新しい通学服を着せた悠太を連れて大久保小学校に行った。玄関の受付で児童名と保護者名を記帳すると、「小暮君は一組です」と言われ、新入生の名簿を手渡された。六年生ぐらいの女の子が先に立って、この前体格検査をした講堂に案内してくれた。前の方が子供たち、後方が父兄席だった。一組が男子、二組が男女半々、三組が女子だった。各組が五十名ぐらいか。子供たちは余所《よそ》行《い》きの顔で変に静かにしていた。悠太は母と離れるとき心細げだったが、後ろを振り返ったり立ったりせわしない子供たちの中で、じっとお行儀よく坐《すわ》っていた。周囲の母親たちを見渡したところ、知った顔はほとんどいなかった。二、三、街角で見掛けた人もいたが話した人はいない。西大久保の住宅街では近所付合いが乏しいのだ。そこで母親たちは、お互い同士の話もなく、つんとすましていた。

先生方が一列になって入場してきた。先頭に少し猫背《ねこぜ》で何だか誰彼となく挨拶《あいさつ》している感じの中年男、つぎが縁無眼鏡に口髭《くちひげ》を生やし肩を振って歩く人で、初江はてっきり口髭が校長だと思ったが、わたしが校長ですと自己紹介をしたのは猫背のほうだった。鈴林清兵衛という、どこかの小説で読んだような名前で古風だがよく覚えられた。口髭が教頭で杉原理一、そして一組の担任は吉野育夫だった。吉野先生は額が広く、分けた髪が左右に撥《は》ね上っていた。多分硬い髪がポマードで押え切れず立ってしまうのだろう。

校長の話が終ると、今度は担任について教室にむかった。初江は何となく気分が悪く、窓ぎわに寄って息をついた。アスファルトで固められた校庭には、おとといの雨のニワタズミがまだ光っていた。コンクリート製の滑り台は幼稚園のより大きく、鉄錆《てつさび》や亀裂《きれつ》が拡大されたように目立った。子供たちが自分の名前の貼《は》られた机に着席し、親たちが後に立つと、担任が挨拶した。話すたびに髪の毛がゆらゆら揺れ、毛皮の帽子をかぶってるようだった。

担任は、子供たちの机上に配られている教科書の説明に移った。国語読本、算術教科書、修身書、唱歌集。そして算術用の小物が入った小箱を開く段になって、子供たちは嘆声を発した。ボール紙の時計や小銭、さまざまな形の棒や七色のオハジキなどが珍しく嬉《うれ》しいのだ。悠太は一つ一つを取り出して机上に分類していた。初江は、これで悠太の長い学校生活が開始されたと思った。小学校六年、中学五年、高等学校三年、大学三年、ながいながい学校生活だ。初江の場合は、小学校六年、女学校五年だけだった。それ以上の学歴は女の自分には望みえなかった。女学校を卒業するとすぐ待っていたのは結婚だった。そして出産と育児の日々。それにしても学校時代がずっしり重い出来事に充《み》ちていたのに、結婚後現在までの八年間が薄い単調な時間のように思えるのはなぜだろう。ああ、学校時代……。

近所の東京市御田《みた》小学校に通っていたのが、四年生のとき利平が聖心女子学院の校医となり、一見してよい学校と認め、娘をただちに転校させたのだ。区立と違って制服を着せられ、マザーやシスターが黒服でヴェールを被《かぶ》っていて、厳格な雰囲気《ふんいき》だった。事実、規律はきびしく、廊下での立話や小走りは許されず、違反するとマザーがカチカチとカスタネットようの物を鳴らして注意した。下級生は上級生に会うとかならずお辞儀をせねばならなかった。毎週月曜日になると校長様が全校生を講堂に集めて、〃お札《ふだ》〃と称する儀式をした。一週間の校則違反や行儀について採点した結果が発表され、good と no good の〃お札〃を手渡されるのだ。クラスごとに一人一人校長様の前に出て〃お札〃をいただくので、どのクラスが no good かが全校生に知られてしまった。

今まで歩いて小学校に通っていたのが市電で通うようになったのも大きな変化だった。電車で三之橋《さんのはし》から日吉坂上まで行き、坂道を登って聖心の表門に着く。しかし、さらに校舎までが長い道程で、まるで遠足のような毎日であった。帰りは逆に楽で、放課後の喜びも手伝い、校内の森を小鳥が飛ぶような気持で駆け抜けた。しかし傘《かさ》を持たずに登校して雨に会うと時田病院お抱えの車夫が迎えに来てくれた。生徒の見守るなかで人力車に乗るのが毎度照れくさかった。

昼の弁当を食べるのが一仕事であった。組別に二列縦隊に並び地下の食堂へ行き、全校生徒が着席するとお祈りをし、それから食べた。私語は禁じられ、儀式のような食事であった。

ただし、食後の休憩は、広い校内の森や山や池や原っぱに散って存分に遊んだ。そう、あの学校のよさは豊かな広々とした自然にある。この町中の小学校の味気ないアスファルトの校庭とは雲泥《うんでい》の差であった。

年に一度、原っぱでバザーがあった。露店が沢山出来て、この日だけは母より小遣いをもらって好きな物が買えた。資生堂の出店で不断家では買い喰《ぐ》いを禁じられていたアイスクリームを思い切り食べた。あのバザーの浮々した雰囲気が懐《なつか》しく、悠太が生れた年、卒業生として行ってみたら、クラスの人々も来ていて、かわいい赤ん坊として評判になり、つぎつぎに抱き回しとなった。初江はクラスでは一番結婚が早かったので、悠太はクラスで最初の赤ん坊として珍しがられた。その子もいよいよ小学生だ。

担任があすより登校の際ランドセルに入れる物を黒板に書いていた。初江は大急ぎでメモした。それで解散となって、初江は教科書を風呂敷《ふろしき》に包み、悠太は算術セットを宝物のように大事に両手で持ち校門を出た。一度家に帰ったあと、一人で通学できるか試してみた。悠太が先に行くのを初江が十メートルほど離れて追うのだ。悠太は一度で学校に行き着いた。やれ一安心と家に戻ってきて石段に足を掛けたとき、突然腹を突きあげるような吐き気とめまいに襲われた。何とか踏み堪《こら》えて、茶の間で横になった。

そのとき、胸を鉄の箍《たが》にでも締めつけられたような不安が起ってきた。以前にも経験した吐き気とめまいはすべて身籠ったときであった。月の物は十日前後と決っていたのに、三月にはなかった。多少の不規則は従来とてあったから気にも留めず、それに悠太の入学準備に気を遣い、つい忘れてしまった。茶の間を締め切って鏡台に向って乳房を出してみた。乳首が濃く変色している気がする。どうもおかしい。もしそうだとすると、それがいつかが問題である。まさか、あの辺りでは……晋助とのことがあったのは二・二六事件の二日目だった。悠次はその前はずっと御無沙汰で、菊江の通夜の晩、酔って襲ってきた。その後はまたずっと交渉がない。やはり、あの辺り……とすれば、どちらの子供だろう。不安の実態はそれであった。初江は再び突きあげてきた吐き気をついに我慢できなくなった。朝食の海苔《のり》と納豆が黒い血のように新聞紙に粘り着いた。

庭の唐楓《とうかえで》の薄緑が日に焼かれて、日一日と濃くなっていった。今まで遠望していたこの大木が新居では目の前にそそり立ち、二階から見るとその無数の若葉のさなかに新宿のビル街が波にもまれる幻想の街のように見え隠れした。四月の十日前後は曇って寒い北風が吹き、まるで冬に逆戻りしたようであった。初江は、今日こそはと心待ちにしたが、やはり例の物は来なかった。いよいよ間違いないと思う。しかし、悠次にそれを告げるのは気が進まなかった。

それまで土日にかけて鵠沼《くげぬま》の佐々竜一宅での麻雀《マージャン》を習いとしていた悠次は、新屋に移ってからは、土日を二階で過すようになった。板張りの洋間に麻雀卓を設け、八畳の和室に蒲団《ふとん》を敷いて客を泊らせる。鵠沼から出張してくる常客の佐々竜一のほか、会社の上司か同僚二人を招いて、徹夜でゲームに興じる。朝方、ゲームに区切りがつくと食事をとって一斉《いっせい》に寝込んでしまう。初江は客の眠りをさまたげぬよう、なるべく子供たちを外に連れ出すように

した。家の前からバス一本で行ける明治神宮外苑《がいえん》の遊園地行きが段々に日曜日の恒例となってきた。

五月初めの日曜日も初江は子供たちを連れて遊園地に出掛けた。十数人の母親たちがベンチに並び、目の前の砂場や滑り台やブランコで子供たちを遊ばせながら、編物やお喋《しゃべ》りに余念がない。初江は駿次にせがまれ、築山の近くに行き、木陰のベンチに腰を下した。駿次は斜面に埋められた石や杭《くい》を器用に使って山を駆け登り、頂上で悠太を莫迦《ばか》にしたように手を鳴らした。悠太はくやしがって登るのだが、あまり急な所を選んだため、ずるずると土が崩れて転げ落ち、階段をあがって行った研三にも先を越されて、くやしがった。子供たちは山を戦場として兵隊ごっこを始めた。

初江は子供たちの歓声を小鳥の囀《さえず》りのように聞きながら、足元に踊る木洩日《こもれび》の水玉模様を目を細めて眺《なが》めた。菩提樹《ぼだいじゅ》の下であった。すくすくひろがった枝葉が風にそよいでいる。梢《こずえ》のほうの葉が赤く、今生れたばかりの葉が赤子の手のように薄く柔かそうだ。初江はもう確信していた――四人目の子がお腹《なか》の中で生命を得ている。悠次は女の子がほしいと言うだろう。でもわたしは女でも男でもいい。もし晋助の子だったら……それはわたしを破滅させるだろう。しかし、ほんとに奇妙な感情だけど、彼の生命がわたしの中で生き続けたら……嬉しい。

数十の噴水が光となって踊っていた。一本一本の水晶の柱は頂点で弾《はじ》けて玉の雨を降らす。雨、霧、そして水面を叩《たた》いて陽気に唱《うた》う。直線になり抛物線《ほうぶつせん》になり、数十本の水の協演だ。

つぎつぎに生れては消えていく人の一生……消えるから美しい。すると、初江の心をうべなうように頷《うなず》きながら黒衣の修道女が現れた。日曜学校だろうか、年齢もまちまちの子供たちと一緒だ。

修道女は初江に会釈《えしゃく》すると隣に坐った。子供たちは、山や砂場やブランコに散った。修道女は眼鏡をかけて本を開いた。英語の何やら難しそうな書物であった。初江も岩波文庫の『戦争と平和』を取り出した。新居から最初に外出した日に、新しい本を読み始めようと、買ってきた。最初は登場人物のロシア名が覚えられなくて混乱したのが最近では巻置く能《あた》わずとなっている。しかし読み始めると泥《どろ》まみれになった駿次が走ってきた。「研ちゃんがけがした」と言う。泣き叫ぶ研三の手をひいて悠太が来た。転んで目の横を石に打ったのだ。血が目から流れ出ているようで初江は仰天したが、頬骨《ほおぼね》の所を擦《す》った程度だった。手洗所の水で洗ってやる。血が止らずハンケチが赤くなった。修道女が救急箱を持って来てくれた。リバノール液で消毒し、ガーゼを当て絆創膏《ばんそうこう》で止めてくれた。初江はしきりに礼を言った。

子供たちが空腹を訴えたので弁当にしようと絵画館のほうへ歩いて行った。競技場や相撲場や野球場を見晴すあたりの芝生に新聞紙を敷いて場所を作った。家族連れの人々が広場に散って食事をしている。父と子のマリ投げ、幼児の鬼ごっこ、小学生たちの模型飛行機の飛ばしっこ。一高の徽章《きしょう》を光らせた青年が若い娘と肩を並べて歩いていく。初江はどきりとした。すらりとした体形も軽やかな歩き方も晋助によく似ている。相手の娘は誰か見分けられない。知っている人のような気もする。二人はこちらに背を向け、銀杏《いちょう》並木を青山の方角へ去って行く。最初、呼べば声の届く距離だったのに、初江は啞《おし》になったように、アッと言ったのみだった。高校生と若い娘が、あまりにも似合いの組合せだったので驚き、嫉妬《しっと》し、そして自分が年を取ってしまい、もう男に相応《ふさわ》しくない事実を認めて、すっかり気落ちしてしまった。自分は、すでに三人の子供を生み、さらにもう一人を孕《はら》んでいる年増《としま》にすぎない。初江は、最近薄い乳を出すようになった乳首をそっと押えた。「おかあさん、食べないの」と悠太が尋ねた。「今お腹一杯なのよ」と言い、子供にサンドイッチを取ってやった。その夜、初江は悠次に子供ができたらしいと打ち明けた。翌日新宿の産科医の診察を受けたところ、妊娠三箇月で出産予定日は十一月二十日だと知らされた。

五月二十二日の夕刻、歩兵第三聯隊は軍旗を捧げて兵営を出発、東京駅まで行軍した。軍用列車の前には将兵の家族が群がっていた。敬助は百合子のほか美津や晋助や風間家の人々と別れを告げた。発車間際《まぎわ》になって、悠太と駿次を連れた時田夏江が階段を駆け登ってきた。見送りに来るつもりだった初江が気分すぐれず、悠太と駿次を連れて行ってくれと急に頼まれたという。走って上気した顔がなまめかしく眩《まぶ》しく、敬助は見送りの礼を述べ、さらに何か話そうと思っているうち発車のベルが鳴った。〝祝出陣〟〝祝渡満〟の幟《のぼり》が一斉に振られ、万歳の声がどよめいた。夏江は敬助の耳元で、「来週結婚します。お手紙焼きました」とはっきり告げた。

翌々日宇品《うじな》に集結した聯隊は二隻の輸送船に分乗し、四日後大連港に到着、敬助の属する主力はチチハルに、第三大隊は洮南に向った。

大安吉日の五月二十八日、中林松男と時田夏江の結婚披露宴《ひろうえん》が帝国ホテルでおこなわれた。媒酌人《ばいしゃくにん》である巡洋艦八雲の元艦長松本少将は軍服姿もいかめしく新郎新婦の紹介をおこなった。中林は佐久平《さくだいら》の貧しい農家の三男で上京後、新聞配達、精神病院の看護人、家庭教師をして学資を稼《かせ》ぎながら医専を出た苦学力行の人、夏江は、小学校から聖心女子学院に通い同学院女学校を卒業した才媛《さいえん》という説明はありきたりだったが、二人が当今珍しい恋愛結婚であるというと招客のあいだに感嘆の息がもれた。なお、結婚後は中林は引続き時田病院副院長の要職に留《とど》まり、夏江は同病院事務長として実父と夫の病院経営の中心的存在となると言うと、これで時田病院の将来の安泰は保証されたようなものという祝福の笑顔が知友縁戚者《えんせきしゃ》のあいだに交された。

中林は黒羽《くろは》二重《ぶたえ》の紋付に派手な縞《しま》の仙台平《せんだいひら》で、ポマードをこってり塗った髪が漆器さながらに光り、新調の太い鼈甲縁《べっこうぶち》の眼鏡がやけに目立った。何もかも一流品を揃《そろ》えてめかしているのが、引き伸ばしたような馬面《うまづら》を際立たせ、初江には何だか滑稽《こっけい》だった。白無垢《しろむく》の打掛けを着た夏江は、元々和服の似合う体型とてさまになっていて、角隠しによって翳《かげ》りを与えられた細い目が雛人形《ひなにんぎょう》のようで、初江はこんな美しい妹があんな男に嫁《か》するのかと思うと可哀相《かわいそう》で仕方がなく、控え室でも宴席でも微笑一つ見せぬ妹につき、「さすがの夏っちゃんも緊張しているわね」と言い合っている松子と梅子の言葉を見当違いだと思い、夏江が本当に愛していたのは脇敬助であって、彼の出立直後に結婚の日取を設定した心がありありとわかるのだった。

このごろ悠次は、美術全集や欧米諸国の案内書を買いこみ、各国の美術・建築・歴史のにわか勉強を始めていた。約四箇月のヨーロッパ・アメリカ旅行の表向きの目的は欧米諸国の保険事業視察であったが、むろん八月前半のベルリン・オリンピック見物や観光が本当の目的であった。同行するのは、上司の山名課長で長い間の麻雀とゴルフの友達でもあった。ともかく世界一周を私費で行なうというのはこの非常時に大変な贅沢《ぜいたく》であり、行くからにはきちんと記録をとって帰国後何を見たかを人々に伝えねばならぬと悠次は考え、文章はあまり得手でないから八ミリ映画を沢山撮ることに決めた。最近、新製品として売り出されたコダックの天然色フィルムは高価だが人々を感心させるのに持ってこいと考え、試し撮りしては映写してみた。

子供部屋の壁に世界地図を貼り、旅行先を赤丸で囲み、鉄道と航路を赤く塗って、通過滞在の日時を書き込んだ。こういう細かい作業を悠次は好んだし、見ている悠太があれこれ質問するのが父親の権威を示せて嬉しかった。「これがな、シベリア鉄道だ。ハルピンからな、モスコーまで一週間かかる。毎日毎日、大平原や森を走るんだぞ」ワルソー、ベルリン、ポツダム、ニュールンベルク、ハイデルベルク、ケルン、ドレスデン、ミュンヘン、ヴェニス、フローレンス、ローマ、ユングフラウヨッホ、ジュネーヴ、パリ。「パリではルーヴルという世界一の美術館を見るぞ。悠太は絵が好きだろうから大きくなったら、ぜひ見るといい」ロンドン、ニューヨーク、ボストン……。七月十五日東京駅を立ち、翌日神戸より乗船大連に向い、大陸横断してヨーロッパ、世界一の豪華船クイーン・メリー号で渡米、サンフランシスコから、日本郵船の秩父《ちちぶ》丸でハワイ経由、十一月十一日横浜港到着の予定である。普通の日本人にはなかなか出来ない世界一周の旅だ。会社内でもそんな大旅行の経験者は数がすくなく、今後の昇進にとっても有利だろう。実はそれこそが真の目的かも知れない。

一つの気掛りは初江が身重であることだ。予定日は十一月二十日というから、自分が帰国して十日目だ。初江は骨盤が広く過去三回はすべて安産であったから今回も支障はないと思うが妊娠中何が起るかは予測はつかない。しかし悠次は岳父利平によく頼み、すべてをまかせることにして、それ以上の気遣いはやめた。むしろより大きな心配は、また男の子が生れることだ。三人でも男の子が多すぎるのに四人となっては将来の楽しみがない。ある日悠次は妻に尋ねた。「妊娠の件、おとうさまに話したのか」「まだです」「早く話しとけ、どうせお産は三田でするんだろう」「三田は今度の場合気が進みませんの。だって、おかあさまがいらっしゃらない所なんて……」「しかし、もしもの場合は……」初江は、この前診察を受けた新宿の産科医に行くと言った。悠次は反対した。そんな所で出産して、もしもの場合に岳父がどんなに立腹するか、まして早産となり自分の不在中であったなら大騒動だと説得するのだが、初江は今回だけは絶対に三田で産みたくないと頑《かたく》なに言い張り、ついに悠次は向かっ腹を立てた。

初江の真意は子供の血液型への怖《おそ》れにあった。利平は赤ん坊の血液型をかならず調べる。初江はO型で悠次はAB型で子供はA型かB型である。が、もし晋助がO型であったら、O型という、ありうべからざる子が生れることになる。そう考えながら、生れるのは晋助の子だという予感が強く迫り、それが悲しく、初江は常にも増して激しく咳《せ》きあげ、ついに悠次は、「わかったよ。お前の好きなようにしろ」と折れた。

六月十八日のことである。突然三田の利平から電話があって、明日午後の日蝕《にっしょく》には診療を休んで武蔵新田《むさしにった》の天文台で観測をするから悠太を連れて来い、小学生になったのだから日蝕とはどんなものか知っておく必要がある、と言われた。日蝕開始は午後三時二十分だから電車で一時間半かかるとして一時に家を出れば間に合うとも言われた。一年生は最初二、三時間の授業だったのが近頃《ちかごろ》は四時間で、帰宅は十二時過ぎ、大急ぎで昼食をすませば間に合う勘定だが、新田の秋葉いとに顔を合せるのがおぞましく、返事を渋っていると、このごろさっぱり孫を連れてこんのは怪《け》しからんと大目玉を喰《くら》い、あわてて、はい、連れて行きますと服従した。たしかに新居に移ってからは三田に一度も行かず、それは悠次の土日在宅のせいだが、利平にしてみれば菊江の死後ばったり来なくなったのだから、つまりは祖父を踏み付けにした仕打ちと取るやも知れなかった。

日蝕などとんと知らなかった初江は数日分の新聞をあれこれめくってみると、なるほど〝日蝕まであと二日、天候に気を揉《も》む観測陣〟〝世紀の大日蝕迫る〟〝大空の黒ダイアに世界の目〟などと大見出しで、世界中から大勢の科学者が観測用の新兵器を持って来日し、皆既日蝕のある北海道東北部を中心に観測網を敷いているとあり、太陽目視用の色硝子《いろガラス》が街頭で飛ぶ売れ行きともあった。もっとも初江には日蝕がどういう現象なのかわからず、そんなものに小学校一年の子が興味を持つ訳はないと悠太に聞くと、先生が教えてくれたと逆に母親を啓蒙《けいもう》する始末、それをおじいちゃまの天文台で見るなら「ゼッタイ行く」と大喜びだった。

当日は、走って帰った悠太に菓子パンと牛乳をあたえて新田に行った。利平は天文台で自慢の大望遠鏡に写真機を装着し、あちらのハンドルこちらのつまみと眼光鋭く動かし、と思うと刷毛《はけ》でレンズの表面をそっと撫《な》でて満悦していた。いとは白衣を着て、庭のテーブルにシャーレを沢山並べて、何でも日蝕中の紫外線量を測定するのだという。利平は目を輝かしている悠太にあれこれ解説した。太陽の前を月が横切る様子は刻一刻、ここにある投影板に大きく映し出される、見ているがいいと頭を撫でるのだが、肝腎《かんじん》の太陽は分厚い雲に隠れてさっぱり姿を現わさず、利平は天空に拳《こぶし》を突き出し、「無礼な雲じゃ。あっちへ行け」と怒鳴った。時期が悪いと初江は思う。梅雨が始まっている。連日雨か曇りが続いていて、きょうだけ晴れろと願うのがどだい無理である。コッコッチンと十秒ごとに音を出す天文時計にしたがって利平は望遠鏡を動かした。三時二十分になったが、ついに太陽は出現しない。しかし暗くなってきた。「今だ」と利平が叫んだとき薄気味悪い闇《やみ》がきて鶏が鳴き犬が吠《ほ》えた。悠太も「アー」と叫んだ。「悠坊、残念じゃ。雲がなければな、七十パーセントの見事な部分日蝕が観測しえたはずじゃ。おう、もう明るうなった。わずか二分間の夜じゃったな……」利平は三田に電話した。書生に命じて露台にも望遠鏡を据えたのだが観測は不成功だったという。レンズにカバーをかぶせ、天文台のドームを閉じると、利平はふたたび悠太に、「残念じゃったな」と言った。

もちろん庭先での紫外線量測定も失敗で、いとは道具を片付けた。利平は孫と娘とともに座敷に降りた。するといとがホットケーキと紅茶を運んできた。悠太は喜んで食べだしたが、初江はこだわりがあって手が出ない。蜜《みつ》をたっぷりかけ、「うまい」と頬張った利平は、「どうした。いとのケーキは極上の美味じゃ」と不思議そうに初江を見た。いとの手招きで悠太が畑のほうに去ると初江は、父に身持ちになったと告げた。「四人目か。今度は女がほしいと願うとるじゃろ。しかしな、今度も男だと思え。そうすれば男が生れれば嬉《うれ》しい。女ならばもっと嬉しい」利平は機嫌《きげん》よく言い、今の観測の失敗を苦にもしていない様子だ。初江は機に乗じて言った。「今度は家の近くで生みたいのです。悠次さんも洋行中だし、近くの産科医に診てもらいたいんです」「よかろう、お前の好きなようにせい。大切なことは丈夫な子を安全に生むことじゃ」利平はあっさり言い、話題を悠次の世界一周に移した。訪れる国や町があまり多くて初江は全部を言えなかった。「おれもいつかは外国を見てみたいが、開業医をしちょる限りは暇がないのう」と利平は笑い、「世界一周ができるような夫を持ったのを誇りに思え」と諭した。

「このごろ病院はどうですか」と初江が尋ねたとき利平の上機嫌は不意に吹き消されてしまった。父としては珍しく肩を落し、「いろいろあってな」と溜息《ためいき》をついた。「何があったんですか」「要するにお前のおっかさんが立派だったということじゃ。どんな物でも中心がのうなると、がたがた揺れるわ」「夏っちゃんはどうしてます」「一所懸命、やっちょる。だがな……」利平はそれ以上を語りたがらず話題を変え、「たまには孫の顔が見たい。もっと遊びに来い」と言った。初江は、新屋に移ってから荷物の整理に追われ、土日には悠次が客を呼ぶので出掛けられず、平日は悠太の学校が朝早いし一年生でも宿題があって無理だと弁解し、しかしなるべくもっと三田を訪れるよう努力しますと答えた。

それからも雨の日が続いた。時として降りやみ薄雲を通して陽光が染《し》みてくると、気温が上って暑く、蒸し風呂のようになった。池の面に蚊がやたらと発生して蚊帳《かや》が必要になり、時として夜は耐えられぬ熱気に悩まされた。水を吸った葉は濃く重く、泰山木《たいさんぼく》や夾竹桃《きょうちくとう》や紫陽花《あじさい》などの夏の花が咲き始めた。天気予報に晴と出た土曜日、悠次は久し振りに泊り掛けのゴルフに出た。さっそく初江は、子供たちを連れて三田に行った。夏江の結婚式の折に寄ってからひと月ちょっとしか経《た》っていなかったが、玄関を入ると目立つ変化に気付いた。待合室の前に薬局と並んで事務室ができていたのだ。前には薬剤倉庫として使っていた部屋の壁をぶち抜いて大きな硝子窓とし、その一部に受付の小窓が開いていた。白衣を着た男女の事務員が坐《すわ》っており、奥の大机には夏江が納まっていた。夏江は小暮一家に気付いて立ってき、いま締めの計算をしているがすぐ終るから奥で待ってくれと言った。利平はどこか尋ねると、奥で食事中だと答えた。

食堂脇《わき》の階段を二階にあがると、〝お居間〟の襖《ふすま》が開いていて、中には体操服姿の史郎がしきりと屈伸運動をしていた。「やあ」と会釈し、「きょうは体操部のOBが集って慶応のグラウンドで練習をするんだ。どうだ悠坊たちも見に来るか」「行く、行く」と子供たちは喜んで応じた。「ここもすっかり変ったわね」と初江は見回した。菊江の人形はすべて姿を消し、男ものの洋服箪笥《だんす》、机と椅子《いす》が持ちこまれ、体操の写真が壁にベタベタ貼《は》られていた。

三人の子供を史郎にあずけて身軽になった初江は、夏江の部屋に入ってみた。ところが雨戸が閉り、林檎《りんご》箱《ばこ》が積みあげられて物置のようだ。思い出した――夏江は中林と二人で病棟の端を仕切った新居に住んでいるのだった。

利平の居間を通って寝室に行くと、菊江のベッドには茶のカバーが被《かぶ》せられ、医学雑誌や聴診器や血圧計などが整然と並べられてあった。利平のベッドは糊《のり》がきいたシーツ、皺《しわ》一つない毛布で、鶴丸か誰かが身の回りの世話をしているらしい。室内の掃除も行き届いていて初江は安心した。座敷で話し声がする。利平が食事をしながら誰かと話している。相手の女が笑ったとき初江はびっくりした。秋葉いとの声ではないか。壁《かべ》蔭《ご》しで籠《こも》っていて聞き取れないが、ひどく親しげに冗談めいた物言いだ。利平のほうも高笑いで愉快そうに応じている。初江は嫌《いや》な気がした。利平の食事の相手は菊江と決っていて、たまに夏江や初江がお相伴したが、鶴丸とか女中では駄目《だめ》だったのだ。菊江の位置にいとがちゃっかり入りこんで主婦気取りなのが許せない。闖入《ちんにゅう》して、いとに向って何か皮肉の一つや二つは浴びせてやりたい。が、そうすれば利平の機嫌を損じて、せっかく久し振りに里に帰った甲斐《かい》がなくなる。と、初江はしまったと思った。子供たちを史郎にあずけてしまったが、まず利平に会わせるべきだった、あんなに孫たちに会いたがっていたのに。それに、子供たちと一緒ならばいとの前でも気まずい思いをせずにすむのだったのに。

思い切って座敷に入った。利平に示したにこやかな微笑を、そのままいとにも向けた。子供たちは史郎が連れ出しましたがすぐに戻るはず、今夜は泊って行きますと言うと、利平は喜んで、「あすは子供たちをドライヴに連れていくぞ」と言った。「それでは今晩、悠ちゃんたちのために御馳走《ごちそう》を作りますわ」といとが利平に頷き、初江にも思い入れをしたとき、初江の中で不愉快が弾けた。いとはまるでおのれが祖母として孫たちに御馳走するような口振りなのだ。ずっと悠太を〝坊っちゃま〟とか〝悠ちゃま〟と呼んでいたのを、馴《な》れ馴れしく〝悠ちゃん〟などと呼んだ。初江は、大急ぎで、「今晩は、夏っちゃんが子供たちに御馳走を作ると張り切っていましたわ」と断って席を立った。

その夜、初江と子供たちは夏江の新居で夕食のもてなしを受けた。病室を改造した部屋で、洋風の高窓や白壁と床柱の百日紅《さるすべり》や桐簞笥《きりだんす》とが不釣合《ふつりあ》いだったが、八畳二間に付属した台所は最新のガスレンジや大型の蠅帳《はいちょう》を備え、使いやすそうだった。中林は所用で外出中とあって姉妹水入らずの食事となった。利平があすは早朝から孫たちをドライヴに連れて行くと言うので、鶴丸に子供たちの風呂《ふろ》と就寝の世話をたのみ、初江と夏江は久々に二人きりで話し込んだ。

開け放した窓から蚊が飛びこむので、蚊帳を吊《つ》って潜りこんだ。蒲団《ふとん》に横になっているとそのうち中林が帰宅するだろうと心配になったが、今夜は外で泊るから大丈夫と言う。すると蒲団と部屋とに染みた男の臭《にお》いが気になったけれど、妹とのお喋《しゃべ》りが愉《たの》しく、さして苦にはならなかった。中林との夫婦仲をまあまあよと夏江は言うのだけれども、その言種《いいぐさ》の端が妙に歯切れが悪く、おかしいと疑ううち、先方から、夫が酒のみでまずは毎晩酒場へ行って深夜帰り、それに土曜の夜はどこかの酒場で飲み明かし日曜日に朝帰りという告白があって、初江が「そんなのひどいじゃない」と憤《いきどお》るのを夏江はかえって平気で、「構わないのよ、そういう人なんだから」と笑った。初江は話題を転じて、いとが子供たちに御馳走をしようと言った話をしたのが切掛けで、たちまち姉妹はいとの陰口に熱を入れた。

「本当を言うと、いとは、おねえさんたちが来たのが嬉しくはないのよ。だって、おとうさま、土曜日には新田にいとと行くのが極《きま》りですもの。心の中では、いらぬ邪魔が入ったと思ってるわ」「でも、わたしには愛想がいいわ」「表面だけよ。わたしにも愛想がいいもの。でも、本当は何を考えてるか知れやしない」「まさか院長夫人になろうと思ってるんじゃないでしょうねえ」「ありうるわよ」「でも、そんなんじゃ職員が納得しないでしょう」「でもないの。そうなると見越していとにへつらう看護婦も結構いるのよ」「いやあねえ」「人間って、いやあなものよ。わたしね、事務長になってみて気付いた。それにしても、そのいやあなことを全部ひっかぶってらしたのが、おかあさまよ」「ああ、おかあさま……」母について二人の想《おも》いは一致しているので、何も言わずとも心は通じ合った。夜遅くまであれこれお喋りし、初江は結局そこに泊った。

十日ばかり経った七月十五日の夜、小暮悠次は世界一周の旅に出発した。東京駅頭には、初江や子供たち、脇家、時田家、風間家の人々が顔をそろえた。会社側の見送りが大袈裟《おおげさ》に多く、その数約九十人であった。まるで出征兵士を見送るような万歳万歳の歓送ぶりに、ほかの客は何事があったのかと訝《いぶか》しんだ。定刻の九時、寝台急行列車は滑り出した。初江、悠太、駿次、研三が横一列に並んで手を振るのに悠次は八ミリの撮影機を回し続けた。小田原からは雨になった。同行の山名と話すうち眠くなった。翌日八時三十五分三ノ宮着。十一時に神戸港より乗船、一時間後に出帆、船は一路大連に向った。

8

夏。朝だというのにもうこの暑さ。食堂の天井から吊りさがった蠅取紙が汗をかいている。天窓の青空はすでに炎のように揺らめいている。たった一つの扇風機が狂ったように身震いを続けているが人々はまるでそれを当てにせず、団扇《うちわ》をつかい、扇子でせっせとあおいでいる。夏江は、朱漆の箱膳《はこぜん》を卓上に運び、蠅帳から納豆と香々《こうこ》を取り出した。賄方《まかないかた》の所に汁椀《しるわん》を取りに行こうと思っていると脇から出た手が、汁の入った椀を膳に置いてくれた。間島婦長がにっこり笑っていた。夏江が飯をよそおうとすると、今度も、婦長がよそってくれた。「ありがとう」「いいえ」「暑いですわね」「はい、夏ですもの」「それはそうね」

夏江は利平の発明した蠅取装置に吸いこまれた蠅が水に落ちて溺《おぼ》れるのを見た。水を満たした硝子の鉢《はち》に小さな穴から蠅を誘いこむこの装置は、最近はデパートの売場でも置いてくれるようになった。しかし実用新案登録をしたにもかかわらず、類似品が出回り、利平は大した利益をあげていない。

看護婦たちは、大急ぎで飯を搔《か》っ込んでいる。生卵をかけて嚙《か》まずに飲みこむ人もいる。白衣と白い帽子がせわしく交叉《こうさ》する。そんなに忙しげにしているくせに、彼女たちは結構お喋りでよく笑う。〝暑い〟という言葉が何度でも繰り返される。

「おや、おはよう」とざっくばらんな物言いは久米薬剤師だった。五十一か二のはずだが、左頬《ひだりほお》の痣《あざ》を隠すため厚化粧していて、それが皺隠しにもなっていて若く見える。「お嬢さま、眠れたあ」と尋ねる。

副院長夫人が〝お嬢さま〟では困るし、その上職員の頂点に立つ事務長に対して敬語抜きで、まるで同輩のように話しかけるとはけしからんという表情が、間島婦長の目付きに染み出た。夏江の結婚以来、婦長は従来の〝お嬢さま〟をやめ、〝奥さま〟に改めた。この呼称を職員に徹底させようとするのだが、古くからいる者は、つい〝お嬢さま〟と呼んでしまう。そして、間島婦長などよりずっと前からこの病院で働いている久米薬剤師にとっては、後輩の婦長のお触れなどに従う必要はないという矜持《きょうじ》があるし、夏江が赤ん坊のときに抱いて子守をした自分が今さら敬語など使えるかという態度を職員の前、とくに婦長の前では示したがるのだ。薬剤師は婦長の目顔をじろりと見返すと重々しげに言った。

「ヒョウが逃げだしたそうよ」

「ヒョウ……」夏江は意味がわからず聞き返した。

「上野動物園の黒豹《くろひょう》で、朝早く檻《おり》を破って脱走したと、ラジオのニュースで言ってたわ」

「まあ……」「こわい」「まだつかまらないんですか」付近の看護婦たちが好奇心をあからさまに目に光らせて振り向いた。

「まだつかまらないの」久米薬剤師は夏江だけに低い声で言った。すると、かえって周囲の者が聞き耳を立てる、その効果をねらっている。「何しろ獰猛《どうもう》なシャム生れの人喰《ひとく》い豹で、どこでどう襲い掛るかわからず、動物園は閉鎖して、ピストルを持った警官隊が出動して、それはもう大変な騒ぎらしいわ」

「どうして逃げたのかしら」と夏江は尋ねた。すでにして食堂内はしんとして久米薬剤師の話を聞いている。

「古賀園長の談話では、十日の間に鶏一羽しか食べず飢えてたんだって。それがこの暑さで興奮して、ついに檻を破っちまった」

「ここまで来るかしら」

「さあ……アナウンサーの放送では、上野の森にひそんでいて、昼間は動かず、夜になって動き出すと言うんだけど」

「ここまでは来やしませんよ」と間島婦長が言った。

「しかし、芝区は森が多いからな」と言ったのは、いつのまにか食事を始めていた中林副院長だった。「夜になったらわからん。豹ってのは夜行性で行動範囲が大きいんだ」

「まあこわいこと。いやですわねえ」と間島婦長が言った。「早くつかまえてほしいですわ」

「射殺すべきだ」と中林が吐き捨てるように言った。「どうせ暑さに狂ってるんだから」

「ともかく、上野には近付かないほうがいいわね」と夏江は、久米薬剤師に向い、その実、夫に聞かせるように言った。「上野、浅草……あちらは危険よ」今日は土曜日、中林はきっと飲みに出掛ける。どこかで飲むだけでなく泊ってくる。行先は下町と言うが、上野、浅草あたりらしいと夏江は見当をつけている。

中林は、濡《ぬ》れ手拭《てぬぐい》でしきりと額や首の汗を拭った。信州生れの彼は暑さに弱く、大の汗っ掻きであった。が、今、夏江にとっては自分の皮肉がきいたせいとも見えるのである。

黒豹の話が一段落すると看護婦たちが座を立った。彼女たちは深夜から朝までの勤務で、朝食後は寮や下宿に帰るのだった。かわって日勤の者たちが姿を見せ始め、食堂はまた別な雰囲気《ふんいき》で賑《にぎ》わってきた。と、何かがその場の空気を変に抑えつける感じがして、秋葉いとが現れた。看護婦の服装をして、帽子には主任の印の黒の一本棒をつけている(因《ちな》みに婦長は二本棒だった)。どこから見ても看護婦然としている彼女が、看護婦たちに嫌《きら》われている様子が一目で見てとれた。いとが坐った食卓にいた三人が自分の箱膳を持って隣の食卓に移動したのだ。いとの前に残ったのは、最近来たばかりで様子の摑《つか》めぬ若い子一人だけだった。のみならず、みんなはいとを見て見ぬ振りをして何やら意味ありげな目くばせを交し合い、逆に彼女と無関係な話題に興じ、調子はずれな高笑いをした。

当のいとはわざと気付かぬ体でいた。ちらと目が夏江の方角へ動いたが、醬油《しょうゆ》の瓶《びん》に手をのばしたのみで、眼中に夏江がない様子だった。それを見て、「何て失礼な」と間島婦長がいとには聞えぬ程度の小声でつぶやいた。

そこへひょっこり鶴丸看護婦が入ってきた。近頃《ちかごろ》一層目立つ猫背《ねこぜ》を突き出し痩《や》せた体で空席を探している。久米薬剤師が自分の隣へ呼んだが、鶴丸はそれを無視して、いとの真むかいに坐り、頭を下げた。いとの澄まし顔がたちまちこぼれるような笑みに変った。「いやらしい」と間島婦長が言ったが、二人のうちどちらに対して言ったのか不分明だった。

夏江が立つと間島婦長が追ってきた。「奥さま、折入ってお話が……」と言う。夏江はちょっと考えて「診察室へ行きましょう」と先に立った。事務室は人目が多く、外来診察の始まる前の診察室が院内では一番密談に適していた。

「秋葉の問題なんです」と間島婦長は切り出した。「これは診療部の問題ですから、副院長先生に申しあげるのが筋だと思って申しあげてはみたのですが、一向に解決策がおありにならないので、事務長としての奥さまに御相談いたしたく思いまして……」

「どういうことでしょう」

「あんな看護婦は困るんです。婦長としてのわたしの仕事のうち最重要なのは、看護婦の勤務日程表を作ることなんですが、せっかく作った表に、秋葉だけは従いません。医学研究室のほうが忙しいとか、おお先生の特別な御用……」と言って間島婦長は言うも穢《けが》わしいとばかりに口を歪《ゆが》めた。「まあ、御用だとか言って、三つに一つは抜けてしまいます。穴埋めを誰かに頼もうとしますと、あの人の肩代りだけはまっぴら御免と誰も引き受けてくれません。それどころか、あの人と一緒の手術は嫌だ、当直は嫌だと日程表を発表するたびに辞退者が出る始末です」

「困りましたね」と夏江は眉《まゆ》をひそめた。声を洩《も》らさぬため窓を締め切った室内は耐え難い暑さだ。

「もともと、わたしは秋葉の再就職に反対でした。反対だと、はっきり、おお先生に申しあげましたの。しかし、本人のたっての希望だし、看護婦として婦長の指揮下に入れるからというお約束で承知いたしましたんです。ところが、おお先生は秋葉を医学研究室付になさって、診療部には出向させる形式になさった。困るんでございますよ、内股膏薬《うちまたごうやく》は。本人はそういう立場をいいことに、診療部の仕事を勝手に抜ける始末です」

「困ると父におっしゃったの」夏江は団扇を停《と》めて婦長をじっと見た。この暑気のなかで婦長は汗も浮べていない。

「とんでもない。わたしごときが、どうしておお先生に申しあげられましょう。雷が落ちて終りでございます」

「中林は何と言いました」

「何もおっしゃいません。フーンと横を向いて黙ってしまわれただけでした」

「主人らしいわ」夏江はじれったそうに言い、我慢しきれなくなって窓を開いて風を入れて息をついた。揚げ物でもしているような油蟬《あぶらぜみ》の声が一時に侵入してきた。「で、間島さんの御意見ではどうすればよろしいですの」

「あの人を」婦長は声をひそめた。「追放すればよろしいんです。看護婦をやめさせ、できれば、おお先生と別れさすんです」

「そうできればね。わたしだってそう願ってる。でも……」夏江は目を閉じると、溜息のように言った。「父はあの人に弱いんですの。母がいなくなったあと、身の回りの世話は、ずっとあの人がしてますし……」

「おお先生のお気持もわかるんです」と間島は、すこし調子をやわらげた。「わたしがこう申しますのも、おお先生の病院だからです。博士にもなられ、せっかく立派に作りあげられた病院が、ちょっとした不都合でがたがたになっては困ると心配しているからです。何と言ったって看護婦は病院の要《かなめ》で、これがしっかりしてませんと、病院全部が駄目になります」

「よくわかるわ。だから、物事のけじめはきちんとしたい。でも、この問題は父にもうまく割り切れないんです」

「でも、おお先生はこの病院を何よりも大事に思っておられます。ここまで立派に育てあげ、これからも成長していく病院と病院を頼りにしている患者さんのために、どうしたらいいか、ようくお考えになれば、かならず目が覚められます。そのためには奥さまの直言が一番効き目があります。わたしたち看護婦風情《ふぜい》が何を言っても駄目ですが」

「わたしでも駄目よ。父は誰の言うことも聞かない人ですもの。外から誰かが忠告すれば、ますます頑《かたく》なに御自分を主張なさる。逆効果なのよ。間島さんだってご存知でしょう」

「存じてます。すると方法は一つしかありません」間島は、眼球の中に閃光《せんこう》でも弾《はじ》けたように、眼《め》をギラギラさせた。「あの人が自分で出て行くように仕向けるのです。つまり、言葉はしたないですけど、いびり出すのです」

いつもは慇懃《いんぎん》で取り澄ました婦長が、突如毒蛇《どくじゃ》に変身したかのような様子になったので夏江はどきりとした。〝イビリダス〟の発音など唾《つば》を飛ばし歯を剝《む》き出して、物凄《ものすご》いばかりの形相だ。

院長回診の時刻が迫ったので間島婦長は病棟へ去り、夏江は、ようやく出勤してきた事務員たちとともに事務室に坐った。外来患者が受付に列を作っている。九時半頃になると待合室は患者たちで一杯になり、溢《あふ》れ出た人々が廊下の床に坐ったり、玄関の框《かまち》に腰掛けたりしていた。夏休みに入ったせいで子供が大勢来ている。子供たちに人気があるのは玄関正面の硝子《ガラス》ケースに入った巡洋艦八雲の大型模型である。砲塔内部の装備や船室の調度まで見分けられる精巧な作りで、悠太など、時々祖父にねだって手に触れて楽しむのだった。

十時すこし前、入院病棟との境のドアが罠《わな》が弾けたようにポンと開くと、時田利平院長を先頭に、中林副院長や医師たちが入ってきた。入院患者の総回診が終ったところである。利平は待合室の患者たちをぐっと見回し、顔見知りの人々が一斉《いっせい》に挨拶《あいさつ》したのに、「よしよし、まかせとけ」と言うように大きく頷《うなず》き返した。つぎの瞬間、取っ付きの診察室から、看護婦に命令する利平の大声が響いてきた。

患者の数が急に増えてきた。利平が博士号を取得した頃から、外来の待合室が満席となる事態が生じてきた。新聞に記事が載ったためもあったろうし、増上寺での菊江の盛大な葬儀が評判となったせいもあろうが、利平が宣伝に力を入れた結果が大きいと思われる。「医学博士時田利平創立時田病院　外科内科小児科レントゲン科歯科　結核サナトリウム完備」というのを、三之橋や古川橋や魚籃坂下《ぎょらんざかした》などの停留場の柱に塡《は》めこみ、病院前の電柱は全部借り切って「時田病院」の名をかかげた。そうして五月二十七日の海軍記念日（つまり夏江の結婚式の前日）には飛行機から二万枚の宣伝ビラを撒《ま》いた。もっともこの日は生憎《あいにく》の雨（何でも太陽の黒点の影響で冷気による雨となったという）で、せっかく撒いたビラがばらばらにならず、その一塊が事もあろうに愛宕《あたご》署の庭にどさっと落ち、危険物投下の科《とが》で始末書を取られる羽目になった。

結核患者の内科診療を充実させるためと患者の数の増大に備えて医員も増やし、中林副院長のほか五人の若い医者を雇った。看護婦も、利平みずから故郷山口県に出向いては二人、三人と若い子を連れ帰り、二十人近くは増員した。ところでうまく人を集められなかったのが薬局である。入院外来ともに急増した患者への投薬処理のため、久米薬剤師のほか、出来ればもう二人、すくなくとももう一人、薬剤師がほしいのだが、それが思うにまかせぬのだ。

夏江は、机で事務をとりながら、むかいの薬局で久米薬剤師が忙しく立ち働くさまが気になった。つぎからつぎへと回ってくる処方箋《しょほうせん》を彼女がひとりで調剤している。目の回る忙しさに血走った目が、今にも飛び出しそうな感じだ。それに土曜日と言うのは入院患者用の日曜日の薬の作り置きもせねばならない。見かねて夏江は事務の女の子をひとり手伝いに行かせた。が、すぐ泣きべそをかいて帰ってきた。乳鉢内の薬のまぜ合せ方が不充分だと久米薬剤師にこっぴどく怒鳴られたためと言う。夏江は、自分が手伝ってやるより仕方がないと心積りして薬局に出向いた。

「おや、お嬢さま、何の御用」

「だって〝お久米さん〟（と子供の時からの呼名でいう）、猛烈な忙しさでしょう」

「なあにこのぐらい。それより事務長おんみずからお出ましでは、事務室が困るんじゃないの」そう言いながらも天秤《てんびん》にピンセットで分銅を載せ、粉薬を測って乳鉢にあける、手つきは素早くて無駄《むだ》がない。夏江は、薬剤師が薬包紙に分配した粉薬を、手ばしこく包み始めた。薬袋《やくたい》に入れて服用法を書きこむ。患者の名を呼んで渡す。夏江が手伝いだすと仕事が捌《さば》けだし、それにつれて久米薬剤師の顔に和みが出てきた。頃合いを見て夏江は言ってみた。

「お久米さん、早く人を雇わなくちゃ」

「でも、いい人は少ないわ。この前の人みたいなのは困る」

「それもそうね」と同意し「来週ひとり面接に来ます。今度はよい人だといいけれど」

「男、女」

「女よ」

「女ねえ」久米はピリっと縦皺《たてじわ》を額に走らせた。この春以来、新聞広告で二人の女薬剤師が応募してきた。最初の人は学校出たての若い人で、調剤ミスが多く、叱責《しっせき》するとかえって腹を立て、こんな薄給の仕事なんていやだと三週間でやめてしまった。つぎの人は四十歳ぐらいの独身女で、ながらく薬屋に勤めただけあって仕事馴《な》れはしていたが話好きで、自分の男性遍歴を得々と喋《しゃべ》るので、たまりかねて注意したが改まらず、逆に、五十すぎまで独身を貫いてきた薬局長の生き方を嘲笑《ちょうしょう》する始末、ついに利平院長に直訴して彼女を馘《くび》にしてしまった。しかし、やめるとき独身女は院長に、久米について、「あんなユーモアを解さないガサツな人が薬局長では、誰も来てがない。この職場は息が詰まる」と散々悪口雑言を言い残したものだから、院長は久米を呼び、「お前のやり方が悪い。あんなふうな人の使い方では来てがおらん」と叱《しか》りつけ、これが久米の癇《かん》に障って、夏江事務長の所に駆け込んで、わんわん泣いたものだった。〝女ねえ〟と言った一言には、だから独身女への鬱憤《うっぷん》が凝縮されていた。

「大丈夫よ」と夏江は、就任してかれこれふた月、やっと身についてきた事務長らしい威厳を微笑にこめて言った。「今度の人は、手紙で見たかぎり、おとなしそうな人。学校を卒業してから主婦として生きてきたのが、子供が大きくなったんで働きたいのですって」

「子持ちの主婦ねえ」久米は、薬匙《やくじ》の先で乳鉢の内壁をカリカリ引っ掻いた。鉢の中身を神経質に掻き出そうとするこの仕振りは、彼女が何か気に入らぬことがあるとよくやる癖だ。

「子持ちじゃいけないの」

「いけないことはないけどね……」

「ともかく、会ってみて下さいな。その上で採用するかどうか決めましょう」

「ええ」久米薬剤師は渋々頷いた。まるで、〝お嬢さま〟がおっしゃるなら仕方がないからそうすると言わんばかりの態度だ。考えてみればこの態度はおかしいので、そもそも薬剤師の不足を訴えたのは彼女のほうで、彼女のためにこちらは一所懸命人探しをしているのだから、大喜びで感謝して見せるのが礼儀なのだ。が、夏江はそれだからと言って気色ばみはしない。昔から久米という人は変に気位が高く、自分の要求を人がのむのは当然と思いこむふうもあり、それを自分の仕事に打ちこむ人の我儘《わがまま》として許容するのが菊江の方針だったし、夏江もその方針を受け継いでいこうと思っているからだ。

外来の処方箋がどっと回ってきて、しばらく二人は夢中で立ち働いた。夏で皮膚病が多いせいで〝完皮液《かんぺーき》〟〝完皮膏《かんぷこう》〟というのがよく出る。ともに利平が開発した外用薬で、前者は、蚊や南京虫《ナンキンむし》、その他の虫刺されの特効薬、後者は、外傷、かぶれ、ただれ、炎症など皮膚の内部（真皮に達する病変）の万能薬であり、新聞に大きく広告を出したせいもあって、この二薬のみを買いに来院する人も引きも切らないのだ。中には大量に買い付ける人もいて、「カンペーキ十瓶」「カンプコー五十瓶」などと、いきなり窓口で叫んだりする。病院内の薬局というより町中の薬屋のような繁昌《はんじょう》だ。

事務員が夏江事務長を呼びに来た。賄方《まかないかた》元締めのおとめ婆《ばあ》さんが急用だという。事務室に戻ってみると、おとめ婆さんが赤い頰《ほお》に汗を流して待っていた。昼食用の鯵《あじ》のお腹《なか》を割いたら腐っていて蛆《うじ》が出てきた、〝魚文〟より大量に仕入れたのだがこれでは使い物にならぬ、すぐ全品を突っ返してかわりの夏鰊《なつにしん》を注文したが数がそろわぬ、どうしたものかという。この節の食品は腐敗しやすく、つい一週間前も、夕食に出した蒲鉾《かまぼこ》が傷《いた》んでいて入院患者の中に急性下痢が続出し、集団中毒事件として新聞記者が取材に来訪したのを、金をつかませて揉《も》み消したばかりだった。そんなところへ、腐った鯵では大いに困るのだ。夏江は小さい時からの知合いである魚文の親爺《おやじ》に電話し、芝区内の魚屋に連絡してあるだけの夏鰊を集めるよう確約を取り付けた。やれやれと思っていると医療機械屋が新式の繃帯《ほうたい》巻き取り装置を売りこみに来、やっと追い返したところに製薬会社の宣伝員が新薬の試供品を持ってきたのを医員たちと相談してくれと久米薬剤師が現れる始末、人事・物品購入・会計と沸騰《ふっとう》するような忙しさに追われているうち、いつしか正午となっていた。あちらこちらでサイレンが鳴る。玄関前の砂利の照り返しが眩《まぶ》しい。全くのところ脳がふやけてしまいそうな暑さで、看護婦や患者の動きも、融《と》けた水母《くらげ》のようにのろのろしている。中庭の蟬しぐれのなかを誰かがサンダルを引き摺《ず》って行った。すると夏江は葉山の道を連想した。強烈な日差しのもと、サンダルで砂埃《すなぼこり》を立てながら海岸にむかう初江や子供たちが白っぽい映像となって見えてきた。寒ければストーブを焚《た》くなり厚着をすればよいけれども、暑さだけは避けようがない。海か山へ行けるのは主婦か子供に限られ、自分のような勤め人は為《な》すすべもなく暑熱に苦しめられる。海に行きたい。いまごろ、小暮と風間の一家は海風に洗われ快適な暮しをしているだろう。

午後二時を過ぎた頃からようやく待合室の人影がまばらになってきた。診察室や手術室に詰めていた看護婦もつぎつぎに昼食に立っていく。夏江は事務員たちを帰し、ひとり残って出納簿を整理し始めた。やがて、利平や医員たちも奥へ引っ込み、あたりがひっそりとして扇風機の羽音がやけに大きく響いた。仕事仕舞いした久米薬剤師が姿を見せ、人が変ったような和やかな気色で「先程お手伝い有難う。ラジオのニュースによると黒豹《くろひょう》がつかまったそうよ」と言った。「動物園の近くのマンホールの中にひそんでいたんだって。発見したのは公園課の土木監督で、黒豹は暗い所が好きだから下水道に逃げこんだに違いないと見当をつけ、マンホールの蓋《ふた》を一つ一つ調べたら、闇《やみ》の中にランランと目が光ってた。で、大騒ぎで檻《おり》をかぶせて、ほかのマンホールから竹竿《たけざお》に火をつけたのを差し入れ、追い出したそうよ」

「まあ、生きて摑まってくれてよかった。黒豹だってこの暑さだもの、可哀相《かわいそう》にどこかへ逃げ出したくなるわよ」

「本当に、燃えあがっちゃうような猛暑だわねえ」久米は手の平で首のあたりを扇《あお》いだ。

「暑いときに、また暑い話でなんだけどね」と夏江は顔を寄せた。「あなたの御意見をぜひ伺いたいことがあるの」

「はい、何でしょう」久米は、夏江の改まった態度に敏感に反応して背筋を伸ばした。

「今から言うことは、絶対にここだけの話よ。わたし、お久米さんだから相談するんだから」

「そんな念を押さなくったって」と久米は夏江を睨《にら》んだ。「わたしがお嬢さまの秘密を洩らしたりしたことが一度でもありますか」

「ないわ。だから話すの」と夏江はにっこりとした。「まず、あなたにお聞きしたいのは、秋葉さんをどう思うかってことなの」

「どう思うか……」久米は用心深く聞き返した。「秋葉さんの何について……」

「そうね」夏江も慎重に言った。「秋葉さんの看護婦としての能力について、どう思うか」

「それならば」久米は、大きく頷いた。「優秀な人だわ。看護学校では優等生だったし、手術室助手なんかもちゃんと出来るし、それに、おお先生の博士論文の研究だって、彼女がいたからはかが行ったんじゃないかしら」

「そう……」夏江には久米が秋葉いとを褒《ほ》めるのが意外だった、たしか以前には、間島婦長と一緒になっていとの陰口をたたいていたのに。「じゃ、彼女の立場……父との関係についてどう思う」

「それは、わたしなんかにはわからないわ。奥さまがおられた頃には、けしからぬことと思ったこともあったけど、今は事情が変ったし、おお先生のお気持に従うより仕方がないと思うけど」

「そう……しかし……あの人が看護婦でいると病院のなかが何となくうまくいかない……人と人との関係がギクシャクして……お久米さん、その点についてどう思う」

「けさ、婦長がお嬢さまに何か言ったんでしょう」

「ええまあ……」どの程度話そうかと考えているうち、久米がずばりと言った。

「間島婦長は秋葉さんが煙たいのよ。婦長のほうが十年は先輩だけど、同じ看護学校の出身だし、秋葉さんのほうが十年若いだけ最新の看護技術を身につけているし、とくに大手術の助手の力は上だし、レントゲン撮影もできるし、おお先生の御研究——紫外線の何とかやら——のお手伝いもしたし、婦長は秋葉さんが煙たいのよ。自分よりも能力が上だから妬《ねた》ましい。だから必死で追放しようとする」

「まあねえ、秋葉さんを嫌《きら》ってるのは間島さんだけじゃなく、大勢いる……わたしの知る限り、誰もが嫌《いや》がってる。けさの食堂でだって……」

「古い人はそうかも知れないわね。以前おお先生とのあれを快く思わなかった人は今でもそうでしょう。でも、そんなふうになったのも、間島婦長が有る事無い事吹聴《ふいちょう》して回ったからだわ。若い人は、とくにおお奥さまが亡《な》くなられたあとに入ってきた人は、秋葉さんについて別に何とも思わないんじゃないかしら。間島婦長が、なぜ有る事無い事吹聴したかってえ理由をみんなが知れば、みんなはっと目が開くかも知れないわ」

「その理由ってなあに」

「言いにくいわ」と久米はきゅっと口を噤《つぐ》んだが、その癖、夏江の気を引くように、目を細めて小鼻に皺を寄せた。「とくにお嬢さまには」と思わせ振りに言う。

「どういう意味よ」と夏江は苛立《いらだ》った。食堂から戻った看護婦たちが診察室や手術室の後片付けを始めた。シンメルブッシュ煮沸消毒器よりあげた古繃帯を紐《ひも》に掛けて乾かす。白タイルの床をモップで清掃する。あすの日曜日の相談であろう、若い看護婦たちの明るい笑いが響く。

「今は言えないの」となおも久米は言った。「いずれ機が熟したら……」

「今言って頂戴《ちょうだい》」と夏江は強く言った。彼女自身にも思い当るふしがあって、いずれは確かめようと思っていた。それとなく菊江や鶴丸に尋ねたりしたけれど、いつも有耶無耶《うやむや》な返事や意味深長な沈黙で終っていたのだ。夏江はもう一度強く言った。「事務長として知っておかないと困るの。父と間島はどういう関係なのか言って」

「それなら言いましょう」久米の頰の痣《あざ》が赤く浮き出し、汗が玉となって流れた。「間島さんは……秋葉さんの前の……おお先生の……何なんです。このことは……院内では……公然の秘密だったのよ」

「やっぱり、そうだったのね」〃お気の毒なおかあさま〃と夏江は思った。母は五十二で死んだ。間島は四十ぐらいで、いとは三十そこそこだろう。十も二十も年下の女に夫を奪われ、それでも夫に忠実に従い、病院を守《も》り立てるために病いを押して働いて、ついに燃え尽きた。

「間島さんに……男の子が一人いるのよ」

「えっ」夏江は聞いた言葉が信じられずに久米の無表情な顔を見詰めた。もともと表情の乏しい人で喜怒哀楽がはっきりしない。

「おお先生とのあいだの子供という噂《うわさ》……これは噂なの。間島さんはずっと独身を通してきた人で、子供がいるのは妙でしょう」

「その子はどこにいるの。いくつぐらいで、何をしているの」

急《せ》き込んで尋ねる夏江を焦《じ》らすかのように久米は沈黙していた。それから、取って置きの打ち明け話をしてあげているのですよという調子で言った。

「その子は五郎と言って、伊東の旅館で働いているそうよ。ちょうどお嬢さまと同い年ぐらい、二十前後でしょう。なぜかというと、お嬢さまが赤ちゃんの頃《ころ》、間島さんが身籠《みごも》っていたのを覚えているから。大きくなってからも時々間島さんを訪ねてくるのを見掛けたことがあるわ。そうして……五郎は、傴僂《せむし》ですよ。何かの病気で背が曲ってしまい、背が伸びないらしい」

「ちっとも知らなかったわ」

「ええ、五郎について知っている人は院内でも、わたしと鶴丸ぐらいのものでしょう。もちろん、おお先生は御存知でしょうけど」

そのとき、廊下の端に当の間島婦長が現れた。久米薬剤師は、婦長が事務室の前に来ると、わざと大声で夏江に「そろそろお昼に行かない」と言った。

食後自宅に戻って見ると中林は蚊帳《かや》の中で午睡をとっていた。夏江は病院の出納簿を持って二階の利平の居間に入り、算盤《そろばん》を弾《はじ》きながら収支の締めをおこなった。この出納簿には、事務室の人たちには見せられぬ裏があるので、あちらでは診療関係の帳尻《ちょうじり》だけ合せ、こちらでは税務署用の数字を書き加えねばならぬ。新田の普請《ふしん》費といとの着物・帯・宝石代を、病院の増築費・医療器具代・薬品代にするのだ。それだけではない。利平はこの春、不意に伊東に温泉付の別荘を購入し、いとと遊びに出掛ける。この別荘を職員用の保養所という名目にして、必要経費に計上せねばならない。こういう操作の大体の要領は菊江が教えてくれ、空の領収書を出してくれる業者とも連絡がうまくとれている。が、税務署に尻尾《しっぽ》をつかまれぬよう細心の注意と工夫がいる。外来・入院患者の増大や完皮液や完皮膏の売行き好調に気をよくしたのか、利平は気が大きくなっていとに入れ揚げる額を急増し、かえって月によっては赤字を出す。五月など夏江は、自分の結婚費用として別枠《べつわく》に預金してあった五千円の半分近くを赤字補塡《ほてん》に回し、披露宴《ひろうえん》への招待客を三分の二に減らしたのだった。このままでは、時田病院は傾いていくと心配で、時々父に忠告めいた進言をするのだが、いとに関する方向へ話がむかうや利平は機嫌《きげん》を損じ、話が中途半端《はんぱ》に終るのだった。時々夏江は何もかも投げ出してしまいたくなった。父の病院のために努力するのは厭《いと》いはしない。しかし、世の中の汚い裏や人々のおぞましい確執を見るにつけ聞くにつけ、自分の努力が空《むな》しく思えた。そして、困ったことに、努力すればするほど父への尊敬の念が減じてくるのだった。

ふと、久米薬剤師の言った傴僂の五郎が伊東の旅館で働いているのが気になった。利平が伊東に別荘を買ったのは、五郎に会うためではなかったのか。すると五郎といととの関係はどうなってるのだろう。あれやこれや想《おも》いが乱れ、頭の働きが鈍ってきた。夏江は帳簿を悲しげに眺《なが》め、深い溜息《ためいき》をついた。おかあさま、助けて下さいな。わたしの力には余る厄介事《やっかいごと》が多すぎるわ。でも……と夏江は思った。菊江は長年この厄介事を黙って処理してきたのだ、それはどんなに辛《つら》い悲しい月日であったろう。

座敷に利平があがってきた。いとも一緒らしい。一風呂《ひとふろ》浴びた利平はこれから遅い昼食を食べるのだろう。夏江は、自分が隠れて探偵《たんてい》でもしているような、落ち着かぬ気分になった。利平といとが一緒にいると、自分が邪魔者として弾き出されてしまう感じなのだ。猫《ねこ》のように足音を忍ばせて下に降りた。食堂に坐《すわ》っていたのは鶴丸看護婦ひとりだけだった。挨拶《あいさつ》を交したすえ、夏江は、この、病院一番の古参看護婦の意見を聞きたくなった。「鶴丸さん、今、暇ある」「はいはい、午後は非番ですから」「ちょっとお話したいんだけど」「ようございますよ」夏江の目付きに気配を察した鶴丸は炊事場の賄方たちを一瞥《いちべつ》し、「どこか別な所で」と言った。

「そうね」夏江は困った。沢山の部屋があるのに外に話が洩《も》れぬ密室は少ない。外来の診察室が最良だが間島婦長がいる。二階にはいとが、自室には中林がいる。そして病室はどこも満員だ。すると鶴丸は、「わたくしの部屋でよかったらどうぞ。狭い所ですが」と言った。鶴丸が看護婦寮に寝泊りしているのは知っていたが、まだ訪ねたことはない。病院の北側、徳川邸に接する場所にある木造二階屋、木賃アパート風の建物で、看護婦以外の人間はちょっと入りにくい、女の城といった雰囲気《ふんいき》を備えている。

鶴丸の部屋は二階の端の四畳半であった。押入れはなく、畳に蒲団《ふとん》が積み重ねてある。小さな箪笥《たんす》が一つ、あとは卓袱台《ちゃぶだい》さえなかった。さいわい風通しはいい。

「さっそくだけど、間島婦長をどう思う」

「ああ」鶴丸は丸い背をさらに丸めた。何もかも知っている自信が微笑に溢《あふ》れている。「けさ奥さまに何か言いに行きましたね。あれ、秋葉を馘にしろとか申したんでしょう。間島の考えるのは、それぱっかしですから」

「間島って、どういう人かしら」

「一言で言って締りのない人です」

「そうかしら」夏江には思い掛けない意見だった。

「こういうことがありました。わたくしがまだ婦長をやっていたとき、入院患者の預り金が足りなくなったんです。預り金というのは、患者の日用品購入に当てるあれです。調べてみると間島が一部を私用に使ってたんです。あとで返すつもりで一時拝借しただけと言うし、即金で返済したので不問に付しましたが、これに類した事件は数え切れぬくらいです」

「そんなんじゃ困るわね。よく婦長なんかやってられるわね」

「それが不思議な人で、仲間内では人望があるんですよ。自分が締りがないから、下の者もたんとは締め付けない。おお先生の御機嫌斜めもお叱りも全部自分ひとりで受け止めて下へは向けない。ここらあたりの芸当はほかの者にできません。秋葉なんかにはとても」

「しかし、看護婦としての技術や力量は秋葉のほうが上でしょう」

「誰がそんなことを言いました」と鶴丸は度の強い眼鏡をさげて、ギロリと夏江を見た。不断痩《や》せ細って、いかにも生彩のない婆さんが、元婦長の名残りを見せるのはこういう時である。

「お久米よ」と夏江は正直に答えた。

「お久米なんか」と鶴丸は鼻先で笑った。「ただの薬剤師じゃないですか。いらぬ口出しをするしか能のない人です。お久米は間島と仲が悪いんです。入院患者の薬を取りに行く若い看護婦を平気で怒鳴りつけるんで、しょっ中間島が抗議し、二人でいがみ合ってる。お久米のは、まったく個人的恨みから出たんで信用できません」

夏江はかつて聞いた久米の鶴丸への評言を思い出した。「鶴丸さんて、けちな人ですよ。元婦長でいながら若い看護婦と一緒に寮にいるのがその証拠です。あそこは宿泊費ただ、電気代ただ。あそこに住んで院内の食堂で三度の食事をすれば一銭もかからない」鶴丸が、こうも久米を悪く言うのは、久米の自分への誹謗《ひぼう》を伝え聞いているせいかも知れない。

「実はね」と夏江はやっと本題に入った。「けさ、間島が秋葉の看護婦をやめさせてほしいと申し入れてきたの。秋葉が間島の指揮に従わないで勝手な行動をすると言うのが、その理由よ」

「正論でしょう。秋葉は看護婦仲間での折合いも悪いし、看護婦をやめさせたほうがいいですよ」

「間島は、秋葉を父のそばからも追放したいらしい」

「そんなの越権です。だって、おお先生のお身の回りのお世話をする人が誰か必要です。今は秋葉にさせておき、将来もっと若い子を見付ければいいです」

「もっと若い子ですって」夏江はびっくりした。

「すみません、あけすけに申して。でも、おお先生という方は、いつも誰か女が近くにいないとお仕事がおできにならない。今、秋葉が用立つなら、それでよろしい」

「そう割り切れたらねえ……」夏江は、傴僂の五郎の存在など大した出来事とは思えぬ気がしてきた。下手に鶴丸に質問して五郎以外の隠し子が出てきたら藪蛇《やぶへび》だとも思う。まだまだ隠し子がいそうな恐れが拭《ぬぐ》い切れないのだ。割り切れない、もやもやした気持のまま自宅に戻ると、白麻の浴衣《ゆかた》にパナマ帽の中林と出合頭に顔を合わせた。

「おや、お出掛けですか」

「うん、暑気払いに一杯やってくる」中林は妻を振り向きもせず、出て行った。

9

朝食と昼食は食堂で職員と並んでとるが、夕食だけは自宅でとる極《きま》りであった。夫婦とも働いているので二人水入らずで顔を合わす機会をせめて夕食の時ぐらい持ちたかったからである。結婚当初はそれがうまく行っていた。晩酌《ばんしゃく》を傾けながら中林松男は、新妻にむかって院内の些事《さじ》や職員の品定めを面白おかしく話し、夏江も酒の燗《かん》をしながら夫の話に調子を合わせた。が、夫は酒をたしなまぬ妻に飽き足らず、妻は夫の毎晩の大酒が鼻につく頃から、夫は外へ飲みに出、妻はひとり取り残される夕べが多くなった。とくに土曜日の夜ともなると、中林は仕事仕舞いの後一風呂浴びるや着流しでふらりと出掛け、翌日は朝帰りが常で、難詰《なんきつ》すれば、どこぞの酒場で飲み明かしたと酒臭い息を吐き、反省の色はかけらもなかった。それが酒場などではなく、どうも妓楼《ぎろう》のたぐいらしいと気がついたのは、着物に白粉《おしろい》の移り香を嗅《か》いでからだった。しばらくすると袂《たもと》の中に、芸者などが使う、赤い縁取りをした細長い名刺を発見し、夏江の疑いは確信となった。その名刺にあった女はどこの女かと咎《とが》め立てすると、偶然酒場で会った女だと言うばかり、つまりは行いはすこしも改まらなかった。

夏江は、酷暑のため食欲がなく、それに今宵《こよい》も一人と極っている以上夕餉《ゆうげ》の支度をする気にもならず、日が傾いて、徳川邸の森から洩れてきた幾分冷やっこい風に当りながら籐椅子《とういす》に横になっていた。油蟬《あぶらぜみ》とつくつく法師にまじって、ひぐらしが爽《さわ》やかに鳴き始めた。陶製豚の口から蚊《か》遣《や》りがゆらゆらと立つ。こんなふうにして夏の夕刻を母が過していたのを思い出した。自分が何だかすっかり婆《ばあ》さんになった気がする。

つい四日前、七月二十一日が夏江の誕生日だった。満で二十歳になった。が、二十などと言う齢《よわい》は自分には縁遠い、ずっと年上になった気がしてならない。母が生きていたときには、家族の者の誕生祝を几帳面《きちようめん》にしてくれた。夏江のは梅雨明け前後とあって、夏向きの料理だった。鱸《すずき》の塩焼、沢蟹《さわがに》の空揚《からあ》げ、オクラの山かけなどを呉須焼《ごすやき》の皿に盛り、食後には、利平の発明した急速製造機で作ったアイスクリームを出すという具合だった。主婦となって最初の誕生日を自分の流儀で――つまり母の真似《まね》をして――祝ってみようと準備したのに、中林はその日も外出してしまった。翌日、彼は誕生日を忘れていたと告白したが、彼の不在で夏江がどんなに傷ついたのかには思い及ばなかった。つまり、誕生祝の重大性がまるで彼には理解できなかったのだ。それならば、十月二十六日の彼の誕生日を盛大に祝ってやり、わが家の習いにしてしまおうと思い直したものの、さてその日になって彼がけろりと忘れて外出してしまう可能性もあった。

中林という男を夏江はどうしても好きになれない。くさぐさのいきさつはあったものの、結局は一度体を許してしまえば女は男を好くものと物の本にあったのを半ば信じて結婚に踏み切ったのだが、自分の体が相手をどうしても許さないのだった。もっとも許さぬことを相手に悟らせぬほどには夏江は聡《さと》く振舞った。中林はそんな妻の策略に気がつかぬようで、そういう鈍感さが夏江にはたまらなく嫌だった。そしてどうかすると脇敬助を思い出した。

一度だけ手紙が来た。絵葉書だった。チチハルの満洲人部落の写真が出ていた。文面は簡単で、お見送りを感謝する、御結婚生活の幸を祈ると書いたあと、大陸は広く、ぐるりを見回しても一望千里の大平原と地平線のみで、汽車は地平線の彼方《かなた》から忽然《こつぜん》と現れます、とあった。その夜、夏江は夢を見た。敬助が装甲列車に乗って海さながらに広がる大平原を進む。そのうち列車は軍艦となって、波を蹴立《けた》てて進んでいる。いきなり待ち伏せの敵艦隊が襲い掛り、敬助の軍艦は見る見る沈没していく。船橋に立った敬助艦長は、あのミクルフ艦長のように悠然《ゆうぜん》として海中に消えた。夏江は、あっと叫ぶと目覚めたが、敬助が匪賊《ひぞく》と闘って戦死した予感が迫ってきて不安でならず、里に帰っている脇百合子に電話して敬助の無事を確かめ、やっと安心した。

夏江は、また病院の現実に戻ってきた。何と息苦しい現実であろう。母亡きあとの父を助けたい一心で飛びこんだ世界は、とんでもない修羅場《しゅらば》であった。まだ到底病院なる組織の全容は分らない。しかし、大勢の人が集ると、こうも七面倒で錯綜《さくそう》した問題が出現するものかと驚きあきれる程度には病院の実態はつかめてきた。なかでも秋葉いとをめぐる、人々の卍巴《まんじどもえ》は、父がからんでいるだけに何とか早く解決したいが、肝腎《かんじん》の父がこれをどうにも扱いかねている以上、端でやきもきしても詮無《せんな》い。

「おや、どうしたんだい。真っ暗じゃないかい」と史郎の声がして電灯が点《つ》いた。「やっぱりいたな。窓辺に誰か坐っている。夏っちゃんに違いないと思ったよ。蚊に刺されてるよ。かゆくないかい」

夏江は額に手をやった。二箇所刺されている。搔《か》くと痒《かゆ》みがひどくなってきた。

「何をしてたの」

「考えごとしてたの。いろいろとこんがらかった悶着《もんちゃく》がおきてね。女ひとりの細腕じゃときほぐせないの」

「病院のことかい」

「ええ、もうひどいの」

「まあ、そうだろうさ」史郎は籐椅子に仰向けになり、両脚をスツールに載せた。「だから、おれはこの病院を継ぐのが嫌《いや》だったんだ。何しろ雑多な人間が勝手に動き回る。伏魔殿だよ。この建物にそっくりだ。増築改築取り毀《こわ》し、その繰り返しで、奇妙キテレツな建物となった」

「どうしたらいいと思う」

「どうにもならんね」

「そんな、つれない……もっと真剣に考えて。わたしね、事務長としてどうしたらこの病院を改善できるか、悩み抜いてるの」

「この建物をすっきりさせるには全部を毀して新しく建て直すしかない。同じことさ。この病院は一度潰《つぶ》れりゃいいんだ」

「それはひどいわ」

「夏っちゃん」と史郎は上半身を起し、父親ゆずりのギョロ目で妹を見据えた。「この病院は親父《おやじ》一代限りだよ。誰にも跡を継げるはずがない。はばかりながら夏っちゃんの御亭主だって後継者にはなれない。いや、誰にもなれないのさ。建物と同じように人間関係も時田利平そのものになり切っている。ほかの誰かが継いだら病院は潰れる。そしたら誰かが別な病院を建てるという道筋さ。ところでさ」と史郎はまた籐椅子に倒れた。「黒豹《くろひょう》が逃げたの知ってるかい」

「知ってるわ。ラジオで放送したんですってね」

「摑《つか》まったのは」

「それも知ってる」

「大したもんだな。本病院には情報通がいるんだね」

「お久米さんよ」

「そうか。彼女ならね。新聞を第一面から終りまで読み、ラジオのニュースを全部聞き、院内の噂話なら何でも知ってる」

「そうなのね。わたしお久米さんがあんなに好奇心旺盛《おうせい》な人だとは知らなかった」

「オールド・ミスてのはそうさ。彼女たちは男という厄介な対象がないから、余ったエネルギーを何かで消費する。好奇心派がお久米だね。そのほか、磨《みが》き掃除派、猫かわいがり派、男優のファン派、いろいろある」

久米が教えた傴僂の五郎について史郎に尋ねようと考えていると、史郎は手にした夕刊を開いて指差した。

「ほら、これが逃げた黒豹だ。でっかい猛獣だろう。きょうな、おれ、会社引けてから、まっすぐ上野へ行ってみたんだ」

「まあ極楽とんぼ」

「物凄《ものすご》い見物の人だった。西郷さんの銅像のあたり、パナマ帽とカンカン帽の大群衆だったね。何とか動物園に近付こうと思って公園の植込みを走り抜けようとしたら、警視庁の新撰《しんせん》組《ぐみ》に追い返された。でもさ、警官隊がずらっと陣を張ってんのはちゃっかり見てきたぜ。ピストルやら棍棒《こんぼう》やらで身を固めて、セパードなんか使ってね、水も洩らさぬ大警戒陣さ。高が黒豹一匹にしちゃ大袈裟《おおげさ》だね。いや、相手が黒豹一匹だから大威張りなんだ。二・二六のときは警官隊は逃げ隠れて一人も出て来なかったからな。それが、二時半、いや二時四十分だった、黒豹が摑まったという情報が伝わって、公園の交通遮断《しゃだん》が解かれた。そのとき、おれが何を感じたと思う」

「安心したんでしょう」と気のないように夏江は言った。

「違う」史郎は左手のタバコをすぱすぱ吸い、右手の扇をばたばた動かした。「暑さだよ。猛烈な暑ささ。三十八度を越す、かんかん日照りの中で立ってて、それまで暑さを感じなかった、それほど夢中になってたんだね。池之端《いけのはた》に出たら植木市をやってた。黒豹見物の人たちが今度はそっちを賑《にぎ》わした。そうそう、釣《つ》り忍ぶを買ってきたよ」史郎は脇《わき》の包みを開け、船形作りの草を軒端《のきば》の釘《くぎ》に吊《つる》し、赤硝子《あかガラス》の風鈴を下げた。涼しげな音が鳴る。

五郎のことを聞こうか。いや、今はやめておこうと思った夏江は、全く別なことを口に出していた。

「ねえ、おにいさん、もし、おとうさまといとが結婚したら……」

「冗談じゃねえ」史郎は瞬間何かに襲われたように身を翻《ひるがえ》した。「おれは嫌だよ、あんな女。

見ても反吐《へど》が出るような女が、おれのお袋になる……考えただけで反吐が出らあ」

「でも、もし、おとうさまが結婚したいとおっしゃったら」

「反対する。全力を振って親父をいさめる。それでも聞かなきゃ、親族会議を開く。風間の叔父、須佐の大伯父、みんな集めて絶対反対を表明する」

「お家騒動ね」

「そりゃそうだよ。いとの問題は、親父の一存じゃできない。おれたちの問題だ。な、夏っちゃんだって反対だろう」

「むろん反対」夏江は、つぎの言葉を呑《の》みこんだ——〝でも、それではおとうさまがお気の毒みたい〟。

「よう、夏っちゃん」と、史郎は体操で鍛えたしなやかな全身をやけに動かして言った。

「お袋が死んで最大の被害はおれの夕食なんだ。まさかいとの料理を喰《く》うわけにいかず、病院食じゃ辛いし、外食は飽きる。しかし黒豹のおかげで腹が減った。ひとつ極上の鰻重《うなじゅう》を喰いにいかねえか。いい店見付けたんだ。おごるぜ。夕食まだなんだろう」


座敷より病棟へと通じる渡り廊下は、左右が開けて風が通るので、そこで夏の夕食をとる習いであった。ビールを飲み枝豆を嚙《か》む利平の膝元《ひざもと》へ、いとが蚊遣りの煙を団扇《うちわ》で送ってくれる。蠅《はえ》が来ると左手で払う。彼は新聞から目をあげて女に言った。

「お前も飲むか」

「はい」といとはいそいそとコップを差出し、受けたビールを一気に飲み干した。今度は、瓶《びん》をとって利平のにつぎ、自分のにもつぎ足した。一杯飲んでしまうと、解禁となった態度で遠慮なく食卓ににじり寄り、料理に箸《はし》を付けた。元々酒好きな性分だったが、長い間利平の前で自制していたのを、この春菊江が亡《な》くなってからはすすめられれば平気で手を出すようになった。女の酔態を愛嬌《あいきょう》と見た利平は、夕食の席でしばしばお相伴をさせるようになり、いとのほうも心得たもので、ちゃっかり自分の食器や料理を用意するのだった。菊江が一滴もたしなまず、口堅く控えていたのに、いとは酔って口が軽くなり、どうかすると媚態《びたい》もあらわに擦《す》り寄ってきた。今も二杯目でほんのり赤らんだ顔を近付け、抜衣紋《ぬきえもん》の項《うなじ》をくねくねさせた。

「どうじゃ、看護婦稼業《かぎょう》は」と利平は女の体の線を目で愛撫《あいぶ》しながら言った。

「おかげさまで満足しております。でも……」

「でも……何じゃ」

「何かと間島婦長が突っ掛ってくるんです。看護婦を将棋の駒《こま》だと思って自分勝手に日程表を組むんです。わたくしの都合など全然考えないものですから、ちょいと変更を申し出ますと、もう大変なお冠りで、秩序が保たれないだの、婦長の命令に服さないなら看護婦をやめてもらうだの、言いたい放題です。おとといも、伊東に行くので勤務を休んだら、きのうからつんけんし通しです。わたくしが先生の御用で行くのだからと言えば、そんなの言い訳にならないと極《き》め付け、代りを誰かに頼めとわめき散らす。代りの看護婦を見付けるのは婦長の仕事じゃありませんか」

「やっぱり、お前、看護婦をやめたほうがええんじゃないかのう」

「いいえ、やめません。看護婦をしだしてから昼日中の退屈はなくなりましたもの」

「だがな、間島と衝突してまで無理せんでもええ」

「間島が何か言ってまいりましたか」

「別に何も言やあせん」

「そこがあの人の駄目《だめ》な所ですわ。わたくしに不満なら、堂々と先生に報告すべきです。婦長として一番大切な職務をおこたっておいて、わたくしのような弱い者だけをいじめる。陰険です。わたくし、働きにくくて困ります」

「だから看護婦なんぞやめてしまえと言うちょるんじゃ」

「わたくしが働きやすいようにして下さいませ。間島をやめさせるのです」

「それはできん。あれは有能で熱心じゃ」

「あの人の看護の知識なぞ一昔前のですし、仕事っぷりは杓子定規《しゃくしじょうぎ》なだけです。結核サナトリウムが完成して紫外線治療を大々的にやるというのに、あの人、紫外線の知識ゼロです」

「しかしな、ほかに婦長の器はおらん。あれはともかく看護婦への統率力は持っちょる」

「そうでしょうか」といとは疑わしげに首を傾《かし》げたが、それが〝ほかに婦長の器はいない〟に対してなのか、〝間島の統率力〟に対してなのか曖昧《あいまい》であった。おそらく前者だろうと利平は推測した。いとは自分こそが婦長の器だと思っているような口振りだ。

「お前、婦長になりたいのか」と利平は尋ねた。

「とんでもない」といいとは二、三度首を振った。「いやでございますよ、婦長なんか。人に憎まれ、陰口をたたかれ、仕事は忙しく、責任ばかり重い。あんな損な地位はありませんわ」

「じゃ、間島をやめさせて後釜《あとがま》をどうせいと言うんか」

「末広なんかがよろしいと思いますわ」

「末広か……」利平は気に入らぬというように眉《まゆ》をひそめたが、内心ではなるほどと思った。末広昌代は看護学校でいいとと同期で、今隔離病棟の主任をやらせている。結核患者の看護の実際を学ぶため清瀬の結核療養所に出向させたりして、院内の看護婦切っての結核通だ。温和な性格で同僚の間でも評判がいい。そして、いいとは大の仲好しなのだ。

「患者がこれだけ増えてきますといずれ病棟を建て増さねばなりません。内科方面の看護にも力を入れないと時世に遅れます。末広なら大丈夫でございます。しかし間島では……」

「わかった」と利平は不機嫌《ふきげん》を装って大声で制した。いいとは首をすくめた。

利平には間島婦長をやめさせられぬ理由があった。病院の隆盛の基《もと》いは彼女に負う面が大きい。大勢の看護婦を統《す》べただけでなく、手術助手としても多くの大手術の手助けをしてくれた。むろん欠点もある。熱心だが性急で、喧嘩《けんか》っぱやく、久米薬剤師と形振《なりふ》りかまわず渡り合ったり、若い看護婦を絞り上げて泣かせたり、いいとにもずけずけ物を言う。大体が人事に熱心だったため最新の看護学の勉強がお留守で、内科や結核療養などの知識が乏しい。が、そのくらいの欠点で彼女をやめさすわけにはいかない。

二十余年も昔、震災前のことだが、利平は間島キヨを愛したことがある。五郎はそのときの子だ。五郎の面倒を一生見るという約束で間島とは円満に縁を断った。彼女は、利平からの手紙や彼のイニシアルつきの指輪、買ってやった着物などを、まとめて返して寄こした。手切れ金を彼女にあたえ、後始末を全部したのは菊江であった。こうして内々の関係が切れると、何くわぬ顔で間島を婦長にすえ、病院のために懸命に働かせたのも菊江の才覚だった。二人の女のあいだにどのような駆引きが持たれたか利平は知らない。過去には触れず彼女たちは和解し協力し合った。そして晩年の菊江が病いがちとなったとき、何よりも看護に献身してくれたのは間島婦長であった。

渡り廊下を洗っていた風が跡絶《とだ》え、にわかに蒸し暑さがつのってきた。木々の梢《こずえ》はぴたりと静止したままだ。利平は濡《ぬ》れ手拭《てぬぐい》で顔や手を拭った。いとは、団扇をしきりと使って風を送っていたが、つと立ち去るとぶっ欠き氷を盛った鉢《はち》と扇風機を持ってきた。利平は氷で冷却された風に包まれてほっと息をついた。全く、このところ連日の酷暑である。今夜もさぞや寝苦しいであろう。

「新田にまいりませんか」といとが言った。

「そうだな」と利平は言った。たしかに新田なら涼しい。雑木林と小川が冷やした空気が家を包み、夜などはことにしのぎやすい。日中は池で泳げる。誰はばかるところがないので、素裸で水に飛びこみ、庭を歩き回っている。

「今からまいりましょうよ」といとはなおもせがむ。酔いの染《し》みた頬《ほお》を重たげに肘枕《ひじまくら》で支え、利平を流し目に見る。食卓の縁で押された乳房が豊満に笑っている。

「しかし、きょうは疲れたわ」と利平は、胡麻《ご ま》炒《いた》めの茗荷《みょうが》を口に入れた。

「お疲れになったのでしたら、なおさら新田でお休みなさりませ」

「ウム」利平は生返事をした。新田へ行けばいとを抱かねばならぬ。ところが最近性欲が衰えてきて、自信がないのだ。とくに、一昨日、あまりの暑熱に伊東へ逃げだし、彼女を抱いたばかりなので、なおさらだ。そもそも、女の体に入りこんだけれども射精がおこらず、焦《あせ》りに焦ってついに果せなかったのが、三月の初め、菊江の葬式の直後であった。一月二月と、いとの体を求めおのれが性欲の昂進《こうしん》に若がえった思いでいただけに、利平は驚きあわて、菊江の霊の祟《たた》りかと恐れ、いとへの愛がさめたかと嘆いたが、結局のところ老齢相応の衰弱だと診断した。むろん利平は医学的知識を総動員したので、おのれの睾丸《こうがん》の直径と硬度を測定して男子の標準値以下だと確かめ、採取した精液を顕微鏡で調べ、一ミリ立方内の精子の数の減少と運動性の鈍化を見出《みいだ》したのだ。

この性欲診断の副産物として利平は老化の徴候を体の諸処に発見した。びっしりに生え揃《そろ》った髪にはめっきり白毛《しらが》が増え、耳朶《みみたぶ》には毛が生え、眉毛は長くなり、頬には老人斑《ろうじんはん》が染み出し、皮膚は弾力を失なってたるんでいた。毎朝の胃洗滌《いせんじょう》と浣腸《かんちょう》と適度の運動によって、息災に過していたおのれが、いつのまにか老人性変化を来していた事実に気付くと、利平は珍しく考えこんだ。

大体あれこれ思い迷ったすえに決断を下すのは彼の得手ではなく、最初に何かを決心し、その方向にむかって一路邁進《まいしん》するのが性に合っていた。医学研究でも病院経営でも、こうと思ったら、実現にむかっておのれの力を集中し、困難を突破して成功してきた。が、若くて活力に充《み》ちた場合には成果をあげたこの方法が、老衰した人間には適用できぬと、残念ながら認めざるをえない。

いととの間柄《あいだがら》も、おのれが欲すれば相手にいどみ、相手が欲すればおのれがあたえ、自然《じねん》に気儘《きまま》に接してきたものが、相手の欲望におのれが応じきれず、相手を抱く前におのれの能力を考えねばならなかった。もっとも彼の誇りは、女におのれの衰えを悟られるのを避けたがり、毎週末恒例となっていた新田行きを何のかんのと口実を考え出しては日延べするのだった。今も「ウム」と生返事をしながら利平は、どういう事訳けにしようかと考えていた。

箸を置いてナイフとフォークで、ハンバーグ・ビーフ・ステーキを食べ始めた利平は、いとに機嫌よく笑ってみせた。

「あすはな、発明研究室に籠《こも》る。素晴しいインスピレーションが湧《わ》きおったんじゃ」

「あら、お珍しいこと」といとは言った。「ずっと発明などなさってないのに」

「また始める決心をした。インスピレーションじゃ。今ひょっと湧いた」

「今で、ございますか」いとは疑わしげな目付きをした。

「このフォークを見ているうちに思いついた」利平は説明した。日本人が洋食の際、飯を食べるのに、いちいちフォークを右手に持ち替えるのは面倒だ。そこでフォークの背に飯を載せて食べるが、米粒が滑り落ちて具合が悪い。それならば背面に飯を載せる凹《くぼ》みをつけたフォークを作ればよい。すなわちフォークの用とスプーンの用を一本のフォークでさせるのだ。

利平が熱心に新式フォークの効用を述べ、実用新案登録をして製造販売すれば莫大《ばくだい》な利益をあげられると説くと、いとは次第に乗り気になって目を輝かし、ぜひ一緒にその新式フォークを完成させて一儲《ひともう》けしようと言い出した。食器の開発には料理を食べて実験する必要があり、いろいろな洋食を自分が作って試してみようとも言った。利平は、ほんの思いつきを言ったのだが、相手が本気になってしまったので、自分にもこの発明が大成功するように思えてきた。

こういうところ、いとは菊江とまるで違っていた。菊江は利平の研究にしても発明にしても、自分のような女にはまるで理解を絶する男の仕事と見なして、尊敬し感心はするが一歩離れた場所から見ていた。が、いとは利平の意図を察し、内容を理解し、一緒に仕事を完成しようとする。利平には、いとのそんな性行が、けなげで頼りがいがあると見えるのだった。

「新式フォークの需要は無限じゃな。日本人はますます洋食の嗜好《しこう》に向っている。が、同時に米飯の習慣はやめようとしない。この両傾向を一本のフォークで解決するのじゃ。こいつは受けるわ。実用新案登録をしたら工場を作る。〝時田式フォーク〟と名をつける。東京中、いや日本中の空からビラをまく。おれの考えではな、病院の露台からアドバルーンをあげたらどうかと思うんじゃ」

「よろしゅうございます。いとも一所懸命やります」

「そうじゃ」利平は、いとと結婚し、時田博士院長社長夫人の彼女と世界一周旅行に出掛る自分を思い描いた。小暮悠次ごときが洋行し、自分がまだしていないのでは沽券《こけん》にかかわる。しかし、アルコールで速度を増した思考の流れのなかに、自分の性欲減退が濁流となって流れこんできた。いとと結婚して、毎日性交《コイッウス》を要求されたらどうなるか。彼が結婚に踏み切れぬ最大の理由はどうやらここにある……。

　食後、夕涼みの銀ブラに出ようと浜田に車の支度を命じた直後、間島婦長が来て、重傷者室の患者の呼吸がおかしいと報告した。中林副院長は外出中で、当直の若い医師は診察したものの自信がなく、おお先生の助けをもとめているという。利平は、よしっと立ち上ってはみたが、新式フォークに夢中になってつい飲み過してしまい、立っているのも覚束《おぼつか》ぬ有様、それでもステテコの上に白衣を着て間島婦長に支えられて歩きだした。いとが手助けしようとした手を婦長は邪険に払いのけ、〝酔っぱらった看護婦なんて用がない〟と言わんばかりに睨《にら》みつけた。

10

　内側からにゅうーと突っ張ってきた。腹に角が出た。「よしよし」と角を撫《な》でてやると、柔かくなって引っ込んだ。赤ん坊の足だろうか。時々両側に角が立つのは両足を踏んばっているらしい。随分と大胆で敏捷《びんしょう》でやんちゃで、駿次のときに似ている。男の子なのかしら。

利平は男だと思え、そうすれば男が生れても嬉《うれ》しく、女ならもっと嬉しいと言ったけれども、やっぱりわたしは女の子が欲しい。初江は黄色いベビー服の刺繡《ししゅう》を続けた。キリンの親子が海辺に立っている。前二回、女の子が欲しくって、ピンクの物を揃えたら続けざまに男の子が生れ、みんなに冷かされたのに懲《こ》りて、女でも男でもいいような黄色のベビー服を用意している。

パラソルが風に鳴った。ベビー服の裾《すそ》が旗のように翻った。波音が大きい。かなり大きな波頭が光って、初江は波打際《なみうちぎわ》にいる子供たちを見守った。崩れた波がぺたーと砂を舐《な》めた。悠太も駿次も慣れた動作で脚を洗わしている。研三は浮輪を持っていかれて泣き出しそう。なみやが拾ってきた。

なみやは今年は水着を着た。若いだけに、滑らかな体付でなかなか似合う。「奥さまが泳げねえなら、わたくしが水に入って、お坊っちゃまたちをお守りしますです」と言っただけあって泳ぎは上手だ。去年、泳げないから水着を着ないと言ったことなどけろりと忘れて、荒波を物ともせずに泳ぎ切るし、子供のときから海女《あま》の手伝いをしたとかで素潜りすると一分間以上も浮上してこず、遥《はる》か彼方《かなた》に頭を出すので、泳ぎ天狗《てんぐ》の風間姉妹も舌を巻いていた。

見回すと、派手なパラソルの数が増えていた。顔馴染《かおなじ》みの家族は、自分の場所と決めたあたりに陣取っている。風間家のテントが建つ場所だけが支柱跡もそのままに人待ち顔だ。いつもより出遅れているのはなぜだろうと、御用邸の方を手庇《てびさし》で窺《うかが》うと一家らしい一団を見付けた。たちまち胸騒ぎがしだした。晋助の姿を見分けたのだ。タオルケットを肩に掛け、すらりとした脚を光らせている。ほかに男が二人いる。中肉中背の敬助みたいなのと、あとの一人は未成熟でまだ少年のようだ。男たちは風間姉妹と夢中で話していて時々立ち止る。そうかと思うと渚《なぎさ》へおりて水切りを始める。なかなかこちらに近付かない。

初江は陽光のもとに出て手を振ろうとしたが、ふと自分の大きな腹が恥かしくなり、また翳《かげ》りのなかに引返した。せっかく晋助と会えたのに、自分は醜くなっている。急にどこかに逃げ込みたくなった。ゆったりと着た浴衣《ゆかた》だけでは自分の欠点は隠しようもない。

この前晋助に会ったのは、ひと月前、悠次を東京駅に見送りに行ったときであった。まだ五箇月でそう目立たぬはずと高をくくり、硬めに帯を締めて出向いたのに、たちまち美津に、「おや、お目出度《めでた》だね」と見破られ、晋助の前で告白する羽目になった。あげくの果て、出産予定日は十一月二十日だとまで聞き質《ただ》されてしまった。「おめでとう」と晋助は言った。「ありがとう」と彼女は応じた。それだけだった。通常の人妻への儀礼だけでは彼を許せない。彼の子であるかも知れぬという苦しみを彼に分ち与えたいと思ってもその証拠はない。不確かな理由で彼を苦しめるより、自分ひとりが苦しんでいたほうが、まだしも苦しみは少なくてすむ。こうして初江は晋助に何も言わぬ決心をした。が、今、晋助が何の屈託もなく、子供のように水切り遊びをしているのを目撃すると、彼女の胸は古傷を突かれたように疼《うず》きだすのだった。

風を透明な糸で縫うようにして彼らの笑い声が届いた。わざと知らん顔をして刺繡に手を動かしながら、晋助の声を明瞭《めいりよう》に聞き分けた。冗談を言ったらしく、女と男が笑いの二重唱で応じた。彼がもう一言、みんなはまた笑った。初江は目をあげ、やっと気がついた振りをした。晋助が先頭で近寄ってきた。翳りの手前で顔を陽光に曝《さら》している。光は彼の頬に弾《はじ》け散った。

「紹介します。高校の友人で、こちらが村瀬、あちらが花岡です。ぼくの叔母さん。母の弟の嫁さん」

〝叔母さん〟と〝嫁さん〟が韻を踏んで初江の耳の奥に残った。若い男の肉感に充ちた音で耳に栓《せん》をされた感じだった。中肉中背のほうが村瀬だが、敬助とは似ても似つかぬ顎《あご》の張った陰気な顔立ちだった。少年のように未成熟なほうが花岡で、色白ではにかむ様子に幼さの名残りがあった。もっとも、顔には面皰《にきび》が月の表面に似て吹き出していた。村瀬も花岡も好みの男性ではなく、彼らが嫌《いや》な分だけ晋助が好ましく、初江は眩《まぶ》しげに彼を見上げた。彼女が重たい腹を押えながら大儀そうに立ち上ったとき、晋助と二人の青年はもう海に走り去っていた。女たちがあとを追う。桜子に続いて松子に梅子。残ったのは百合子ひとりで、書生に命じてテントを建てさせた。ピエロ模様の布地は風を含んで生き返ったように脹《ふく》れあがった。折り畳みの安楽椅子《いす》を開かせ、初江を呼んだ。「初っちゃん、こちらのほうが楽よ」

「ありがとう」と仕事道具一式を持ってそちらに移動した。テントを吹き抜ける風が涼しい。

「泳がないの」と初江は百合子に尋ねた。

「焼けるからねえ」と百合子は言って初江の隣に腰掛け、麦藁《むぎわら》帽子を脱いでテーブルに乗せた。たしかに、彼女が泳ぐのは曇った日に限られていた。主婦になってから大人びて、日焼けを厭《いと》うようになり、厚化粧をしてくる。妹たちと一緒にはしゃぐことも少ない。去年、妹や脇兄弟と泳ぎ回っていた娘の快活さが失なわれてしまった。そのかわり身重になった初江には親切で、あれこれ世話をしてくれる。

「気分はどう」と心配そうに百合子が言った。きのう、吐き気で苦しんだ初江を気遣っているのだ。

「きょうはいいわ。そうそう、さっき、お腹《なか》の子が、足で突きあげたの。角を二つ出してきて、撫ぜたら引っこめたわ」

「あら、かわいい。今度、角を出したら、撫ぜさせて」

悠太と駿次が自分たちの砂の城を晋助に見せている。城壁をもうすこし高くしてくれと頼んでいる。晋助の作った城壁は分厚く高く、波に抵抗力があるのだ。しゃがんで砂を掻《か》いている彼を桜子《さくらこ》が呼んだ。晋助は「またあとで」と子供たちに合図して波に分け入った。若い男女は沖のエビ島にむかって泳ぎ始める。悠太と駿次はつまらなそうに見送っている。

「元気がいいわねえ、みんな」と初江は溜息《ためいき》をついた。「わたしも泳ぎたいわ」

「来年になれば泳げるわよ」と百合子が慰めた。

「晋助さんたち、いつ来たの」

「きのうの夕方。みなさん夏休中逗子《ずし》に泊ってるんですって」

「脇のおねえさまも葉山にいらしてるの」

「いいえ」と百合子は鼻をつんと突き出した。「おかあさまはいらっしゃるわけないわ。わたしが風間の別荘にいるのがお気に召さないのよ、息子の嫁なんだから、自分と一緒に逗子にいるべきだって」

「そうおっしゃったの」

「いいえ。でも一高生三人の世話は大変だってこぼしてらっしゃる」

「だって、夏は葉山に行っておいでと言ったのは敬助さんで、おねえさまだって御存知なんでしょう」

「そうなんだけど、たとえ夫がそう言っても嫁は遠慮して脇の家にいるべきだと思ってらっしゃる」

「それでも、若い男が三人もいる所に若い嫁を来させるなんて変だわ。敬助さんがいれば別だけど」

「わたしの気持なんて、全然考えない。あのおかあさまってどういうお人なのかしら」

「むつかしい方。小姑《こじゅうと》としてわたしも散々いじめられたわ。御自分の仕来《しきた》りや意見が絶対だと思ってらっしゃる。でも、百合ちゃん、逗子なんかに行く必要ないわよ。知らん顔してらっしゃい」

「おかあさまったら、晋助さんを通じてわたしに言づてなさったのよ。あす一緒に逗子に帰って来なさいって。〝帰れ〟なんて言われて、わたしコチンときたの。でもね、そうまで言われて帰らなかったら、角が立つでしょう」

「そうまで言ったのを拒否されたら、あのお姑さん、大荒れになるわ」

「嫌だわねえ」百合子は長い睫《まつげ》毛をパチパチさせた。

「百合ちゃんの場合、敬助さんがいらっしゃらないから、なおさら辛《つら》いのよ。最近何かお便りがあって」

「ええ、チチハルの聯《れん》隊《たい》の生活をすこし。チチハルって北の果てで何もない所らしい。まわりは見渡すかぎりの大平原で、地平線から太陽がぬうっと昇り、地平線にすとんと落ちるんですって。だから、女の住む所じゃないそうよ」

「でも、チチハルって割合大きな町よ。先おととし、わたし、悠次さんと旅行したの」

「そうだったわね。あなた満洲知ってるんだわ」

「駅のあたり、ホテルやカフェーや料亭や映画館が建ち並んで立派よ。満洲人街の繁華街には百貨店もあるわ。でも、日本人街のほうがゆったりとしてほっとする感じ。神社もあるし忠霊塔もあるし、日本みたいよ」

「敬助さんによると聯隊の付近は何もないんですって」

「聯隊は行ってみなかったから知らないわ」

「治安も悪くって匪《ひ》賊《ぞく》が何とかする、ええと跋《ばっ》扈《こ》するんですって。この夏は、いよいよ中隊全員で討伐に出動する、実戦だからどうなるか分らん、武人の妻として覚悟せいだって」

百合子は目頭《めがしら》を押えた。

「匪賊なんているのかしら。わたしの知ってるチチハルは平穏でのんびりした町で、満洲人もおとなしく生活を楽しんでるみたいだったけど」

「治安が悪くても良くても、どちらでもいいの。わたし、早くむこうへ行きたい。夫が討伐に出動するのを見送りたい。日本にいて、見捨てられたみたいで、お姑さんと鼻突き合せてるの、うんざり。佐官は妻子帯同を許されてるのに、尉官はまだ駄目《だめ》なんですって」

「早く許可になるといいわねえ」

「一緒に満洲に行くつもりで結婚したのに、予定が狂っちゃった。あの事件のせいよ。国賊を出した聯隊だから取扱いがきびしいの」

晋助たちがエビ島に泳ぎ着いた。つぎつぎに岩の上に立つ。晋助と肩を並べている派手な赤い水着は桜子らしい。

「桜子ちゃん、すっかり大人になったんでびっくりしたわ」と初江は言った。「背も伸びたし、胸も立派になったし……」

「あの子ときたらね」と百合子が面白そうに言った。「晋助さんにお熱をあげているの。ダンスでは必ず晋助さんと組むし、食事のときは隣に坐《すわ》る。あの子、フランス語が得意なので、晋助さんにフランス語の詩を読んでもらって大満悦」

「あのおちびさんがねえ」と初江は笑ったが、視線は岩の上の桜子を鋭く射ていた。細身の体の線と子鹿のように形のよい脚は、近頃《ちかごろ》肥《ふと》ってしまい不恰好《ぶかっこう》な付属物をぶらさげた自分とは大違いだ。お腹の子は晋助の子だとどうしても思える。そして当の晋助は、自分のせいで醜くなった女を見向きもせず小娘とたわむれている。また、子供が動いている。どうもわたしが子供を思うと反応するようだ。

「桜子が晋助さんを選んだら、松子も梅子もあわてだしてね、松子が村瀬さん、梅子が花岡さんにひっついて、自分の騎士にしちゃってるの」

「丁度、三対三でよかったわね」

「わたしとか初っちゃんは除《の》け者よ」

「結婚した女ってつまらないわね」

「それ贅沢《ぜいたく》な考えかも知れなくてよ。桜子は、何てたってまだねんねだけど、松子も梅子ももう二十一でしょう。焦《あせ》りがあるのよ。あの二人は本当は……言わないほうがいいかな、どうしようかな。言っちゃおう……本当はね、晋助さんが好きみたいよ」

「おやおや」と初江は冗談と取ったように笑い出した。「姉妹三人で一人の男を好いてるの」しかし、笑いは風に吸われて消えた。「何か証拠があるの」とかすれ声で聞いた。

「ないわ。わたしの勘よ」

海藻《かいそう》の腐敗臭が鼻を突く。近くの熱砂で沸騰《ふっとう》しているらしく、強く執拗《しつよう》に押し寄せてくる。初江は気分が悪くなった。その海藻を取り除いてしまいたいと思う。けれども立とうとして吐き気にとらえられた。誰かの細い手が咽喉《のど》をくぐっていき、胃の内容を掻き出した。あわてて用意の新聞紙へ手を伸ばしたが、もう吐き出していた。乾いた砂に黄色い汁が吸われていく。百合子が背中をさすってくれた。細い手が何度でも掻き出している。何度でも……。

「大丈夫、初っちゃん」

「天草《てんぐさ》か何かが腐ってるのよ。その辺に落ちてないかしら」

百合子は斜面を探してくれた。首を振り振り帰ってきた。

「何にも落ちてないわよ」

初江は夏蜜柑《なつみかん》の皮を剝《は》ぎ、すっぱい身を嚙《か》んだ。しばらくして吐き気がおさまってきた。

「すこし休みなさいな」と言われて、椅子の背を思い切り倒して仰向けになった。

しかし、突出した腹が横にずれて不安定だ。それではと横向きになろうとすると肘掛《ひじかけ》につかえた。全く始末におえない。百合子が工夫して砂で寝台を作ってくれた。なみやと子供たちが心配して駆け付けたとき、初江は何とか落ち着いて、ただし無様に横たわっていた。

「もう大丈夫よ」と言って初江は目を瞑《つぶ》った。子供たちの体から滴《したた》る海水の臭《にお》いが、あらたに吐き気を誘う。海水って、こんなに臭いものだったのかしら。魚や海藻やプランクトンの腥《なまぐさ》い臭気に充《み》ちている。

「いい子だから、みんなあっちへ行っておいで」と初江は尖《とが》って言った。

「ぼく、エビ島に行きたい」と悠太がねだった。「ぼくも行きたい」と駿次も倣《なら》った。

「わたしが連れて行きますです」となみやが請け合った。

「じゃ、研ちゃんをわたしが見てるわ」と百合子が言った。

なみやは浮輪に入れた悠太と駿次を護衛しながら遠ざかって行った。百合子は研三と砂遊びを始めた。高く昇った太陽のもと、海水浴場は今を盛りに賑《にぎ》わっていた。エビ島には大勢の男女が取り付いて、晋助がどれかもう見分けられない。

満潮の海はおびただしい波の煌《きら》めきで沸き立っていた。水平線には過剰な光で脹れあがった雲がびっしり並んでいた。十艘《そう》ほどの帆掛船の風をはらんだ白い四角帆が目に沁《し》みた。初江は刺繍をしようと手を伸ばしたが、その力が腕になく、手は空《むな》しく砂を打った。翳りに包まれた風の中にいて涼しいが、あたりは明るすぎた。光線が思考を追い出してしまい、心は乾燥した廃墟《はいきょ》のようだ。もっとも、そういう状態が嫌《いや》ではなかった。罪、不安、憂鬱《ゆううつ》、夫、子供、胎内の子、すべてが乾いた砂粒のようにさらさら流れてしまう。初江は両目を手拭《てぬぐい》で覆《おお》い、周囲に弾ける光の音を聞きながら眠りに落ちていった。

日が没したあと富士と江ノ島のシルエットが浮き出してきた。紺青《こんじょう》の海に夕焼雲の絨毯《じゅうたん》が敷かれている。脇晋助の足元を波が洗った。下駄《げた》と土踏まずの隙間《すきま》に水と砂とが走った。

「みんな、なかなかの別嬪《べっぴん》じゃないか」と花岡が唐突に言った。あとの二人は答えずに歩いた。考え込んでいるようでもあった。

浜辺には人影がまばらだった。昼の名残りに紙屑《かみくず》や空瓶《あきびん》や経木《きょうぎ》が散っていた。釣帰《つりがえ》りの人々が竹竿《たけざお》を肩に行く。少年が犬を散歩させている。

「そうでもないさ」と晋助が、「そうならば、誰が一番だい」と村瀬が、ほとんど同時に言った。

「それは好みによるさ」と花岡が言った。「ぼくだったら一番上」

「百合子かい」と晋助が波をよけながらからかい気味に言った。「彼女はぼくの兄貴と結婚してるんだぜ」

「いや、きみのお義姉《ねえ》さんではなく、叔母さんのほうだ。何と言ったかなあ、あの人」

「初江。ちょっと古風な名前だろう。へえ、あんな年増《としま》の孕婦《はらめ》がいいの」

「大きな輝かしい目がいい。あの人には母親を感じるよ。海よ、ぼくらの使う文字では、お前のなかに母がいる。そして母よ、フランス人の言葉では、あなたのなかに海がある」

「花岡は年上の女性にあこがれるんだ」と村瀬が生真面目《きまじめ》な調子で言った。「脇と反対だよ。脇は少女趣味だ。あの下のお嬢さん、桜子さんか、かわいそうに、すっかり脇のとりこだ」

「まだ女学校の五年生だぜ」と晋助が言った。

「恋をするには充分な年齢だよ。それに、あの桜子さんていうのは、ある年齢で突然ぱっと花開くタイプだよ。すごい美人になる」

「なあんだ、村瀬も少女趣味なんだ」と花岡が言った。

「双子はどうなんだい」と晋助が、相変らずからかうように言った。「二人とも双子に追いかけられてる、もしくは追いかけている様子に見えるがね」

「そいつは村瀬に聞きたいな。こいつ、人のことばっかり言いやがって、自分のことは何も言わない」

「何も言わないのは脇じゃないか」と村瀬が反駁《はんばく》した。「ぼくは自分の趣味はちゃんと公表している」

「ぼくはね」と晋助が弁解した。「幼い頃から彼女たちをよく知ってるんだ。親父《おやじ》と彼女たちの父親とが親友同士だったからね。そうなると色恋沙汰《いろこいざた》は発生しなくなる」

「しかし、桜子さんは……」

「あれは擬態だよ」

「擬態……」

「つまり、われわれ若い男性が現れた場合、恋してる少女の形をとるんだ。あの年頃の少女によくある恋の擬態」

「そんな暢気《のんき》を言っていいのかね。彼女は真剣な様子だよ」

「じゃ、きみたちはどうなんだ。双子の一人ずつを相手にしているが、真剣かね。花岡なんか、叔母のほうがいいと言ってるくせに、梅子と付き合い、村瀬は松子と……」

「ぼくは礼儀上付き合っている。だって冷たくしたらマドモワゼルに礼を失する結果となる」

「ほら、やっと告白した」と晋助は笑った。「礼儀というのは擬態の一種なんだよ」

「しかしだな」と村瀬は考え深そうに言った。彼の低い声には、たとえ冗談でも何だか考え深そうに言うような効果が備っている。「あらゆる恋愛の最初には多少とも擬態ないし礼儀の段階があるんじゃないかな。きみのおにいさんが、あの百合子さんと恋に落ちたのも、夏の葉山だそうじゃないか。擬態が本物化する場合のよい例だ」

「あの場合はどうかな」晋助は鼻先で笑った。「案外擬態のままかも知れんぜ」

「そんな……莫迦《ばか》な……」と花岡が言った。「きみたち、男女の関係を何だかひどく冷静に見過ぎているよ。恋愛に段階なんかないさ。それは一挙に全体的に襲い掛る熱情の嵐《あらし》だ」

「まあ、いいさ」と晋助は折れた。「きみは、ぼくの叔母を愛すればいいさ。夢中になりたまえ。ああいう年増を陥落させたら、きみを見直す。なんなら、彼女に、きみが愛してると伝えようか」

「やめてくれ」と花岡が躍起になって言うと、二人は笑った。なかでも晋助の笑いは高調子に響いた。

闇《やみ》が濃くなってきた。葦簀張《よしずばり》のほとんどは店を閉め、ビヤホールと氷屋のみ裸電球を光らせていた。逗子の海岸だとこの時刻にはまだ結構の人出を見るが、葉山は田舎で、浜も岬《みさき》も素直に暮れている。

松林に入ると暗くて足元に難渋した。むこうから懐中電灯の輪が近寄ってきた。桜子と女中だった。夕食の仕度ができたので探していたという。

「もう、散々探したんだから」と桜子は晋助を責めた。「六時には帰る約束だったでしょう。お料理はさめちゃうし、おつゆは煮詰っちゃうし、お客さまは待たせるし」

「お客さまって……」

「初っちゃんと夏っちゃん」

「人妻の姉妹か。夏江さんは御主人と一緒かい」

「いいえ、一人よ。今夜は小暮家に泊るんですって。こっちに泊ればいいのにね」

暗闇にまぎれて桜子は晋助の腕にすがりついて、ささやいた。

「ねえ、あとでわたしの部屋にいらして」「何の用だね」「いいものあげるわ」桜子は熱い息で晋助の首をくすぐると離れた。
「ここはすごいや、蚊が多い」と花岡が剝《む》き出しの毛脛《けずね》を叩《たた》いた。
「だから、みなさん大急ぎで帰りましょう」と桜子は懐中電灯を振り振り先に立った。

晋助は桜子と組んで踊っていた。戯《おど》け顔にわざと奇妙なステップをして、ときどきパートナーの足を踏みつけるのを、少女は大袈裟《おおげさ》に悲鳴をあげた。彼のひげの剃《そ》り跡が黒っぽい。元々毛深いのが、しばらく見ぬあいだに毛脚が長くなって、浴衣《ゆかた》の衿《えり》から熊《くま》のような胸が覗《のぞ》けている。長い腕はショートスカートの少女の背中の凹《くぼ》みから丸い尻《しり》へと滑っていく。桜子はすっかり女になった。ふっくらとした尻と肩、それに男に吸いつくような乳房は、去年の夏にはまだなかった。男と女は寄り添って、おたがいの欲望をなぐさめ合っている。

晋助はこちらを見なかった。簾《すだれ》の陰にいる初江を注意深くさえあれば発見できるのに、見付けなかった。彼が彼女に頰笑《ほほえ》み、彼女が彼にキスでもするみたいに口をすぼめたとき、初江は胸底をチクリと刺された気がした。小さな傷があいて血が溜《たま》ってくる。小さな傷だけれども血は止らない。

どうして彼はこちらを見ないのだろう。まるでわざとのように知らん顔をしている。食事中、若い人たちは、中央に燃えあがるカンナと雪のような芙蓉《ふよう》を盛った花瓶を置いた円卓のまわりに、男女とも派手な色彩で大きな花弁のように並んで会話に熱中していて、彼は一座の主人のように振舞っていたが、ついに一度もこちらを見ようとしなかった。あまり見ないので、わざとしているとしか彼女には思えず、そのあまりの徹底ぶりが滑稽《こっけい》で吹き出したくもなるのだが、もしわざとでなかったならば彼女にとってこれ以上の屈辱はなく、桜子をはじめ姉妹を妬《ねた》ましく思うのだった。意地でも彼女は彼に見える位置に身を曝《さら》け出したくなく、若い人たちの明るく華やかで賑かな所とは逆に、暗くて目立たずひっそりした場所で料理を食べたりお喋《しゃべ》りしたりした。初江の相手は百合子と夏江で、みんな既婚者であるため、家庭の些事《さじ》をとっかえひっかえ愚痴っぽく話し、しかも初江に遠慮してアルコール抜きの席だったから、話は弾まなかった。そのうち百合子が妹たちに呼ばれて若い人たちと合流してしまい、初江は妹と二人きりで向い合うことになった。

「何だか、おねえさん元気ないわねえ」

「でも、これで元気なのよ」

「体の具合はいいの」

「まあ順調でしょう。ツワリはあるけれど」

「吐いちゃうの」

「ええ。ちょっとした臭いに敏感なの。海藻の臭いとかガソリンの臭いとか、アルコールとか」

「じゃ、ここはいけないわね。そろそろ帰りましょうか」

「まだいいわよ」九時過ぎだった。いつも十時には就寝する習慣だから、もう帰る時刻だった。しかし、子供たちをなみやに預け、久し振りに手に入れた自由な時間をもう少し楽しみたい。それに、夏江が突然来訪したのは何か自分に話があるためかと思って、妹が言い出すのを待っている。すでに百合子が立ち去ってから、夏江は何かを思い詰めた体で、眉根《まゆね》を寄せ、溜息《ためいき》をついている。

「中林さんと何かあったの」と聞いてみる。

「いいえ」

「だって、夏っちゃんたら突然一人で現れるんだもの」

「松男さんが海なんかに来るもんですか。信州の山猿《やまざる》で金槌《かなづち》なんだから」

「じゃあ……」

「おねえさん」夏江は俄然《がぜん》真剣になった。「驚いちゃいやよ。おとうさまが、いとと結婚するっておっしゃってる」

「とんでもない」初江は思わず身を乗り出し、腹をテーブルで打って、のけぞった。「そんな大事なことは早く言ってよ」

「無理だわ。あっちにはなみやがいたし、ここへの途中はお迎えの女中さんがいたし、二人きりになれたの、今初めてなのよ」

「わたしは絶対反対。夏っちゃんだって反対でしょう。おとうさまにそう言ってよ」

「言ったわ。おにいさんと二人で、散々言ったの。だけど聞かないの。もう決めてしまったことじゃって」

「風間の叔父さまと叔母さまに説得していただきましょう。ね、事情を話して」

「どういう事情……」

「何を言ってるのよ。いとみたいな女が、わたしたちの義母になるなんて、身震いするほど嫌だっていうじっ、事情よ」初江は唇《くちびる》がわなわな震えて吃《ども》った。

「おねえさん、お腹《なか》に響くから興奮しないで。もっと冷静に考えて。結婚するのはおとうさまよ。だから、おとうさまの事情がこの際一番重要でしょう。おとうさまって、誰か女の人がそばにいないと何も出来ない方よ。前には間島婦長と関係があったの……」

「何の話よ……」

驚いている初江に夏江は久米薬剤師から聞いたという話を伝えた。五郎という傴僂の隠し子がいるとも言った。

「おとうさまって、ひどい方」初江は声を荒《あら》げた。しかし声ほどには腹が立たない。あの父ならありうる気がする。隠し子を持つなどいかにも父らしいと頬笑ましい気さえする。突然真っ暗な林の奥でヒグラシが鳴きだした。

「鶴丸がこう言ったわ。〝おお先生は誰か女が近くにいないと仕事ができない人だ〟って」

「なるほど」初江は、こんな時刻にヒグラシが鳴くのを不思議に思いながら、沈んだ調子で言った。「じゃあ夏っちゃん、おとうさまの再婚に賛成なの」

「嫌だけれど仕方がないと思うの。闇雲に反対したら、おとうさまがお気の毒だと思うの」

「もしほかの人なら、わたしもそう思えるかも知れない。しかし、いとだけは好きになれない。あの女のため、どんなにおかあさまがお苦しみになったか。あの女に殺されなすったのよ。そんな女と……」

「わたしも、いとは大嫌《だいきら》い。でも、あの女以外におとうさまは目もくれない。わたしとおにいさんの意見なんかまるで聞かない。あれじゃ、叔父さまや叔母さまでも無理。今まででも、おとうさまが一旦《いったん》こうと決めたら誰も反対できなかった」

「しっかりしてよ。この再婚で最も苦労するのはあなたよ」

「かえって楽になるかも知れない。いとに全部まかせて、わたしは身を引く」

「夏っちゃん」初江はびっくりして叫んだ。

「わたしね、もう疲れちゃった。事務長なんかやめたい。……結婚もやめたい」

「何を言うのよ」初江は、うっすらと涙を浮べた妹を痛ましげに見た。それから「かわいそうに」と呟《つぶや》くと妹の薄い手の甲に、自分の掌《てのひら》を重ねた。

風間の娘たちが晋助たちを迎えて底抜けに陽気にはしゃぐのは、両親が不在のせいもあった。振一郎は七月中旬の帝都戒厳令解除後の軍部との折衝や十一月初旬の新議事堂落成式典の打合せで忙しく、ほとんど夫人とともに東京に滞在していて、別荘は娘たちの天下であった。彼女たちは女中や書生を顎《あご》で使って、東京では許されなかった遊びや夜ふかしに興じていた。女学生のため飲酒を禁じられていた桜子は、姉たちの真似《まね》をしてビールや葡萄酒《ぶどうしゅ》を口にしているうち、酔うのが面白くなって頻回《ひんかい》に試し飲みするようになった。とくに今夜は、晋助たち一高生が見えるので嬉《うれ》しくてならず、つい度を過して早くも眠り込んでしまった。跳ねっ返りの末娘が消えると、ダンスだ、トランプだと追い回されるように遊んでいた一同は、にわかにつつましやかになって広間でレコードを聞き始めた。松子と梅子は、大の宝塚ファンで天津乙女《あまつおとめ》の『すみれの花咲く頃《ころ》』や『ローズパリ』などの古い曲はもちろん、葦原《あしはら》邦子《くにこ》の『黒きバラ』や『デイジー花咲く丘』などの新曲まで洩《も》れなく集めていた。一高生側は、寮歌を合唱したり、将来医学生を目差している村瀬がバリトンでドイツ語の歌を唱《うた》った。その頃になると初江と夏江も現れて聴き入った。

ソファにゆったりと腰をおろして両脚をスツールにあげた初江の前に、晋助は腰をおろした。

「晋助さんのヴァイオリン聴かせてよ」

「叔母さんのお言葉ですが、とてもかかる晴れがましい席には相応《ふさわ》しくないほど下手なので、御遠慮申しあげます」

「何言ってるの……でも、みなさん音楽の才能がおありね。村瀬さんなんか声がすてき」

「あいつは金沢の開業医の息子だから仕方がないけど、間違って医者を志している。本当は詩人がむいてるんで、ゲーテ気違いですよ。ゲーテの詩を沢山暗記しています。おい、村瀬、叔母さんの御所望だ。ゲーテの詩に曲をつけたのを何か歌え。『菩提樹《ぼだいじゅ》』はどうだ」

「あれはムュラー作詞」と村瀬は頭を振った。日焼けした角張った、いかにも無骨な面相だが、よく透《とお》った気持のよい声音だった。「では、Das Veilchen を唱いましょう」

「何ですって」

「モーツァルト作曲の『すみれ』です」

村瀬は、実に見事に唱った。一高生というと晋助みたいな軟派か、街で見掛ける蛮カラだと思い込んでいた初江は、村瀬の隅々《すみずみ》まで神経の行き届いた繊細な感性に感心した。クラシック音楽の好きな夏江は、「いいわねえ」としきりに感嘆していた。

「花岡さんもお唱いになるの」と初江は水を向けた。

「や、ぼくは音痴ですから」と花岡はあわてて手を振った。細身の体に童顔で、まだ中学生の感じの彼は、初江に一言声を掛けられただけで、何だかわくわくするように赤くなった。

「花岡さんは将来何におなりになるの」

「彼は物理学者か数学者ですよ。数学の天才なんです」

「おい、冗談言うなよ」と花岡は晋助を睨《にら》み付け、向きになった自分を辱《は》じてはにかんだ。そんな様子が初々《ういうい》しく可愛《かわい》らしかった。

「晋助さんだけ文科で、お二人は理科系なのね」

「ええ」と晋助は、さっきから続けている年長の淑女へのうやうやしさを保存しながら頷《うなず》いた。「みんな、寮の同室者です。兄貴が渡満してから百合子ねえさんが家に来たでしょう。で、ぼく寮に入ったんです。ええ、みんな志望が違うだけじゃない。村瀬は金沢出身、花岡は北海道出身です」

「いいわねえ、みなさん、未来があって」

「ほんと」と夏江が相槌を打った。

「叔母さんたちだって、まだ若いじゃないですか。人生はこれからですよ」

「いいえ」と初江は相手の軽薄な慰めを叩き潰《つぶ》すような剣幕で言った。「女は結婚したら終りよ。とくに子供を持ったら、すべては終りよ」

「そうかなあ」晋助は気圧《けお》されて目をそらした。

「いやあねえ」と松子が言った。「まだ結婚にあこがれている未婚の女性がいるのよ。そんな夢を毀《こわ》すこと言わないで」

「ねーえ」と梅子も応じた。双子は顔を見合せて、不服そうに口を尖《とが》らせた。間に鏡が置かれたような左右相称の仕種《しぐさ》に、みんなは一瞬目を丸くした。


「初江さん、待って」

「空気を吸いに行くの。何だか息苦しいのよ」

晋助は初江に追い付いた。裏口の門燈《もんとう》に照らされて、女の体の輪郭があらわである。丸い腹の下に風が着物を押し込めた窪《くぼ》みがなまめかしい。

「気分でも悪いの」

「いい時なんかないのよ。ずっと具合が悪い」女は海の方に顔を向けた。表情は黒く塗り潰された。

「大変なんだろうな」晋助は気味悪げに言った。体の中に別な生命を育てている女の感覚が想像もつかない。男はちょっと便秘しても不快なのに、子供のように大きなものが腹の中に入っていたらどうなるか。

「大変よ。男は身軽に飛び回っているけど、女は大変よ」

初江は重々しく歩き始めた。たちまち闇に腰まで漬《つか》ってしまった。晋助は心配した。このあたりの砂浜には凸凹《でこぼこ》や石が多い。

「危いよ」

「危くったっていいの」女はなおも海に下って行った。燈台の光が眸《ひとみ》に光った。女は立ち止っていた。「あなた、ずっとわたしを避けていたわね」

「避けてなんかいないよ」

「桜子さんとばかり一緒にいて」

「あれは擬態だよ」

「何よそれ」

「初江さんとばかりくっついていたら、みんなに変に思われるじゃない」

「あなたの目付きは本物だったわ。あれは若い美しい女を見る目だったわ」

「彼女は若くて美しいだけで頭はからっぽなんだ。初江さんとは比較にならないよ」

「じゃ、あなた、わたしを思ってくれてるの」

「もちろんだ」

「それにしちゃずっと御無沙汰《ごぶさた》ね。一度も訪ねてくれないんだもの」

「訪ねにくかったんだよ。だって……」晋助は女の肩を摑《つか》もうとして、その腹に邪魔される感じでためらった。「妊娠している人を見るのは男にとって辛《つら》いもんなんだよ」

「勝手、まったくの身勝手」女は離れて行った。波が足元で白く燃え立った。

「何を怒ってるの」

「絶望してるのよ。アンナ・カレーニナの絶望。あなた、アンナが女の子を生んで死にそうになるの、なぜだかわかる。あれはお産のせいじゃないのよ。絶望のためよ」

「トルストイを読んでるのかい、このごろ」

「フランス文学は、先生がいないからお預け。『戦争と平和』を三箇月かかって読んだわ。つぎは『アンナ・カレーニナ』。怖い小説ね。アンナが妊娠したあたりから読むのが辛くなった。やっとお産まで来たの」

女は海に背をむけて戻り始めた。晋助は、ずっと以前に読んだトルストイを思い出そうとしていた。フランスの小説に較《くら》べると無駄《むだ》な描写が多く、形が悪いという印象だけが甦《よみがえ》った。

門の前に百合子と夏江が迎えに出ていた。人力車が来ているという。車に乗るとき初江は晋助に言った。

「あなた、鈍感だわ」

晋助は頬をしたたかに打たれた思いで広間に戻った。丁度ベルリン・オリンピックの中継放送の最中だった。

「間に合った」と松子が晋助にむかって言った。「今、女子平泳二百メートルが始まったとこ。前畑がゲネンゲルを抜いてるの。勝ちそうよ」

アナウンサーは興奮その極で、「前畑がんばれ、がんばれ、がんばれ、がんばれ……」と絶叫している。歓声のさなかに小暮悠次が日の丸を振る姿が想像された。女の夫はベルリンにいて女の絶望も知らず愉《たの》しんでいる。そして女の恋人は、女の言葉に頬を鞭打《むちう》たれてしおしおと頭を垂れている……。

11

九月二十五日の大安の日に、時田利平と秋葉いとの結婚式および披露宴《ひろうえん》が帝国ホテルで開かれた。先妻菊江の喪中でもあり、二人の内縁関係はながいあいだの公然の事実でもあったから、ひっそりと内々の式をあげるだろうという誰彼の予想を裏切って、利平は思い切り派手な式と宴会にした。特上フルコースの西洋料理に時局柄《じきょくがら》入手困難となっていたフランス産の葡萄酒《ぶどうしゅ》を風間振一郎の地下蔵《カーヴ》から買いあげて回し、招客も慶応大学、北里研究所、医師会、海軍関係の賓客を多数招いたうえ、医師、看護婦、薬剤師、女中、賄方《まかないかた》から運転手や大工まで、病院維持のための当直要員を除く全職員を呼んだ。最高の料理に招客六百人と聞いて夏江事務長は肝を潰し、職員のうち重立った者だけに絞るように哀願したが、利平は聞く耳を持たなかった。

「だめじゃ。全職員じゃ」

「それだけの余裕が病院にはありません」

「かまわん、新田の家を担保に借金せい」

「でも、どうして全職員をお呼びになるのですか。中には迷惑がっている者も大勢います。ぽっと出の若い看護婦なんか西洋料理の食べ方がわからないって大恐慌《だいきょうこう》ですわ」

「不断食べつけぬ物を食べさすのが効果を生むんじゃ」

「効果……ですか」夏江は聞き返した。

「そうじゃ。特別に重大な出来事がおこったと、みんなが認める効果じゃ。いとはもう内妻ではなくなり、院長夫人に格上げになったと衆目一致で認識させる効果じゃ」

夏江は腑《ふ》に落ちず、と言って反対もできず、大きな溜息をついて引き退《さが》った。

当日、職員たちは、大石を取りのぞき巣を白日にさらされた蟻《あり》のようにおろおろして席につき、眩《まぶ》しげにあたりを見回した。帝国ホテルなど初めてだし、自分の着物が豪華な調度に対して見劣りするのを恥じ、ひょっとすると自分の着ているのより金がかかっていそうな服装のボーイたちにかしずかれて恐縮し、出てくる料理にどのナイフとフォークを使ったらよいかを間違わぬよう気遣い、そのため提督や大学教授や博士たちのスピーチも耳に入らぬ様子だった。大工の岡田などは、緊張のあまり、大きな音をたててローストビーフを皿から飛ばし、一張羅《いっちょうら》の紋付の袖口《そでぐち》をソースで汚した。

夏江は中林の隣に坐《すわ》っていた。内科医、歯科医、最近清瀬の結核療養所から招聘《しょうへい》した結核専門医、間島婦長、久米薬剤師などが列座していた。史郎は、「あの女の顔を見ただけで反吐《へど》が出らあ」と出席せず、初江も、いとの顔を見ただけでツワリを起しそうだし、七箇月目に入ったお腹を人目にさらすのが嫌《いや》だと欠席していた——もっとも利平には、最近腰気《こしけ》が多くて用心のためと断ってあったが。

おめでたい場所であるのに何となく一同は湿っていた。あまり笑い声があがらず、みんな小声でぼそぼそと話していた。新郎の利平が強制した大袈裟《おおげさ》な祝宴に気圧《けお》されたためでもあり、急仕立ての院長夫人への羨望《せんぼう》と薄気味悪さのせいでもあった。均整のとれた体に白無垢《しろむく》の打掛けがよく似合い、紅白の角隠しの下で羞《は》じらいで目元を潤《うる》ませたいとは生娘《きむすめ》のように初々しかった。それに反し、腹の丸く出たところで袴《はかま》が押し下げられ、白毛《しらが》まじりの髪と新調の紋付羽織とが水と油の利平は、老人のマネキンに若者の衣裳《いしょう》を誰かがいたずらして着せたような有様に見えた。利平自身もおのれの滑稽《こっけい》な姿に気付いているのかギョロ目を落ち着きなく動かしている。

「いったいいくつお年が違うのですかね」「三十ですよ」「いいえ、三十二ではありませんか」「まあ、どっちにしても新婦の年齢は新郎の半分ですね」「おお先生は嬉しいのかな」「照れてらっしゃるんでしょう」「本卦還《ほんけがえ》りの新郎ですからね」「いやいや、あれはみんなを監視しておられる目付きです。ほら、われわれのほうを睨んでおられる」と医師たちがささやいていた。

宴が進むにしたがい中林は酔ってきた。最初のうちは、「西洋の葡萄酒は口に合わんな、日本酒がほしいな」とぼやいていたのが、赤、ロゼ、白とボーイがつぐフランス酒をぐびぐび飲むうち調子付き、立て続けにお代りを要求するのだった。そして、「フランスも中々いけるわ」と酩酊《めいてい》した体を椅子《いす》から落ちそうに前後左右に振り、千鳥足で便所へ行って帰ると、またグラスを充《み》たさせた。とにかく赤ゲットまるだしで、テーブル・マナーはなっていない。スープを音高くすすり、肉をくちゃくちゃ噛《か》むのはまだしも、あたりはばからぬ酔声が、全般に沈んだ宴席を野卑に乱していた。もっとも中林はそれを恥じるよりも、それをみんなが注目すると決めて得意なので、ついには立ち上って新郎新婦の前へ行き、「院長、奥さま、おめでとうございます」と頭をさげ、誰かがからかい気味に拍手したのを真に受け、「御声援感謝します」と右手をあげて帰ってきた。

久米薬剤師と間島婦長は、職員の最古参同士として、日頃何かと張り合い、時にはあられもない悶着《もんちゃく》をおこすほどだが、こういう改まった席では二人とも取澄まして、帝国ホテルなどずっと以前からよく知っていると言わんばかりにおっとり構えていた。事実二人とも小暮悠次と初江の、そして中林と夏江の結婚披露宴と二度も呼ばれており、幾分の場馴《ばな》れはあったのだ。葡萄酒で口が軽くなった久米薬剤師は間島婦長をからかい始めた。

「あんたこれから大変よ。ひょっとしたら追い出されるわよ」

「おや、なぜよ」

「あんたさあ……を散々いびったでしょう。仕返しされるわよ」

「わたしゃいびったりはしないよ。そりゃ、婦長としての立場上、意見は言ったけど」

「あれが意見かい。随分きつい意見だったたよ。出て行けって剣幕で突っ掛ってたねえ」

「そりゃ邪推だわ。あちらは一看護婦だったからね。わたしゃ婦長として監督しただけだ」

「監督てなもんじゃないね。あれは攻撃さ。関東軍の匪賊《ひぞく》猛攻撃。これからは立場が逆転するよ」

「……」

「あんたがいつまで婦長としてやっていけるか。まあ、こんな席で言うのも何だけど」

「ねえお久米さんや、あなた、おどかしてるつもりなんだろうけど、わたしゃ平気なの。婦長やめさせてもらえれば大喜びだよ。こんなに時間ばかり取られ、疲れる仕事……」と間島婦長は夏江を気にして、ちらりと横目を使った。夏江は、中林と医師たちの座談に耳を傾けている振りをしていた。

「婦長やめてどうするのさ。まさか平で勤める気はないんだろう。鶴丸さんみたいにさ」

「とんでもない」と間島婦長は、一般看護婦のテーブルの端に坐っている鶴丸看護婦のほうを振り向いてから、忍び笑いした。「元婦長ともあろう人が平で勤めてる……わたしゃあんな恥っさらしは、まっぴらご免だね。知ってる……」と声をひそめた。「あの人がこの頃あちら（といとを顎で指した）と仲好くしてるの」

「もちろん知ってるよ」と久米薬剤師も持ち前の大声を低く抑えた。「しかしさ、そんなことして何になるんだろうね、あの年で」

「病院に居残りたいんだよ。あの人、婦長を解任されたときも、新婦長のわたしに急に愛想よくして、今後も平でいいから仕事を続けたい、看護婦寮に住みたいって、泣かんばかりに頼んだんだよ」

「聞いたよ。あんたったら、何回も同じ話をするのね」

「憐《あわ》れだよ。そんなのはわたしゃいやなの」

「要するにけちなのよ。婦長をやめてからも、ずっと寮に居坐って、ただで生活してるんだから」

「それはあなたの持論だね。わたしゃもう何回も聞いた」間島婦長はくすくす笑った。久米薬剤師ももらい笑いした。

「でも、本当に病院はどうなるのかしらね」久米薬剤師はふと笑いやめて、声を曇らせた。

「冗談でなく、もしもあんたがやめるとすると、わたしは淋《さび》しいわよ。ね、お嬢さま」と今度は夏江に話し掛けた。「おいとさんが夫人になられると、院内も大分変るでしょうね」

「それが、どうなるか、わたしにもさっぱりわからないのよ」と夏江は、何も知らないし何も予想できないと示すように、悲しげに目を伏せた。

「間島さんは、今までのゆきがかり上、婦長をやめさせられるなんて心配してるんですよ」

「いいえ」間島婦長が手を振った。「そう言ったのは、お久米さんのほうですよ」

「まあ、病院内もいろいろ変るでしょうね」と久米薬剤師は考え深げに言った。そして、自分は病院の将来について何もかも予測していると言うように何回も頷いた。ついふた月ほど前、彼女は、散々間島の悪口を言ったすえ、看護婦としての能力は間島よりも秋葉いとのほうが上だと夏江に告げたのだが、いま、そんなことはおくびにも出さず、間島婦長の将来を心配している振りをしている。

「奥さまも何かと気苦労なさると思いますよ」と久米薬剤師の陰から間島婦長が顔を覗《のぞ》かせ

た。「この御結婚には奥さまも反対なすったとか」

「いいえ、それはございませんでした」と夏江は目をあげると、明瞭《めいりよう》な発音で言った。「父の再婚は、わたしたち子供たち全員の賛成でおこなわれたのですわ。わたし、父のために心から喜んでおります。父が望み、喜びとしているのですもの、わたしも嬉《うれ》しいですわ」

久米薬剤師は同意の印に頷いたが、間島婦長は疑わしげにすこし首を傾《かし》げた。中林は女たちの話をまるで聞いておらず、空いたグラスに白葡萄酒を注がせようと、敬遠気味にそっぽを向いているボーイをさかんに手招きしていた。

八月初旬、利平は史郎と夏江を居間に呼び、九月下旬に秋葉いとと結婚すると告げた。「もう決めたことじゃ。帝国ホテルの予約もしてある」と言う利平に、史郎は、「そんな大事なことをどうして事前に相談してくれなかったんですか」と気色ばみ、反対をとなえた。母の死後半年あまりでの再婚では、あまりにも母が可哀相《かわいそう》だし、秋葉いとという女がどうしても好きになれない、それに夫人となれば利平の死後病院はいとの手に渡ってしまう、それでは副院長夫人として事務長の雑用を引き受けた夏江の献身を踏みにじる結果になる、というのが史郎の反対理由であった。ところが夏江は、一応反対ですと表明はしたが、さして固執はせず、「おとうさまが、そうしたいとお思いになるならお好きになさいませ、でもおかあさまがお可哀相」としくしく泣き、息子に対しては肩肘《かたひじ》張っていた利平も末娘の涙に肩を落し、「おれは年寄じゃ。余生を思う存分に生きて死にたいんじゃ。許せ」と慰めるように言った。自分がいくら反対しても父親の決心を揺がせぬと見た史郎は、風間の叔父叔母に相談に行ったが、結婚は本人の心によるもの、本人が決心した以上、はたで何を言っても詮方無《せんかたな》い、まして利平は義弟義妹などの忠告を聞く人ではないと諫《いさ》められて帰ってきた。史郎は、「仕方がねえな」と言い、父の再婚には飽くまで反対するが、それをやめさせる力はおのれに無いとくやしがった。夏江はすこし違った見方をしていた。まず、父があれだけ夢中になって再婚を望んでいるからには、再婚は父にとってのっぴきならぬ必要性を持つのだと信じた。いとなる女性を好きにはなれぬが、母なきあと身辺の淋しい父を慰め、たのしませた功績は認めねばならぬとも考えた。つまり、史郎のように仕方なしにではなく、むしろ積極的に父の希望を遂げさせてあげたいと思ったのである。そう思うには、もう一つ、いとが院長夫人になれば、副院長夫人の自分は事務長の職を辞められるという打算も働いた。猛烈に多忙な毎日のうえ、職員たちの告げ口、陰口、抗議、哀願の吹き溜《だま》りとなり、税金のがれの二重帳簿もつけねばならなかった。さらに最近は軍需景気で若い娘は実入りのよい工場へ流れてしまい、看護婦になり手がすくなく、人探しに大変な努力が要った。せっかく利平の故郷山口県の漁村で若い娘を拾ってきても、ひと月ふた月と勤めているうち、どこか他の職場に去ってしまい、病院は彼女たちの上京の足掛りに過ぎないのが現状なのである。わずか七箇月事務長をやっただけで、この仕事は自分の手に負えないとつくづく思い知らされた。その面倒一切をいとが引き受けてくれるならば、喜んで父の再婚に賛成したいと切実に考えた。

夏江は、初江の気持も聞いておきたくて葉山に出掛けた。それは、姉と一緒に父の再婚に反対するためではなく、父の再婚の決意がどうにも反対のできぬほど強く、むしろそれを認めてあげるのが父の晩年の幸せとなると姉にも納得してもらうためであった。

院長と秋葉いとの結婚が職員に知らされたのは九月一日の大震災記念日で、午後から火災避難訓練をおこない、全職員を前に院長が講評をおこなった際にであった。それまで史郎も夏江も利平に固く口止めされていたため、鉄棒曳《かなぼうひ》きの久米薬剤師さえ兆《きざ》しを察知できず、まして一般の職員は寝耳に水の出来事となった。意想外な結婚に対してさまざまな臆測《おくそく》が飛び交った。いとが妊娠したためだとか、いよいよ富士山頂に結核サナトリウムを建設するので中林が院長となって転出し夏江の代りにいとが事務長になって院内を取仕切るとか、いやいとは婦長になって間島婦長が追放されるとかで、いずれにしても今まで妾《めかけ》として侮蔑《ぶべつ》の対象であった一看護婦が、にわかに院内の実権を掌握するという点では一致していた。

あからさまな変化はまず看護婦たちの間に見られた。間島婦長に同調していとを蔑《さげす》み、食卓の席などで村八分にしていた者たちが突然いとに対してにこやかに応対を始め、末広主任のように以前からいとと親しくしていた人たちがにわかに一目置かれるようになってきた。久米薬剤師は秋葉いとの看護婦としての技倆《ぎりよう》をほめそやし、間島婦長の旧式の医療技術を陰で嗤《わら》いだした。もっとも久米は、自分はずっと以前からそういう判断をしていたので、今度の結婚によって急に変節した大方の職員とは違って自分には先見の明があるのだと言いたげに、夏江にあれこれ弁解がましく話し掛けてきた。しかし、間島婦長とは以前と変らず張り合って、つまり相手を院内の権力者と見なして大声で渡り合ったり和解の手を差し伸べたりして、何食わぬ顔をしていた。

前夫人の死後奥向きに入りこんできたいとと何かにつけて衝突したのは鶴丸看護婦であった。婦長をやめたあと院長夫妻の身辺の世話係として自由に二階に出入りしていたのが、洗《せん》濯《たく》掃除は朝のうちに大急ぎでやるように、その他の時間は原則として二階にあがらぬようにと禁足令が敷かれ、とくにいとが利平のそばにいる食事時や夜に忍び入ったのを発見されると利平からこっぴどく叱《しか》られ、それをいとの差し金とみて不満を洩《も》らそうものなら、さらに利平の雷が落ちた。鶴丸看護婦は間島の婦長としての力量は認めていて、間島婦長といととがやり合ったあと、元婦長として間島を利平に執《と》り成したりするので、さらにいとの反感を買った。ところが、夏頃《なつごろ》からどういう風の吹きまわしか、鶴丸看護婦はいとに接近を始めて、ほかの看護婦たちの顰蹙《ひんしゅく》を買い、さらにいとが後妻に入ると聞いた直後から、突然いとを〝おお奥さま〟と呼び始め、極端にへりくだった物腰を示すようになった。あれよあれよという間の豹変《ひょうへん》ぶりに夏江はあきれたけれども、当の鶴丸は、畏敬《いけい》するおお先生の御意向に従っただけだと平然としていた。

間島婦長が一身上の件につき相談したいと夏江を訪れたのはつい数日前のことであった。要するに秋葉いとが院長夫人となった場合、自分の婦長の地位はどうなるか、一応知っておきたい、その場になって周章狼狽《ろうばい》するのは不本意だというのだ。そうして自分は地位にこだわるものではないが、婦長の役職手当は大いに有難く思っていて、それと言うのも、と伊東の旅館で下足番として働く五郎の存在を告白し、自分一人なら何とでも生きていくが、五郎は不具の身で充分な収入の確保はむつかしく、今も自分の補助でどうにか糊口《ここう》をしのいでいると、気の強い間島婦長としては珍しく涙ぐんだ。夏江は即答ができず、いとがいない時を選んで利平に質《ただ》した。

「そりゃもう決っちょる」利平は事も無げに言い放った。「間島キヨは婦長をやめさせる。その代り伊東の別荘をあたえて、五郎と二人で住まわせる。もちろん二人で暮せるだけの充分な手当てはする」

新しい婦長には隔離病棟主任の末広昌代を昇格させ、結核療養の充実をはかる。なお、鶴丸は看護婦をやめさせ院長夫妻付の女中頭とする。夏江には従来どおり事務長をしていてほしい。病院経営のこまかい内容は、いとに知らせる必要はない。いとは病院の表面には出ず、あくまで妻として引っ込ませる。利平は、夏江が何も質問しないのに、つぎつぎと溢《あふ》れるように喋《しゃべ》りまくり、つと黙ると、どうじゃまだ知りたいことがあるかと言うように大きな目を剝《む》いた。

「五郎さんのことは薄々知っていました。わたしと同じくらいの年だそうですね」

「そうじゃ。お前より半年遅れじゃから、弟となる」

「会っていいですか。会ってみたいんです」

「会っても仕方なかろう。それに五郎の方は気が進まんだろう。庶子のうえに、背が曲っていて醜い」

「そんなの関係ありません。弟なんですもの、会いたいですわ」

「キヨも嫌《いや》がるじゃろ。お前の前で恥を掻《か》くようなもんじゃからな」

「そうですか……」夏江は気落ちして黙った。背が曲っていようが、どんなに醜かろうが、実の弟には違いない。末娘として育てられてきた自分に、弟がいるなど素晴しい出来事と思えるのだった。利平の部屋を出たとき、夏江は事務長をいとに譲りたいと思っている心の内を何一つ父に明かさなかったと気付いた。

久米薬剤師の左頰《ひだりほお》の痣《あざ》が酔いに褐色《かっしょく》に浮き出した。彼女は利平といとの新婚旅行が山口県だと言い、「やっぱりおお先生は古里をおいとさんに見せたいのよ」としたり顔で頷《うなず》くと、長門峡《ちょうもんきょう》や秋吉台や秋芳洞《しゅうほうどう》の景観をひとしきり述べたてた。彼女自身は萩《はぎ》の出身だった。

「わたしゃ箱根だと聞いてるね」と間島婦長が反対した。伊東、熱海、箱根の近境を一巡するのが忙しいおお先生には向いていると言う。

「なあに、あんた」と久米薬剤師が紅白のアイスクリームを食べながら言った。「伊東、箱根だなんて、若い新婚夫婦じゃあるまいし、行きはしないわよ。それとも自分の息子を院長夫人に紹介する……」さすが久米は言い過ぎたと気付いて言葉を呑《の》み込んだが、すぐ口がだらしなく開き、「あんたも年貢《ねんぐ》の納め時だねえ」ともう何回も繰り返した主題に戻った。

「本当に世の中暗いねえ」と間島婦長も何度もした相槌《あいづち》を打った。

すでにいとと通じて間島追放を画策している久米は間島の将来を心配している親友を演じ、婦長の地位を失う代償として伊東の家と生涯《しょうがい》の生活保証を得た間島は久米の威《おど》しめいた予言におびえる無力な女を演じていた。そして二人の女は飽きもせず各自の演技を反覆していた。

12

玄関に一歩足を踏み入れたとたん、中の雰囲気《ふんいき》がどことなく違うと気付いた。待合室の椅子が全部新品に取り替えられた。巡洋艦八雲を飾った硝子《ガラス》ケースがピカピカに磨《みが》きあげられている。黄や紫の大輪の菊花が生けてある廊下のリノリウムが清潔に光っている。要するに、以前の時田病院の、投げ遣《や》りで乱雑で古びていて、そのかわり親しみ深かった特徴が、隅々《すみずみ》まで神経が行き届いて整頓《せいとん》されているが、どこかよそよそしい感じに変っていたのである。

今日は神嘗祭《かんなめさい》で休診とあって診察室や事務室は閉っていたが、婦長室には人影があった。そしてドアが開くと看護婦が出てきた。間島婦長ではない。顔に見覚えがあるが名前を知らぬ人だ。と、先方が丁寧にお辞儀をしてきた。

「わたくし、今度婦長になりました末広でございます」

「小暮です」初江は大きな腹をかばって頭だけで礼をした。

「存じあげております」末広婦長はにっこりした。まだ若い三十ぐらいの人だ。一重瞼《ひとえまぶた》に鼻が低く、そこらに沢山あるような面立《おもだ》ちのせいで見覚えがあるように思ったが、初江は初対面のような気もした。「おお先生はただ今発明研究室におられます」と末広は気を利《き》かしたように付け加えた。

「おや、珍しいこと」と初江は言った。彼女が子供の頃、利平は休みとなると地下の発明研究室に籠《こも》って、電動モーターを回したり、フラスコの液体を煮立てたりしていた。が、ここ何年か博士論文用の研究に励むようになって、発明からは足が遠のいていた。研究室に余人は立入禁止だが初江なら入れる。悠太に一度研究中の祖父の姿を見せてやりたい、何かを創《つく》り出す科学者がどうやらこの子の気質に似合っているようだから。よし、子供たちを連れて研究室に行こう。

初江が研究室の鉄扉《てっぴ》に向うと、末広婦長は遮《さえぎ》るように先に立った。

「あのう、御研究中はどなたもお入りになれませんが」

「ええ、いいんです」と初江は憐れむように微笑した。間島婦長だったら初江の特権を知ってるはずなのにと思う。

「あのう……」となおも末広は言った。「おお奥さまも御一緒ですが」

「そうですか」初江は唇《くちびる》を嚙《か》んだ。いまいましい、何だっていとまでが研究室にいるのか。あきらめて奥へ行く。食堂の看護婦たちが目礼した。初江は自分のお腹《なか》にみんなが注目したのを感じた。だから三田へは来たくなかったのだ。けさ、突然利平からの電話で、上野のオリンピック展に連れて行くから孫たちを連れてこいと言われた。身重の体で三田までは億劫《おっくう》なため渋っていると、浜田を迎えに出す、なあに家のフォードはスプリングがよくきくし、ゆっくり運転さすからお前の体に危険はないと逃げ路《みち》を断たれてしまった。それに、この夏は利平は葉山に現れず、秋口の結婚式には初江が出席せず、考えてみるともう四箇月も祖父と孫とは顔を合わせていないので、これでは利平が気の毒だとおもんぱかった。

二階への階段を駆けのぼろうとした子供たちを初江は呼びとめ、「まず夏おばちゃまの所へ行きましょう」と言った。最近史郎は、慶応大学前のアパートに引越してしまい、二階は利平といとに完全に占領されていた。自分の生れ育った故郷が他人に侵略された無念の思いで初江は二階を見上げた。そう、これが三田に来たくなかった第一の理由かも知れなかった。

夏江はひとりで三味線を弾いていた。『春秋』の下の巻『雨の曲』である。

「珍しいわね」と初江は感心した。「わたしなんか結婚してから一度も弾かないわ。うちのお旦那《だんな》、まったく音曲に関心がないんだもの」

「うちのもよ。でも、うちのはしょっ中いないから」

「おでかけ」と初江は中林の洋服簞笥《だんす》に目を走らせた。

「休みの日はいないに決ってるの。わたしと一緒の外出なんか一度もないのよ」夏江は三味線を長袋に仕舞いながら言った。

「うちのもだわ。夫ってそんな……」と言いさした。悠太がじっと聴いている。このごろ大人の話が解《わか》り始め、うっかりしたことは言えない。悠太と駿次を遊びに行かせ、夏江の出してやったオハジキで研三を一人遊びさせると、初江はほっとした。

どこかで金槌の音がする。来たとき近所で普請《ふしん》でもあるのかと思っていたが、夏江の部屋からは間近にガンガン響いてくる。

「隔離病棟の増築をやってるの。岡田だけじゃ間に合わなくて大工が七人も入ってるわ。大きなサンルームを作って紫外線療法を大々的にやる計画よ。去年岡田が作ったサンルームは狭すぎるし、通風が悪いってので取り毀《こわ》し」

「病院の中、何だか変ったわね。さっき、末広という婦長に会ったわ。顔は見覚えがあったけど、よく知らない人」

「割合に古い人だけど隔離病棟に引っ込んでいたから目立たなかったわね。あの人、おいとさんの看護学校の同級生で親友」

夏江は間島が伊東に五郎と隠棲《いんせい》したこと、鶴丸が奥向きの女中頭となったこと、古参の看護婦たち六人が辞めさせられ若い人十人が新規採用になったことなどを話した。

「みんな彼女の差し金かしら」

「多分そうよ。でもあの人表面に出ないで、みんなおとうさまにさせるの。その点利口な人」

「夏っちゃんにはどうなの」

「気味悪いくらい丁寧よ。会っても病院内の診療や人事の話は一切しないわ。ただ、〝お嬢さま〟が〝夏江さん〟になったけど」

二人は笑った。初江は言った。

「そう。いつのまにか、〝悠ちゃま〟が〝悠ちゃん〟になってたっけ。でも、これは結婚前の話よ。今さっき、おとうさま発明研究室におられたわ。驚くじゃないの、彼女と一緒よ」

「いつもそうよ。おとうさま、研究に彼女が必要みたい。『いと、行くぞ』って誘って地下に降りなさるのよ」

「そう言えば、博士研究も、全部彼女と一緒ね」

「そう、うちのお旦那によると、おいとさんって研究結果を整理して表や図を作るのが得意なんですって。字も上手で論文の清書も全部彼女がしたそうよ」

「つまり有能な秘書」

「そうよ。おとうさまにはそういう人が必要なんじゃないかしら。何でもパッパッと思いつかれて独創性は豊富なんだけど整理とか比較とかまとめってのは、苦手でらっしゃる」

「必要が生んだ結婚」

「そんな気がするの。だって、おとうさま、結婚以来物凄《ものすご》くお元気で、若返られたみたいで、診察だって、研究だってじゃんじゃんなさるでしょう。何だか幸せで輝いてらっしゃるの。おかあさまにはお気の毒だけど……」

「おかあさま……」初江は目頭をじんと熱くした。「本当にお気の毒……」

「おかあさん」と悠太と駿次が戻ってきた。手に手に持っていたクレヨンの箱を見せる。三十色の立派なものだ。

「どうしたのこれ」

「おばあちゃまがくれた」

「おばあちゃま……」と初江はあいた口が塞《ふさが》らず夏江と顔を見合せた。刹那《せつな》の不愉快をどう言い表そうかと力み返ったとき、鶴丸が姿を現わした。以前常服であった白衣を脱いで割烹《かっぽう》着《ぎ》を着ているのがおかしい。

「おお先生が悠ちゃまと駿ちゃまをオリンピック展にお連れしたいと言っておられます。研ちゃまはわたしがお預りします」

上の二人は喜んで飛んで行った。下の子も〝婆《ばあ》や〟に手を引かれて去った。

「おばあちゃまか」と初江はあきれたと言うように舌を出した。

「でも反対できないわ」と夏江ははっと胸を突かれた様子で言った。「おいとさんはおばあちゃまだもの、れっきとしたね」

姉妹が二階にあがってみると、利平は油染《あぶらじ》みた作業服を背広に着替えていた。いとの介添えがまめまめしい。

「お久し振りです」初江は父だけに挨拶《あいさつ》し、わざといとを無視した。

「おう、ねえちゃんか。大分肥えたな。ウムふくれてきよったのう。予定日は十一月二十日じゃったな。あと一箇月か。順調か」利平は初江の腹を軽く撫《な》でた。

「はい。新宿の山崎先生は順調だと言っておられます」

「その山崎って医者、ちょっと調べてみた。慶応出身じゃ。知合の教授を通じて産科の教授に問い合せたら立派な腕のある医者だそうだ。安心してかかれ。どうだ動くか」

「よく動きます。きっと活潑《かっぱつ》な子ですわ。駿次のときにそっくりです。男の子みたい」

「女の子でも活潑な子はおる」利平は鏡に向って口髭《くちひげ》の形を直すと、「さあ、坊主《ぼうず》ども行くぞ」と子供たちに下知《げじ》をかけた。

「おばあちゃまもすぐ行きますからね。先に下に降りてらっしゃい」といとも言った。

彼女は大島紬《おおしまつむぎ》をきちんと着込んでいた。〝孫〟たちと一緒に外出するつもりであった。

「お久し振りでございます」といとは初江に深々と頭をさげた。「その折は御挨拶にもうかがいませず失礼いたしました。今後ともよろしくお願いいたします」

「いいえ、こちらこそ」初江はあわてて礼を返した。「わたしこそ、よろしく。こんな体ですので、中々こちらにお伺いできませず御無礼いたしました」

初江が顔をあげると、いとの後に立つ夏江の目とばったり出会った。二人は同時に目をパチクリさせた。

「孫たちは泊って行け」と利平が言った。「あすは新田にドライヴする」

「わたしは駄目《だめ》ですわ」と初江は腹をかかえてみせた。

「むろんお前は駄目じゃ。三田で休養しておれ。おお、そうじゃ。これを見ろ。新式のフォークじゃ」利平は机上の木箱に詰めたフォークを見せた。

「あら変なフォーク」初江は手に取って見た。フォークの歯の上二分の一が凹《へこ》んで匙《さじ》の形をしている。

「そこに飯を載せて食う。そうすればフォークを持ち替えんでもすむ。日本人の洋食用じゃ。初江は洋食好きだったな。五種類あるから持って帰り、どれが使いやすいか教えろ」

「看護婦にも試用させてますの」といとが言った。「三番のが今のところ評判がよろしいんですの。でも、病院の食事は和食が多うございますから、やっぱり一般の御家庭で使ってみていただかないと……はい、どうかこれをお試し下さい」いとは五種類を各五本ずつ取り、ボール紙の箱に入れて差出した。ずっしり重い。まるで自分が新式フォークを発明したような物の言いようと、気取った奥様言葉がおこがましい。夏江を見るとさっきと同じ目の信号を送ってきた。

利平といとと子供たちが去って、一分も経《た》たぬうちに史郎が二階にあがってきた。

「まあ、まるで待っていたみたいね」と初江が言うと、「待っていたのさ」と史郎は笑った。

「下で鶴丸に聞いたら、あいつがいると言うんで診察室に隠れてたんだ」

史郎は勤人らしく髪を綺麗《きれい》に刈り、学生時代や兵役時代の日焼けもすっかり色褪《いろあ》せていた。

「史郎ちゃん、すこし肥《ふと》ったわね」と言う初江に、「ねえさんも、ほんのすこし肥ったね」と言い返した。

「いじわる。ぐんぐん体重が増えてどうにもならないのよ。子供の目方なのか自分の脂肪なのか区別がつかないのが困ったところ。まあ両方でしょうけど」

「もちろん両方さ」

「またいじわる。ところで会社勤めってどう」

「気楽でいいね。出社さえすれば、さぼってても給料をくれる。病院はそうはいかねえ。医者がさぼれば患者が死ぬ」

「当り前よ」

史郎は利平の居間を出ると、つい最近まで自分が住んでいた〝お居間〟の襖《ふすま》を無遠慮に開けた。真新しい桐簞笥《きりだんす》や桑の鏡台が女の部屋を示している。しかし大きなマホガニーの書架があって書籍が詰っていた。『看護学概論』『結核治療の進歩』『紫外線の医学』などの文字が読める。ほとんどが医書である。史郎はずかずか踏み込み、背文字を読んでうなった。

「すげえなあ、勉強家だぜ。おや、親父《おやじ》の本が並んでる。時田利平著『胃潰瘍《いかいよう》の器械的療法』『医学博士銓衡《せんこう》会提出論文集』……」史郎は「おれは親父の本なんか読んだことないな」と言いつつ一冊を抜きだし、ページをめくった。

「おやめなさいよ」と敷居越しに覗《のぞ》いていた夏江が咎《とが》めた。「人の物に勝手に触るもんじゃないわ」

「この部屋がいつから、あいつの物になったんだ。そりゃ、おれは引越したさ。しかしここはまだおれの部屋なんだ。あいつが住むなら、おれの許可を得てからにするのが礼儀じゃねえか。おやおや、珍しい本があるぜ、風間振一郎著『肺病に直面して』、同じく『結核征服』。古い本だぜ、大正十一年か。定価三円、たけえ本だな、叔父貴らしいや。しかし、何だってあいつが叔父貴の本なんか集めたんだろう。あ、そうか古本で二十銭。叔父貴も安くなったもんだ」

「おにいさん、ほんとに、もうやめて」と夏江が叫んだ。鋭い刃物で切りつけるような声に史郎はどきりとして振り返った。

「何だよ。何を怒ってるんだ」

「おいとさんは、おとうさまの奥さんなのよ。あの人をけなせば、おとうさまをおとしめることになるのよ」

「オイトサンだって……夏っちゃん、いつからあいつに敬称をつけるようになったんだ。われわれ、きょうだい、みんながあいつを嫌《きら》ってた、と諒解《りようかい》してたがね」

「わたしだって好きにはなれないの。でも、女として一所懸命なのには同情するのよ。その本だって、きっと一所懸命集めた物よ。人が一所懸命にしたものは嗤《わら》っちゃいけないわ」

「はいはい」史郎は本を戻して部屋からひょいと出た。「一所懸命の夏っちゃんにはかなわねえ」

「ねえ、夏っちゃんとこへ行かない」と初江が言った。「この二階、何だか居心地が悪いのよ」

　史郎と夏江が先導する階段を初江はゆっくりと降りた。丁度昼食時で食堂には看護婦が大勢群れていた。旗日のため大半は非番と見え、白衣を着用していない。末広婦長が婦長用の朱漆の箱膳《はこぜん》を運んでいた。初江は、時田家用の食器戸棚《とだな》が姿を消したのに気がついた。夏江が別宅を構え、史郎が家を出たのだから当然の処置だけれども、菊江が買い集めた孫用の茶碗《ちやわん》や皿はどこに行ったのか気掛りだった。菊江は賄方《まかないかた》を指揮して子供たちに食堂で食べさせるのが好きだったが、いとではそれも叶《かな》わぬと思う。

　史郎が姉と妹にささやいた。

「事務長さんを前に申し訳ねえが、やっぱり病院食はかなわねえ。あんな薄い豚カツじゃ腹の足しにならん。どこかへ食べに行こうよ。鮨《すし》なんかどうだい」

「いいわねえ」と初江は言った。「ただし遠くは駄目よ。鮨政なら行きたい」

すぐ近くの鮨政は菊江がよく連れて行ってくれた店だ。母の思い出に是非行きたい。

「わたしは駄目よ。ちょっと外出するの」と夏江が言った。

「どうして」初江は不満げに言った。「せっかく久し振りにわたしが来たのに」

「今夜泊るんでしょう。あしたは一緒にいられるわ。きょうは約束があるのよ」

夏江はさっさと自宅に戻って行った。

「変った妹だよ。鮨食う時間ぐらい付き合ったっていいじゃねえか」史郎は舌を出した。

「夏っちゃん、幸福じゃないみたい」と初江は、妹のほっそりとした後姿が、今にも折れそうに弱々しくまた淋《さび》しげなのをじっと見送った。

13

秋空は淡い雲を高く掲げて輝いていた。が、下界では街が陰気に押し潰《つぶ》されていた。道はぬかり、どす黒い土が靴《くつ》に染みてきた。橋を渡ると腐臭が鼻を突き、インク色の川に猫《ねこ》の死体が歯を白く剝《む》き出しにして浮いていた。

菊池透から葉書が来たのは、つい三日ばかり前のことだった。文面は簡単で、夏江の結婚を祝し、無沙汰《ぶさた》をわび、その後セツルメントには色々な出来事があって大分変った。もっとも自分はレジデントとして相変らず泊りこんでいる、ところでこの度自分は事情あってセツルメントを去らねばならなくなった。ぜひ一度お会いしたいとは思ってはいるが、何かとお忙しいようなのであきらめている、と言う内容だった。突然舞い込んだ手紙に夏江は心を動かされた。雪の日に彼は「きみが好きなんだ……愛してる」と不意打ちに告白した。あの折の上気した顔艶《かおつや》が忘れられない、彼はわたしを忘れずにいてくれたのだ、〝色々な出来事〟〝セツルメントを去らねばならぬ事情〟とは何なのだろう、そう思うと夏江は自分が押えられず、きょうの休日にセツルメントを訪れてみようと思い立った。

安普請の家々のむこうに町工場が煙突を連ねている。その半分ぐらいは煙をはいて、休日にもかかわらず機械を稼動《かどう》させている。工員寮や小学校はさすが日の丸を出しているが家々にそれが欠けているのは日の丸を買う余裕もないためだろうか。三田界隈《かいわい》だとどの家も競って大きく立派な日の丸を店先や玄関先に掲げているのだが。

帝大セツルメントに来ると、ここで過した未婚の歳月が胸を締めつける思いとなって迫ってきた。もう何年も前の出来事のようだけど、事件のあと、足が遠のいてからまだ半年ちょっとしか経っていない。羽目板に子供たちがつけた傷、ドアの蝶番《ちようつがい》の軋《きし》み、凸凹《でこぼこ》に擦《す》り減った廊下、何もかもが懐《なつか》しい過去を呼び覚した。奥の調理場に竹内睦子がいた。

「時田さん、まあ久し振りね」

「こんにちは」と夏江は挨拶し、「今度、中林となりました」

「中林さん……あなたがどうしてるかって、みんなでよく噂《うわさ》したのよ」

「みなさん、お変りなく……」

「それがねえ」と竹内睦子は鬢《びん》の白髪を掻《か》きあげ目をギラギラさせた。「大変りなの。何しろ二・二六以来当局の弾圧がひどくてね、主事やレジデントや専従者はみんな名簿を提出させられ、レジデントの何人かは特高の取調べを受けたわ。そんなこんなで、セツルは赤の温床だとかソ聯《れん》の手先だとか、それから英米の走狗《そうく》だとか、いろいろ言われて……そう、ソ聯と英米とがゴチャマゼで滅茶苦茶《めちゃくちゃ》なんだけど、ともかく共産主義と自由主義という非常時にあるまじき思想の持主が集ってると色眼鏡で見られてね、まず維持会員が会費を出さなくなった。教授たちも寄付を渋りだし、大学の空気に流されて学生セツラーが来なくなった。レジデントや専従者にはやめる人が続出してね、託児所では大谷さんがやめたわ。どこもかしこも人手不足……」

「すみません」夏江は頭を下げた。「そんなときに、わたし、やめたりして」

「いいえ、あなたの責任じゃない。時勢よ。非常時よ」

夏江は菊池透の所属している二階の法律相談室へ行こうと目をあげたが、竹内睦子の前では気が引けた。が、気配を察した竹内睦子が「二階には誰もいないのよ」と教えてくれた。「レジデントで残ってるのは菊池君だけなんだけど、彼、けさから明夫ちゃんちへ行ってるわ」

「浦沢明夫ですか。明夫ちゃんがどうかしたんですか」

「おかあさんの常子さんが睡眠薬で自殺をはかったのよ。おとといのことだけどね。カルモチン一瓶《びん》が枕元《まくらもと》に転がってた。致死量じゃなかったんだけど、元々結核で体が衰弱していたもんで心臓不全をおこしたの。それにさ、半月かひと月、あまり食べてなかったらしい。つまり餓死するつもりだったらしいの」

「助かりそうですか」

「それがねえ……危いらしいわ。さっき、近所の人が、様子がおかしいって知らせに来たので、柳川先生が往診に行ったところ」

「わたしも行ってみます」と夏江は言った。「あのおかあさんなら知ってます。栗原紡績の女工さんで、女手一つで明夫ちゃんを育ててきた……家を訪問したこともあります」

「そんならねえ」と竹内睦子は言った。「このお握り届けてもらえないかしら。柳川先生に持ってってもらうつもりが、忘れていった――菊池君の昼飯。沢山あるから明夫ちゃんにも分けてね」

　夏江はバスケットを提げて外に出た。いつのまにか厚い雲がひろがっていた。ふと日が陰って街は暗くなった。同潤会アパートの前で、男二人につけられた雪の日を思い出した。市電が発車してすぐ二人が近寄ってきて、「警察のものだが署までちょっとこい」と言った。手錠をはめられると、つぎの停留所でおろされ、錦糸町《きんしちょう》駅前の太平署まで連行された。逮捕の理由も言わず、身分証明書も見せない男二人が、本当に刑事なのかどうか定かならず、誘《ゆう》拐《かい》される恐怖におびえていたので、警察署の建物を見たときはむしろほっとした気持だった。やけに天井が高くて狭く、まるで筒の底のような部屋で取調べを受けた。相手の知りたがったのはセツルメントに出入りする人々の名前と動静だったが、託児所の仕事にだけ従事していたので何も知らぬと突っ撥《ぱ》ねると、竹刀《しない》で机上の両手を叩《たた》かれ、「お前みたいな非協力な非国民は殺してもかまわんのだぞ」とおどされた。夏江が落ち着いていられたのは、相手の態度が粗野で威丈高であるわりに単純明快で、人々の名前と動静をすこしでも多く知りたいという方向にのみ訊問《じんもん》が定まっていたからである。相手が鎌《かま》をかけてきた伊川憲次も菊池透も、「そんな人知りません」で通した。それにしても、相手がセツルメントの医師や保姆《ほぼ》やセツラーたちについて、実に綿密な知識を持っているのには度胆《どぎも》を抜かれた。夏江などから聞き出さずとも、彼らは表も裏も知悉《ちしつ》していたので、ほんの一晩の留置で夏江が許されたのも、彼女がもともと主義者の動静に無知であるとむこうが知っていたからだろう。

同潤会アパートの裏側の迷路に入った。栗原紡績工場の味気ない建物をめぐって大小の道がくねくね続いている。ドブ川の橋を渡ると、急に家々が貧弱になった。赤錆《あかさ》びたトタン屋根に板囲いのバラック小屋が多い。大工の手で建てられた普通の家々も軒が傾き壁が落ちているのが目に付く。川岸の小屋の一つの前に女たちが集っていた。蒲鉾板《かまぼこいた》の表札に浦沢常子の字がかすんでいた。ドアのかわりに、入口に筵《むしろ》が垂らしてある。託児所に子供を預けている主婦が夏江に会釈《えしやく》し、筵をかかげて中に押し入れてくれた。六畳一間の板の間に、臥《ふ》せた常子を囲んで大勢が詰めている。枕元で病人の脈を取っているのが柳川医師だ。菊池透が夏江を振り返って「中林さんじゃないの」と驚きの声をあげた。

夏江は医師に会釈し、菊池に「竹内さんからよ」とバスケットを手渡した。

「ありがとう」菊池はバスケットを開き、竹の皮からお握りを一つ取り出すと浦沢明夫にあたえた。余程腹を空《す》かしていたらしく、子供はがつがつかぶりついた。

「あなたもどうぞ」と夏江はすすめたが、菊池透は、「いや、今はいい」と周囲の人々に気兼ねした様子だった。

浦沢常子の目は開いてはいたが何も見ていない。水に漂うように眼球がゆっくり揺れ動く。額も頬《ほお》も紫に染まって生気がない。せわしない喘《あえ》ぎがふと止る。人々がはっとして見守ると、しばらくしてまた胸が動き始める。生命の炎が消えようとして、またわずかに燃えあがる様子だった。煎餅蒲団《せんべいぶとん》からは、汗と小便のアンモニア臭が絶えず立ち昇っていた。

初めて託児所に来たとき常子は子供をおぶってきた。四つになるという子は、まるで赤ん坊のように小さく、明らかに栄養不良の徴候を示していた。子供をおろすと常子は軽くよろめいた。子供をおぶうだけで力を使い果したようで、事実、彼女の両肺は結核におかされていたのだ。しかし、休養をとる余裕も意志も彼女にはなく、ずっと働き続け、出勤前に子供を預けにき、夕方、時には夜になって子供を取りにきた。子供の背丈は一年一年伸びはしたが、瘦《や》せて腹ばかり出張って、いつも腹を空かせていた。家では食べ物がなく託児所であたえる昼食のみが唯一《ゆいいつ》の食事らしかった。ほかの子と遊びもせず、ひたすら給食の時間を待っている子の、おどおどした窪目《くぼめ》に、夏江は何度も胸を痛めた。

本当にこの部屋には何もない。蒲団と林檎箱《りんごばこ》とわずかな衣服と……あとはアルミの薬缶《やかん》に蓋無《ふたな》しの鍋《なべ》と七厘《しちりん》だけ、簞笥も卓袱台《ちゃぶだい》も、およそ家具らしいものは何もない。狭い部屋に病人を囲んで大勢が入れるのは、そのせいだった。

医師は病人の脈から手を離すと頭を振った。菊池透は握り飯をもう一箇《こ》子供にあたえ、

「ゆっくり食べるんだよ」と言って立った。大人たちは部屋からぞろぞろと出て、小屋の前の路上に顔を寄せ合った。

「残念ながらもう長くありません」と柳川医師は目を伏せた。女たちの間にすすり泣きがひろがった。「あと一日かそこら……そんなもんだと思います。明夫ちゃんはセツルメントでしばらくお預りします。おかあさんをどなたか交替で見ていただけないでしょうか。容体が変ったらすぐ知らせて下さい。飛んで来ます」女たちはゆっくりと頭を下げた。

柳川医師は先に去った。菊池透は女たちと相談して看病の段取りをつけ、夏江は明夫の着替えを探して風呂敷《ふろしき》に包み、こうして三人は連れ立ってセツルメント・ハウスに帰ってきた。

「二階へ行こう」と菊池透は夏江を誘った。二人は法律相談室に入った。しばらく使われてないらしく蜘蛛《くも》の巣が張り埃《ほこり》が積っている。夏江は机と椅子《いす》にざっと叩《はた》きをかけ、床の紙屑《かみくず》を拾い、黴《か》びた臭《にお》いを追い出すため窓を開いた。

「菊池さん、セツルをおやめになるの」

「そう。兵隊になるんだ」

「なぜ。大学生には徴集延期があるんでしょう」

「いや、ぼくは落第したからね、もう二十五で期限切れだ。この五月に身体検査を受けた。甲種合格で歩兵と決った。今年の末には入隊しなくちゃならない。八丈島出身だから麻布の聯隊区、つまり歩兵第三聯隊に入る」

「あら……」東京府出身の壮丁は出身区域によって麻布聯隊区か本郷聯隊区に配属される定

めであり、八丈島出身者は当然麻布と決っているものの、夏江は偶然の一致のように思えてびっくりした。「二等兵になるの」

「むろん。歩三の主力は今満洲に行ってるんで、麻布の留守部隊で新兵教育を受けたあと大陸に送られるらしい」

「実はね、わたしの姉の夫の甥《おい》が歩三の中尉なの。あなたに何かの助けになると思うけど」

「それはありがたいけど」菊池透はがっしりとした顎《あご》をぐっと嚙《か》みしめた。「ぼくは一介の二等兵として兵隊生活を送ってみたい。日本の軍隊の最下等の人間として生活してみれば軍隊の本質がわかると思う。そのためには引きはむしろ障碍《しょうがい》なんだ」

「あなた軍隊を研究しに行くつもり」

「そうでも考えなければやりきれない。青春の二年間を国家公認の殺人団の下働きとして消費させられるんだから、それに見合う何かを得なくちゃね。さいわい、ぼくは漁師の三男、体は岩乗《がんじょう》だから」

軍隊を殺人団と極《き》め付けられて夏江は内心反撥《はんぱつ》した。すると脇敬助は殺人団長になるわけか。しかし、菊池透が最下層の二等兵から軍隊生活を始めたいという願いに何か親しみを覚えた。

「わたしの父も漁師の子よ。でね、苦労して、牛乳配達から始めたの……」そう言いながら自分が見当はずれのことを言っている気がして夏江は急いで話題を変えた。「あなた、逮捕されたって聞いたけれど……」

「ああ、とっつかまった。しかし、証拠不充分で釈放された」

「わたしと同じね。一晩留置場に入れられたけど、証拠不充分ですぐ帰された」

「きみが……知らなかったよ。どうしてだ」

「あなたがつかまった日、わたしセツルに行ったの。帰りに刑事につけられて、太平署に連行された」

「太平署……じゃぼくと同じとこだ」

「でしょう。あなたや伊川さんとの関係をしつこく聞かれた。もちろん、わたし知らないって答えたわ」

「そう言ったって特高は納得しなかったろう」

「特高……あの刑事が特高なの」

「そうさ。思想犯のベテランだ。ひどい……拷問《ごうもん》を受けなかった」菊池透は心から心配そうに夏江の輪郭を視線でなぞった。

一瞬裸にされた思いがして夏江は身震いした。

「竹刀で手や肩を叩かれた程度よ」

「痛かったかい」

「それは痛かったわよ。あとで腫《は》れあがったもの。でも我慢できないほどじゃなかった」

「特高も美人のお嬢さまには手加減するのかな。ぼくはひどかった。何しろ憎たらしい面構《つらがま》えに加えて前科《まえ》があるからね。宙吊《ちゅうづ》りにして木刀で気を失うまで叩きのめしやがった。殺されるかと思ったよ」

「まあ、ひどい目にあったのね。大丈夫だった」

「大丈夫。やつらだってぼくが今年徴兵検査を受ける壮丁だって知ってるから、後遺症をおこしたり傷跡が残るような乱暴はできないんだ。身長一・五五メートル以上身体強健な甲種想定者は兵隊として使ったほうが御国の役に立つからね。だからぼくも頑張《がんば》れた」菊池透は欠けた乱杙歯《らんぐいば》を見せて、自嘲《じちょう》するかのように苦笑した。

「警察はわたしと取引きしようとしたの。これについては絶対口外するなって命令されたけど菊池さんには打ち明けるわ。第一に今回の逮捕は誰にも話すな、第二に今後セツルメントで出会った人間の氏名職業を通報せよ、第三に第一と第二を厳守すれば今回は見逃してやるっていうの。つまり警察のスパイになれば穏便に取り計らうというの」

「あ、それ特高が無実の人によく使う手だ。で、きみはどうしたの」

「断ったわ。第一、わたしは何も悪いことしていないのだから今すぐ釈放してほしい。第二、わたしは近く結婚してセツルメントをやめてしまうから内部のことはわからない。本当は怖かったけど、相手が急に気味悪いほど優しくなって愛想笑いなんか浮べたのが癪《しゃく》で、そんなことできませんってはっきり言ってやった。そしたら留置場に戻されて、まる一日ほっとかれた。でも結局は帰してやるって言われたけど」

「よかった。でも、勇気があるな、特高相手に堂々と拒否するなんて」

「相手が特高だって知らなかったからよ。二人のうち一人は気の弱そうなお巡《まわ》りさんで、役《やく》目柄《めがら》仕方なしに取調べをおこなっているという風だった」

「目が三日月形で、顎が突っ張って、ちょっと猫背」

「その人よ」

「それは大変な人だったんだ。警視庁特高部の安中部長と言って、ぼくを拷問した張本人だよ」

「まあ、そんな人に全然見えなかった。でも、なぜ特高ってセツルを目の敵にするのかしら」

「今度は伊川憲次がやつらの目標だったけど、結局はセツルを赤化思想の温床と見て解散させるのが当局の意向だ。伊川事件はむしろ口実——切掛けなんだ」

「セツルって本当に赤化思想の温床なの」

「過去においてセツラーのなかにマルキストが多かった事実はある。逮捕者も何人も出ている。すると当局にはセツルそのものが疵物《きずもの》に見えるんだ。疑心暗鬼さ。あなたまで主義者だと見えてくる」

「あなたはどうなの」

「ぼくか……」菊池透は瞬時戸惑いを見せたが、急に大きく頷《うなず》くと生真面目《きまじめ》な表情となった。

「あなただからはっきり告白しておく。ぼくは……ぼくはキリスト者だ。カトリック信者だ」

「そうでしたの」夏江はほっと吐息をついた。菊池が主義者でなくて安心したような、反面失望したような気持だった。

「きみは……主義者じゃないでしょう」

「いいえ……と言い切れるほど政治思想について知らないの。そうしてね、聖心の卒業生だけど洗礼は受けてないの。聖書は時々読むしカトリックの教義には親しみは覚えるけれど。わたしって、みんないい加減なのね。物事を突き詰めない」

「それはぼくも同じだ。キリスト者だなんて言いながら信仰はあやふやで、しょっちゅう躓《つまず》いている。早い話が天皇に対する今の教会の態度に疑問を覚えている。きみは天皇と神との関係をどう考えているの」

「わからないわ。そんな大問題」

「ぼくもわからない。しかし考えてはいる。ロマ書の十三の一に『すべての人、上にある権威に従ふべし。そは神によらぬ権威なく、あらゆる権威は神によりて立てらる』とある。すると天皇は神の御名代ということになるが、事実教会ではそう教えているが、ぼくはこの点に躓くんだ。今の日本で国民の第一の徳目は忠君愛国で、天皇は国民の慈父であり国民は天皇に絶対服従し、その人を現人神《あらひとがみ》だという。天皇のために身命をなげうって、砲煙弾雨の中に突進し、国威をあげるのは最高善だという。軍人勅諭の第一等の訓戒も忠節で、天皇のための死が義であるという。『義は山嶽《さんがく》よりも重く死は鴻毛《こうもう》よりも軽しと覚悟せよ』という。しかし、満洲事変以後、大元帥《だいげんすい》である天皇の親率する軍隊——まさしく皇軍——の行なっていることは、国家の防衛ではなく他国の侵略だろう。満蒙《まんもう》が日本の生命線だと勝手に決めて、侵略を繰り返す今の皇軍は不正な殺人団にすぎない。そうした殺人団の総帥である天皇が神の御名代などとはどうしても思えない。天皇が神の御名代でなければ、天皇よりも神に従うほうを第一義にしなければ……」

菊池透の話を夏江ははらはらしながら聞いていた。特高や憲兵に盗聴されたら大変な内容である。さいわいこのセツルメント・ハウスは安普請《やすぶしん》で誰かが階段をあがってくれば建物全体が軋《きし》む。耳を澄ますと託児所のあたりで物音がした。竹内睦子と浦沢明夫が何かしているらしい。

「そんな考えでは、菊池さん、あなた殺されちゃうわ。入営して天皇陛下の批判なんかしたら銃殺されちゃうわ」

「むろん、軍隊では黙ってるさ」

「でも態度にあらわれないかしら」

「大丈夫。蛇《へび》のごとくさとく、鳩《はと》のごとく柔和にやるよ」

「どうしてその話をわたしになすったの」

「徴兵される前にぜひきみにだけは言っておきたかった。それだけだ」

菊池透は長髪を掻《か》きあげて、顔を赤らめた。夏江は彼の真っ正面に椅子をずらして向き合った。

「菊池さんお葉書下すったわね。懐《なつか》しかったわ」

「あっ……いや……しかし……きみが会いに来てくれるとは思わなかった。あっ、ぼく間違った……別に、ぼくに会いに来てくれたわけじゃないんだ」菊池透は骨太な両手で顔を覆《おお》い、水で洗うような仕種《しぐさ》をした。ごしごし皮が剝《む》けそうに頬をこすっている。

「あなたにお会いしに来たのよ」

「そうだったの。本当に……」彼は顔から両手を離して、真から嬉《うれ》しそうな笑いを見せた。

「いや、きみが来てくれるとは思わなかった。満洲へ行ってしまえば多分二度と会えないから、さよならを言いたかった。セツルを去る前に一度会いたかった。会って
「兵役は二年でしょう。二年後には日本に戻って来れるわ」

「それはどうかな。最近の北支の事情を見ると、一触即発で日支戦争がおこる気配だ。そうなれば……」

「いやだわ、戦争なんか」

「戦争の季節が始まっている。キナ臭い時代になりつつある。ヒトラーは再軍備を宣言して軍備拡張に熱中し、ムソリーニはエチオピアを侵略して併合し、スペインではフランコ将軍が政府軍を撃破してマドリッドに入城しようとし、わが大日本帝国は満洲から蒙古や北支への侵入を画策している」

「いやあね」

「いやだとはっきり言えるきみみたいな人は少ない。今、日本国民の大部分は、過去においてそうであったように戦争によって国威を輝かすのが最上の繁栄の道だと信じている。国民の支持と服従によって天皇の権力と権威は絶頂で、ぼくのちっぽけな信仰なんか何の力もな

い。だから、蛇のごとくさとくあっても、ぼくは生きては帰れないだろう。ぼくは思った――きみにだけお別れを言いたいと」

「だめ。あなた、生きて帰ってらっしゃい」熱いものが目に溢《あふ》れてきて、夏江は思わず身を乗り出した。が、まるで男に飛びつくような自分の仕種を恥じて、肩をすぼめて項垂《うなだ》れた。男は黙っていた。女は男の視線に貫かれ、日に暖められたときのように髪の毛全体がふわっと脹《ふく》れあがるのを感じた。頬の途中で止った涙が乾いていく。と同時に、東京駅頭に脇敬助を見送りに行ったときの情景が沈んでいた木のように浮びあがってきた。見送りには行くまいと心に決めて家でくすぶっていたところ、風邪で行けないから悠太と駿次を連れて行ってくれという初江からの電話で大急ぎで西大久保へ行き、子供と一緒に東京駅へ駆けつけたのが発車寸前で、考えていた別れの言葉を述べるいとまもなく、「お手紙焼きました」と妙な捨台詞《すてぜりふ》を投げつけてしまった。あの一言で敬助とは決定的に切れた気がして、去っていく列車を見送ってももう涙一つ出なかった。

菊池透はやっと口を開いた。

「こんなこと聞いていいか知らないけど、きみ結婚して幸福ですか」

「わたし幸福じゃないようですか」夏江は相手の真剣な眼差《まなざし》を見上げた。

「あっ、いや、これは不躾《ぶしつけ》な質問だった。こう聞くべきだった、結婚生活ってどんなものですかと。院長夫人でしょう」

「副院長夫人。夫は傭《やと》われのしがない副院長よ」

「しかし、何しろ大病院の副院長だ」

「大病院かどうか知らないけど、職員が大勢いるの。わたし事務長をやってるもんだから、職員の世話で毎日すり減ってる。人間が大勢集まると、どうして何もかもうまく行かないのかしらんねえ。こんがらかって、みにくくて、けがらわしくて、もううんざり」

「きみも、とうとうそんな世界を見たのか」彼はいたわしげに言った。

「結婚して年をとったということよ」

「いいや、そうじゃない。人間の真実の姿を見るだけの勇気が養えたということだ。しかし、きみの場合、御主人が何かと支えになって下さるからいい。それが結婚した効用だ」

「それがねえ……」夏江はまた俯《うつむ》いた。

「何だか元気がないね。いつもの夏江さんのように、しゃきっとしてよ」

〝夏江さん〟と名前を初めて呼ばれて、彼女は面《おもて》をあげた。彼は顔をぐっと近付けて、しかつめらしくささやいた。

「人間が大勢集ってうまく行かないのはセツルも同じさ。特に二・二六以降の弾圧で、ここは蜂《はち》の巣をつついたみたいだった。危機になると人間の本性が剝き出しになる。本性がみにくく、けがらわしい人が多いから大変だ」

「レジデントで残ってるのは菊池さんだけなの」

「いいや、あと二人いる。法律相談室や託児所は活潑でセツラーと専従者と合せて二十人ほどはいるかな。しかし診療所はセツラーがゼロで医師も二、三人しか来ない。きみも知っているかつてのセツルの盛況は今はない。大勢が当局に睨《にら》まれるのが恐《こわ》くて脱落していった。地元の人たちの足も遠のいてきた。浦沢常子さんでさえ、ここに入院して治療を受けるのをいやがり、家で寝ていたいと言う」

「菊池さんは立派だわ。頑張っている」

「立派でもないさ。現役徴兵という口実があってセツルをやめられるんで、実はほっとしてるんだから」

「ほっとしてる……」

「言っておくけど、みんなと同じように当局が恐いからじゃないよ。ぼくは恐くはない。はっきり言って今まで三度逮捕され拷問されたが恐くはなかった。貧しい人たちのために尽くすのは神の前で当然だと思うから。ぼくが悩んだのはセツル内部の人たちとの関係だ。主事の林さんはどちらかと言うと自由主義者だが、竹内さんにしても柳川先生にしても根っからのマルクス主義者だ。むろん当局にはそれをたくみに秘しているが潜行中の党員とも絶えず連絡を取っている。彼らはぼくがキリスト者なので、人類社会進歩の一番低い段階の空想物である神など信じている遅れた意識の人間と見下している。そうして特高に拷問されるとすぐ音をあげる弱虫——革命の闘士になれぬルンペンプロレタリアート——だと思っている。この二月、伊川憲次が逮捕されたのもぼくの密告によると疑われ、スパイ容疑で彼らから徹底的に査問された……」

「そんな……あなたは密告なんかする人じゃないのに。わたしでさえしなかったのに」

「しかし、彼らはぼくを信用していない。古参のレジデントとしてセツル内部の事情に精通しているから、なおさら疑って掛る」

「友情も信義もないのね」

「いいや。人間の本性ってのはそういうもんなんだ。きみの病院だって、こんがらかってるんだろう」

「実はそうなの。もう、ひどい有様」

「もう何十遍も彼らと議論した。彼らは言う。歴史の進歩した段階において、経済的搾取《さくしゅ》がなくなれば、宗教への逃避もなくなる。なぜなら共産社会では、それ自体の中に完全な幸福が実現しているから、神も無用になる。そして階級のない社会が実現した暁に歴史は最終的に静止するという。ぼくにとっては実に莫迦《ばか》げた思想だが、彼らは真剣で心の底から信じ切っていて、何かというと彼らの神様、コミンテルンの絶対的指導者スターリンを持ち出してくる。日本も早くスターリンのソ聯邦《れんぽう》のような進歩した幸福な国になるべきだ、そうなればお前のエホバやキリストなど無用だと言う。そうして共産主義者こそが正義の味方で、キリスト者は革命の牙《きば》をそぐ反動だと罵倒《ばとう》する。ぼくは息が詰る思いでセツル運動に参加してきた。徴兵されるぼくがほっとした理由がわかる？」

「よくわかるわ」

「ありがとう。ぼくがこんな告白したのはたった一度、きみに向ってだ」

「わかってます」

「誤解してほしくないんだけど、ぼくは竹内さんや柳川先生を人間としては尊敬しているし、彼らの立場ではそうとしか考えられず、従ってぼくに向ってそう言わざるをえない状況を理解してるんだ。そして、セツルメント運動の同志として親愛の情をいだいている」

「あなた寛容なのね」

「そういう気持になるのは、ぼくの意志ではないんだ。この点はうまく言えないけれど……」

菊池透は、右手で小さな十字を切ると両手を重ね、祈りの姿勢で瞑目《めいもく》した。

階段に足音がした。菊池透が素早くドアを開きっぱなしにすると、踊場に竹内睦子の頭が現れた。彼女は法律相談室に入って、二人を見較《みくら》べて、「お話中、悪いんだけどさあ、菊池君、お握り食べてないんでしょう」とバスケットを机に置いた。

「明夫ちゃんにあげてくれよ」

「あの子、三つ目食べたら吐いちゃってね。お腹《なか》が空《す》いてたとこへ急に詰めこんだため、胃が受けつけないの。柳川先生の診断では完全な栄養失調ね」

「今どうしている」

「眠ってるわ。可哀相《かわいそう》に、おかあさんの枕元《まくらもと》に坐《すわ》ったきりで、あんまり寝てなかったみたい。菊池君も寝不足でしょう。きのうは真夜中まで、けさは明け方から常子さんに付きっきりだもんね」

「あの人が気の毒でね。夫に死なれてから、女工の薄給で子供を育て、ついに倒れた。身寄りもない。近所の人たちも肺病だと言うんで近付かない……今、枕元に詰めてるのは近所の人たちじゃなく、工場の同僚なんだ。休日だというので集ってくれたけど」

「さっき大家が来たわ。死んだら屍体《したい》はすぐ運び出せ、あとはセツルメントで消毒しろ、そうすれば家賃の滞納は見逃してやるだって」

「お棺は頼んである。消費組合の積立金で何とかなる。しかし、通夜《つや》も葬式も金がないから出せず、焼場に直行だね」

竹内睦子が去ると、夏江は財布から十円札を二枚抜き出して菊池透に差し出した。「こんな大金」「いいのよ。常子さんのために使って」「ありがとう」と彼はお札を押し戴《いただ》いた。

「わたし、もう帰らなくっちゃ。姉の一家が遊びに来てるの」

「もう……」菊池は残念そうな渋面を作った。「まだまだ話したいことがあるのに」

彼はバスケットを開いた。海苔《のり》で包んだ握り飯が二つと四切れの沢庵《たくあん》があった。

「きみ、昼飯まだじゃなかったの」

「まだよ」

「じゃ、お握り一つずつ食べよう」

夏江は頷いた。彼は両手を組んでちょっと祈った。夏江も聖心女子学院で覚えた〝食前の祈り〟を心で唱えた。すると最後の晩餐《ばんさん》だという思いが切々として迫ってきた。お握りを食べたあと、もう二度と彼には会えぬような気がした。

握り飯は、まん丸で固く、男まさりの竹内睦子が作ったらしく力強い出来だった。芯《しん》には種を含んだままの大きな梅干が入っていた。

「おいしい」と二人は顔を見合せた。しばらくして夏江が、お茶を取りに立ち上ると、彼はあわてて立ち、「いいよ、ぼくが取ってくる」と階段を転るように駆け降りた。夏江は微笑した。菊池透ときたら、いつでも階段を、まるで刑事に追われる者のように飛んで行く。

食後、彼は夏江を送ってセツルメントを出た。さっきまでの雄弁は消えて彼が押し黙っている気持が、夏江に痛いように伝わってきた。柳島終点まで行く道筋はいくつもあり、別れ道に来ると彼はどちらの道を行くかと彼女に尋ねるように立ち止った。夏江が、右、左と指差す方向に彼は喜んで従った。

停留所には電車が来ていなかった。低い雲が垂れこめて暗く、風は湿り気を帯びて冷たかった。変電所や倉庫や橋が、死滅した町のように不規則な形を横たえていた。菊池透は長髪を風に流し、「夏江さん」と呼んだ。

「はい」

「二・二六のとき、ぼくはきみを愛してる、と言ったね。覚えてる」

「もちろん覚えてるわ」

「あの気持は今も変らない。今も、いつも、世々にいたるまで」

「ありがとう、嬉しいわ。だけど……」

「あっ、その先は言わないで。きみは人妻だ。ぼくには何も求める権利はない。きみが〝嬉しい〟と言ってくれただけで十二分に満足なんだ。そして、きょうはぼくに会いに来てくれた。本当に嬉しかった。二人とも嬉しいなんて何て素晴しいことだろう。これで、ぼくは思い残す所なく満洲に行ける」

「姉の夫の甥《おい》だけど、名前は脇敬助というの。士官学校出の中尉《ちゅうい》よ。年は二十七。あなたの二つ上ね。あなたは引きなんかいらないって言うけど、新兵って物凄《ものすご》くいじめられるんでしょう。何かのときに頼りになるわ。名前を覚えておいて」

「しかし……」

「わたしね、菊池さんに二年後、生きて無事で元気よく帰っていていただきたいの」

「どうして、ぼくに、そんなに言ってくれるの」

またもや男の胸に飛びこみたい衝動がおこって、夏江は自分を抑えるため顔をそむけた。ポールに青白い火花を散らして電車がやって来た。もう時間がない。

「わたしの結婚生活、幸福じゃないの。夫は大酒飲みの女喰《おんなぐら》い」と言ってから自分の下品な表現に夏江ははっとしたが、「まあ、どうしようもない人なの」と言い切った。すると涙が溢れ出してき、接近した電車の前に張られた救助網がうろうろと揺れた。「じゃ、ごきげんよう、お元気で」と逃げるようにステップをあがる。

「きみも元気でね。さよなら」と男の声が追ってきた。窓から見返すと、菊池透は学生服がはちきれそうなほど広い肩を振り振り大股《おおまた》で立ち去って行くところだった。何かを弾《はじ》き返すような闊歩《かっぽ》が、かえって変に孤独で痛々しかった。

夏江は見慣れた窓外の景色を、もう二度と見る機会がないだろうという思いで、眼底に焼き付けるように熱心に見た。この町で過した年月には若さと夢と希望があった。菊池透との間に何かが起ったかも知れなかったのだ。しかし彼は去った。彼との別れ、それは青春の埋葬なのだ。雨が硝子《ガラス》を叩《たた》いた。夏江は、なぜか浦沢常子が死んだと思った。そして雨に濡《ぬ》れそぼつ時田病院にこれから戻るのだと考えると、ぞっとした。

14

「悠ちゃんは予定通りですか」と美津は切口上だ。

「はい。郵船に問い合せましたところ、秩父《ちちぶ》丸は予定通り、みょうにち午後二時、横浜に着くそうでございます」

「わたくしは晋助とまいりますが、二人とも横浜は不案内でね、御一緒できないかしら」

「はい……」初江は電話口に向って顔をしかめた。美津と一緒では気詰りだし、晋助がいては気持が乱れる。大勢すぎてタクシーの一台には乗り切れない。

「いいです」美津の声には刺《とげ》が生じていた。「わたくしどもは別に行きますからね」

「あのう」初江は大急ぎで言った。「御一緒していただければ、わたくしも嬉しいんでございますが、このところ足の腫《むく》みがひどくなりまして……」

「おや、それはいけないわね。お産はいつの予定でしたっけ」

「十一月二十日で……」

「あと十日、それじゃ大事にしなくっちゃねえ。横浜なんかとんでもありませんわ。もう、そんなになったの。ちっとも知りませんでした。あなた何にも教えて下さらないんだもの」

「すみません……」

「赤ちゃんは大丈夫ですか。順調ですか。本当にずっと御無沙汰《ごぶさた》してしまって。夏に晋助にはお会いになったんですってね」

「はあ……」七月半ばに悠次が出立して以来、実は晋助は何回か訪れてきている。しかし初江はこの四箇月間一度も脇家を訪れていない。美津のほうもぴたりと来なくなった。〝御無沙汰〟の半分は先方に原因があるにしても、自分が義姉を敬遠しているのも事実で、美津の言葉はその点を咎《とが》めていたのだ。

「ともかくお大事に。御心配なく、晋助に地図を見させて何とか行ってみますから」

「お忙しいところ、わざわざ有難うございます」

それで電話が切れた。初江は溜息《ためいき》をついた。何だか横浜へは行くのを禁止されたようで気が滅《め》入《い》る。臨月となったけれど彼女は結構動き回っていた。勝手仕事も買物も自分でしていた。つい一週間前の明治節には三田まで市電を乗り継いで往復さえした。横浜ぐらい、ゆっくりと行けば支障はおこらぬと思い、夫の出迎えには出掛けるつもりだったのだ。

子供部屋が騒がしい。泣いている声は駿次だ。行ってみると、研三が駿次のクレヨンの箱を持ち出して内容をバラまいたうえ、クレヨンをポキポキ折ってしまったのだ。駿次が取戻そうとするが研三は頑《がん》として箱を離さずにいる。弟たちの喧嘩《けんか》をよそに悠太は机に向って絵本を読んでいた。騒ぎに馴《な》れ切っていて平気なのだろうが、弟たちの面倒をすこしも見ないで平然として自分のやりたいことに集中できる神経にあきれもする。研三から箱を取りあげようとすると怒ってあばれだした。小さいくせに我が強く、最近力が強くなって、従わせるのが骨だ。やっと箱をむしり取ったところ蓋《ふた》がこわれた。駿次はまた大声で泣いた。

　初江は癇癪《かんしゃく》をおこした。

「おにいちゃんは何で止めないのさ。駿次もなさけない。弟に泣かされるなんて。研三も、ちいにいちゃんの物をとっちゃ駄目《だめ》じゃないの」

　悠太は脹《ふく》れっ面《つら》で睨んでいる。駿次はおびえて隅《すみ》にいる。初江は研三のお尻《しり》をたたいた。泣かない。この子は強情でなかなか泣かない。強くたたくとやっと泣き出した。一度泣き出すと今度は力一杯の大声を出す。なみやが飛んできてあきれて見ている。初江は八つ当りで怒鳴りつけた。

「そんなとこに突っ立ってないで、研三を外で遊ばせておくれ。ああたまんない」

　なみやが研三を連れ出すと、駿次はしゃくりあげながら折れたクレヨンを拾い集めている。初江はまた腹が立った。いとがくれた三十色のクレヨンだ。このクレヨンのために兄弟喧嘩がおこる。クレヨンを貰《もら》わなかった研三が幼な心に嫉妬《しっと》する。大体小さい子には十二色のクレヨンで充分なのに、三十色なんて大人用の高価な物を、親に相談もなしにあたえて、子供を甘やかす。いとへの恨みが胸を突いて、駿次から箱を取りあげ、屑箱《くずばこ》に投げ入れようとして、初江ははっと思い止《とど》まった。悠太がじっと観察している。この頃《ごろ》、感情が変にたかぶって、極端に走ってしまう。胎教上よくないとは反省するのだが、どうにも抑えがきかない。

初江は気を鎮《しず》めようと深く息を吸い、ゆっくりと吐き出してみた。腹の子は死んだように動かない。唐楓《とうかえで》の葉の緑が薄れ、新緑と見紛《みまご》うばかりの萌黄《もえぎ》にきらめく。幹の割れ目の苔《こけ》は黒曜石のような玻璃《はり》光沢だ。隣の家には鬱蒼《うつそう》とした木々が多いが、中でも梧桐《あおぎり》の大木は黄葉を青空一杯にひろげて誇らしげに立っている。おや、腹の子が動いた。どうやら、母親の気持が和むと、この子は動き始めるようだ。壁の世界地図に気付いた。悠次が巡る場所に月日を書き入れ、線で結んであった。

一〇・二一　ラスヴェガス　一〇・二二　グランド・キャニヨン　一〇・二三　ロスアンジェルス　一〇・二八　サンフランシスコ　一一・三　ホノルル　一一・一一
横浜

悠次の世界一周はあす終る。毎日この地図を眺《なが》めながら彼が通過した国や都市の名をたしかめてきた。しかし、それらがどういう国でどういう都市なのかまるで想像もつかない。男は自由に世界旅行を楽しみ、女は子供を孕《はら》み育て、家を守って働き詰めだ。男が土産話を得意げに話すとき、女は出産の苦しみにあえいでいる。モスコー、レニングラード。数日前に『アンナ・カレーニナ』を読み終えた。怖気《おじけ》立《だ》つ小説だった。アンナのお産の場面に来たら、それ以上読み進められず、長い間中断した。アンナがとりつかれたお産で死ぬという恐怖がわたしに乗り移り、もしアンナが死んだらわたしも死ぬ気がした。しかしアンナはお産では死なず、汽車に飛びこむのだった。わたしも自殺するのか。濃い執拗《しつよう》な闇《やみ》に包まれて、もはや脱《ぬ》け出せない。そう、不安なのはそのせいなのだ。初江は、囚人が鉄格子《てつごうし》ごしに外をのぞくような気持で窓外の秋色を改めて見直した。悠太が不意に言った。

「あした、おとうさん迎えに行くの」

「行くわよ」と答えてから、どんなにお腹の子に危険だろうが横浜へ行こうと決心した。悠太ははしゃいで手をたたき、ピョンピョン飛び回った。

最近束髪をやめて洋髪にした初江は髪結いではなく美容院に出掛けた。ともかく髪を整えてみると、自分が大分肥《ふと》って醜くなったのに気が滅入った。頬《ほお》がおたふくのように脹らんでいる。こんな顔を悠次に見せるのかと思うとなさけない。そして突き出た腹の不恰好《ぶかっこう》は、いかにしても隠しようがない。着物にするか妊婦服にするか、着ては脱ぎして試したすえ、付け下げ縮緬《ちりめん》に博多織の一重《ひとえ》帯《おび》をゆったりと巻きつけることにした。

翌日、初江と子供たちが横浜の大桟橋《おおさんばし》に着いたのは午後二時を過ぎていた。二階の送迎場に登ると、丁度、秩父丸の巨体が迫り来るところで、子供たちはしきりと嘆声をあげ、船の大好きな悠太はもう夢中で目を凝らしていた。見送りの時ほどではないが会社関係の人々が五十人ばかりいて、初江のほうはほとんど顔を忘れてしまったのに、先方はしきりと挨拶《あいさつ》してきた。脇美津は遅れてきた初江に不審の目付きを向け、「おや、いらっしゃれたの」と言った。「はい、けさは腫みがひいたものですから」と初江は弁解した。晋助は朴歯《ほおば》のためもあって頭抜けて背が高く、マントを風にひるがえして颯爽《さっそう》としていた。初江を見下ろす目は、あきらかに憐憫《れんびん》の目色だ。「人をそんなにじろじろ見るもんじゃなくってよ」と言うと、「別に見てはいない。考えごとしている間、たまたま目がさまよってただけですよ」という返事だ。「何を考えていたの」「わがリーベのことです」「へえ、リーベがいらっしゃるの」「いますよ」「今度紹介してね」「はいはい」二人はわざと美津に聞えるように戯《ざ》れ合った。風間家と時田家の人々が一塊になっている方へ行こうとしたとき、駿次が「おとうさんだ」と言った。まのあたりに船がそばだち船橋には鈴生《すずな》りの人だ。「あっ、おとうさん」と悠太も言った。初江は、「ほら、あそこ、白いボートの横」と悠太の指差しでやっと見付けた。八ミリ映画の撮影機をかまえている。同行した山名課長が手を振ると社員たちが一斉《いっせい》に手を振った。

小半時して悠次は船を降りてきた。初江と子供たちをチラと見ただけで会社の人たちに囲まれてしまった。ずっと立ち続けで疲れ、潮風に冷えて小用に立ちたくなった。子供たちを夏江にたのみ、桟橋の端の便所へ歩きだしたとき腹の中が引き攣《つ》った。しかし大した痛みではない。ここ十数日来、ときどきおこるので、子供の突っ張る力が増したせいだと思う。しかし、いつも十秒ぐらいで終るのが、きょうは終らない。初江は、過去の経験からおかしいと気付いた。便所で局所を探ってみると鼻紙に血がついていた。徴《しるし》である。初江はゆっくりと戻ると夏江に「始まったわ」とささやき、「おとうさまを呼んで」と言うと地べたに坐りこんでしまった。晋助が来た。美津が来た。百合子が来た。風間の三姉妹と史郎が来た。利平がやっと来た。

「始まりました」

「莫迦《ばか》なやつじゃ。こんな体で遠出をしおって。出血があったのか」

「はい、すこし」

「痛むか」

「まだそんなに」

　利平は懐中時計を見ながらしばらく考え、「よし、おれの車で三田へ行こう。まだ充分間に合う。浜田、大急ぎで車をまわせ。守衛におれの名刺を見せて、急病人だと言え」

　悠次が姿を現わした。新しい銀縁の眼鏡に小麦色の日焼けは別人のようだ。洒落《しゃれ》た背広も新調らしい。いかにも新帰朝者でございますという出立《いでた》ちである。事情を聞いたらしく、「お帰りなさい」と初江が言うのにかぶせて、「無理するなあ」と顔をしかめ、まるでそんな体で出てきて、みんなに迷惑をかけるじゃないか、と言わんばかりに険しい目付きで睨《にら》みつけた。「すみません」と初江は頭をさげ、自分が衆人環視の的になっているのを改めて恥じた。せっかくの付け下げも一重帯も無残に乱れてしまった。悠次は子供たちには機嫌《きげん》よく話しかけている。なみやに研三の世話をくどいように指示し、あとで三田に届けさせる下着や着物、それに赤ん坊用の品々を数え立てているところに、浜田が車を運転してきた。誰かが両側から抱えあげようとするのを断り、初江は自力で車に登った。後席に毛布が敷き詰めてあり、具合よく坐れた。まるで初江のためにあらかじめ用意してあったかのようだ。利平が隣に乗り込んできた。やはり、そうだ、父がわたしの万一を予想して準備してくれたのだ。昨夜、夏江から電話があり、父はわたしがあす出迎えに行くかどうかをひどく心配していると言った。父と一緒ならば安心だと初江が甘え掛かるように利平を見上げたとき、前の助手席にいとが坐り、車が発進した。いとが振り向いて、「初江さん、頑張って下さいね。いざと言うときはわたしがついてますから」と言った。いとは産婆《さんば》の資格を持っている。自分がいとの前に恥かしい姿を曝《さら》け出すと想像しただけで初江は全身が強張《こわば》ってきた。また疼痛《とうつう》があばれだした。腸がキリキリ裂かれるような感覚に初江は思わず呻《うめ》いた。

富士が見えますよ、と誰かが触れ回っていた。悠次はデッキに出てみた。山名が双眼鏡を熱心に覗《のぞ》いている。近くに房総の岸辺らしいのがひろがり、遠く薄青い山々のむこうにぼんやりと白い三角形が望まれた。悠次は八ミリ撮影機を回してみたが、被写体としてはあまりにも小さすぎると気付いてやめ、通りかかったアメリカ人の家族を撮った。今度の旅ではコダックの天然色フィルムを百本は使った。一本が三分間だから相当の分量である。現像はコダックの本社に送らねばならぬので撮影の成果は未見だが、ベルリン・オリンピック、なかでも前畑選手の二百メートル平泳優勝の場面やヒトラー総統の近写は日本人なら誰でも興味を持つだろう。ニューヨークのネオンサインの精巧で複雑で美しいのに驚嘆して撮りまくったのを会社の連中に見せてやりたい。アメリカでは、この月初めに再選されたルーズヴェルト大統領の話で持ち切りであった。再選のための大パレードをフィラデルフィアで撮ったのがよい記念で、これは歴史的価値を持つフィルムとなるだろう。アメリカにおける文明の進歩は驚異的で、立体交叉《こうさ》の自動車道路を夥《おびただ》しい車が走り、車にはラジオまでついている。電気冷蔵庫や電気掃除機をどの家庭でも備えていて、氷を用いる冷蔵庫や箒《ほうき》なんかもう過去の遺物である。電話の発達も恐ろしいほどで、ホテルの各部屋から直接世界中へ電話が掛けられるのには驚いた。列国の力の充実にも終始気圧《けお》され続け、アメリカよりも広い領土を持つ、イギリス、ソ聯邦、フランスなどの国民の鼻息の荒さ横柄《おうへい》ぶり、極東の小国日本などまるで無視した尊大な態度に嫌《いや》な思いを何度もした。ともかく百聞は一見に如《し》かずで、今度の世界一周で目が開いた。日本はまだ列国に立ち遅れた野蛮な小国なのだ。生命保険事業が列国の水準に達するには、この先、二十年も三十年もかかるだろう。

悠次はデッキから二等船客用のロビーに降りて、葉巻をくゆらし始めた。最上級のハヴァナをうんと買い溜《だ》めした。東京では一箱五円もするものがアメリカでは一円ぐらいですんだ。大いに自慢して会社で吸いまくってやろう。しかし、このロビーの貧弱なこと、日本が世界に誇る豪華客船秩父丸も大英帝国のクイーン・メリー号の純金の燭台《しょくだい》や水晶のシャンデリアやギリシャ神話の極彩色の壁画のように、金と手間暇をかけた調度装飾に遠く及ばない。

手帳を開き、きょうの日記と出納を書きつけた。いよいよ日本だ。午後二時、予定通りに到着しますと昼食時に知らされた。日本の船は時間だけは正確だ。悠次は土産物一覧表を眺めた。見送りにきた会社の連中全員に土産物では破産してしまう。課長以上にするか。同じ課の係長以上とするか。出迎えの顔触れを見てまたよく考えよう。子供たちにはドイツ製の精巧なトラックの玩具《おもちゃ》、石造りの積木、アメリカの塗り絵などだ。妻にはイタリアのカメオ、フランスの香水……しまった。この四箇月間、妻の身重が心に懸ってはいたが、もうすぐ生れる（あるいはもう生れてしまった）赤ん坊の土産までは考えつかなかった。「横浜港が見えてきたぞ」と山名が知らせにきた。悠次は八ミリ撮影機を持って階段を駆けあがった。あわててフィルムを入れる。最後の一本は出迎えの人々の顔を全部撮り、あとで土産物を配る場合の参考資料にせねばならぬ。肉眼で人々の顔を識別できる距離に来たとき悠次は撮影機を回し始めた。会社の連中、親戚《しんせき》、知人、三分間撮りまくってから、初めて妻子の姿を見た。初江はすっかり肥満してしまい、着物が体形にまるで合っていない。あんなみっともない姿を人前に曝してよくも平気でいられるものだ。家で待っていればいいものを。風間振一郎が来ていないので悠次はちょっと気落ちした。渡航費用を算段するため株券を大分買ってもらい、御礼に高価なマイセン焼の壺《つぼ》を買ってきたのだ。

部屋に戻って税関吏の検査を受けたあと下船した。ひとわたり会社の人々に挨拶の義理を果してから妻子を探すと、夏江と中林と子供たちが近寄ってきた。

「お帰りなさい」と夏江がにっこりし、中林がしかつめらしく頭をさげたが、彼の鼻の先に赤い出来物が吹き出ているのが気になった。半年前の結婚式のときに較《くら》べると中林がすっかりふけた様子で、逆に夏江が若々しく娘のようなのに、悠次はびっくりした。

母に命じられたらしく悠太が、大人びた口調で、しかし気恥かしげに「お帰りなさい」と言い、駿次も兄の真似《まね》をした。すると研三が、「お帰りなさい」とまわらぬ舌で突拍子もない大声を出し、周囲の人たちを振り向かせた。研三は、しばらく見ぬまに丸々と肥って一回り大きくなり、利《き》かん坊の面構えで父を見上げていた。

「おねえさんは、今ちょっと……」と夏江が目顔で知らせた。やがて、遠くから初江が重たげに体を揺すりながらやって来るのが見えた。

脇美津と晋助と百合子が来た。晋助は悠次の服装に目をとめて、「叔父さん、立派になりましたねえ」と言った。

「それじゃまるで」と悠次は言い返した。「前は立派じゃないみたいじゃねえか」

「いや、前も立派だったが、より一層という意味ですよ」

「フランスは立派な国だったぜ。沢山八ミリを撮ってきたから、いずれ存分に見せてあげよう。ありゃ、美術と文学の国だね。ところで敬助君は元気」

「はい」と百合子が答えた。「この八月は匪賊《ひぞく》討伐で大分敵を殲滅《せんめつ》したそうです」

「そりゃめでたい。段々、彼も百戦錬磨《ひゃくせんれんま》の軍人になっていくな……」

時田利平が近寄ってきた。陽光のもとで大分白髪が目立つ。

「これが妻《さい》じゃ」と利平は、秋葉いとを悠次の前に押し出した。「この秋、おれはこれと再婚した」

「はあ……」いきなり再婚の事実を知らされた悠次はどぎまぎしてしまい、言葉に詰った。〝おめでとうございます〟と言うべきだったと気付いたとき、利平は気色を害したかのようにそっぽを向いていた。いとは、丁寧に頭を下げて、「お帰りなさいまし。今後ともよろしくお願いいたします。どうぞ三田へもお越し下さいませ」とひどく他人行儀に言い、突如笑顔を子供たちに向けると、「悠ちゃんも駿ちゃんも研ちゃんもよかったわねえ、おとうさまお元気で御無事でお帰りで」と取って付けたように言った。

風間の三姉妹が派手な色彩で悠次を包んだ。しかし、彼は娘たちの背後にいた藤江に声を掛け、渡航前に御主人からいろいろお世話になりましたと礼を言った。そこへ史郎が走ってきて、初江の様子がただごとでないと一同に知らせ、みんな足早にそちらへ向った。

重いトランクのため急には移動できず、悠次は一番最後に行き着いた。初江は地面にくの字に坐《すわ》っていた。裾《すそ》から脛《すね》を剝《む》き出して喘《あえ》いでいる肉の塊を見たとき、悠次は妻が可哀相《かわいそう》になり、「無理するなあ」と言った。そして、西洋の男だったら妻に接吻《せっぷん》して、やさしく抱え起すものをと思った。秋葉いと、いや時田利平夫人が耳元でささやいた。「大丈夫でございますよ。わたくしどもが車で三田にお連れいたします。こんなこともあろうかと、わたくし主人に言いまして、万全の用意を整えてまいりました」悠次はいとが看護婦であったのを思い出し、「万事よろしく」としきりと叩頭《こうとう》した。

利平のフォードが桟橋に姿を現わした。時ならぬラッパの音に群衆が道をあけると、ピカピカの車体が滑ってきた。運転手の真っ黒な制帽と詰襟服《つめえりふく》がやけに目立つ。運転手がドアを開くと初江はおもむろに立ちあがり、何とか車内に這《は》いずりこんだ。悠次の頭を、夫の自分も同乗すべきだという思いがチラとかすめたが、利平といとが乗ってしまうと、もう車内に余地はないようだった。車が去ったとき、悠次は、悠太と駿次に、「おかあさんに赤ちゃんが生れるんだよ」と言った。

「いつ生れるの」と悠太が尋ねた。

「さあ、いつかな。今晩か、あしたの朝か。悠太はどっちがほしい。男か女か」

「女」とすぐ息子は答えた。「おとうさんは……」

「やっぱり女がいいな」

「でも男だったらどうするの」

「どうもしないさ。お前たちの弟だものな」

「捨てるんじゃないの」と悠太は目をくるくるさせて尋ねた。

「捨てるもんか」悠次は、仰天して頭を振った。

「おとうさん、前にさ、今度、男だったらさ、捨てるって言ったじゃない」

「そんなこと言わないよ」

「言ったあ。ぼくちゃんと聞いたんだもの」

悠次は思い出した。七月、出発直前、初江と出産の相談をした際、ぜひとも女の子がほしい、男の子だったら捨てたいくらいだと言ったのだ。

「冗談だよ、あれは。お前は冗談と本当の区別がつかないんだ。まあいい。お前たち、船の中を見たいかい」

「見たい」と悠太と駿次は同時に叫んだ。

悠次は子供二人を連れてタラップをあがった。晋助がついてきた。まず二等船室。ロビー、図書室、銀行、売店、ナイトクラブ、食堂。甲板に出てバーとプールとデッキ・ゴルフコース。ちょうど船倉を開いてクレーンで荷物の運び出しをやっていた。伸縮自在の金網囲いを見て、「あれ、牢屋《ろうや》なの」と悠太が尋ねた。「そうだ、悪い人がいると、あんなかに閉じ籠《こ》めるんだ」と悠次が言うと、悠太は蒼《あお》い顔をして震え出した。悠次が、「嘘《うそ》だよ。冗談だよ」と訂正しても震えは止らない。晋助が、「叔父さん駄目《だめ》だよ。悠ちゃんは感受性が鋭敏なんだから」と言って、悠太に、「大丈夫、この船ができてから悪い人はひとりもいなかったんで、あの牢屋使ったことないんだよ」と笑い掛けると、やっと子供は納得した様子だった。

船橋に登ってマントをはたはたと風に翻《ひるがえ》しながら晋助は水平線を見遣《みや》った。

「船から海を見ると旅心がおきるな、外国へ行きたい。こんな狭い窮屈な暗い国を離れてね」

「外国は見ないとわからないからね」と悠次は頷《うなず》いた。「晋ちゃんはフランスを見たいだろう」

「フランス、行きたいですね。文学・美術・音楽の国」

「大金持の国だよ。ルーヴルの大コレクションには度胆《どぎも》を抜かれたね。ヴェルサイユの宮殿なんて物凄《ものすご》い金をかけてる。ぜひ見たらいい」

「行きたいけど金が無いんですよ」

「脇礼助氏の遺産があるだろう」

「借金だらけ。代議士なんて何も残さない。残ったのは家屋敷とわずかな書画骨董《こっとう》。それも全部兄貴の物。ぼくは次男ですからね」

「そうだったね。おれも次男だったから、晋ちゃんと事情は同じだった」

「長男の……悠一伯父さんての、若死にしたんですってね」

「自転車で死んだ……」

　悠次は久しく忘れていた兄を思った。美津の上にいた兄は十五も年が離れて叔父のような感じだった。お茶の水の高等師範を出て東京帝国大学農学部の実科を卒業し、宮内省の御料林管理官になった。三重県の御料林へ自転車で行く途中、坂道でブレーキがきかず大木に激突して死んだ。十歳だった悠次は、父の悠之進の悲嘆の深さに驚いた。古武士の風貌《ふうぼう》で常日《つねひ》頃《ごろ》頑固《がんこ》と謹厳ですごしていた父が、まさしく女のようにむせび泣いたのだ。そうして次男の自分が死んでも父はあんなに悲しみはしないだろうと嫉《ねた》ましく思った。

　兄の悠一が死ななければ、自分は次男のままで、晋助のように無一物だったと思う。考えてみれば兄の死のおかげで自分は楽ができ、こうして悠々《ゆうゆう》と世界一周もできるわけだ。しかし晋助だって、いつ境遇が変るか知れない。敬助は軍人だから戦死の公算が大きい。悠次は脇家の当主になった場合の晋助を想像し、すこしおもねる気になった。

「晋ちゃんは偉大なおとうさんの血を引いている。これは誇ってもいい事実だよ。何しろ満洲事変を起し、大陸強行策をとって、日本の国力を増大させた功績者は、時の政友会幹事長、いや総務だったか、ともかく政界の実力者ナンバーワンの脇礼助先生なんだから」

「お袋もそう言うし、風間代議士もそう言いますがね、ぼくは親父《おやじ》を恥じてます、日本を暗い奈落《ならく》の底へ突きおとす張本人みたいで」

「何を言いだすんだね」悠次は晋助の長身を気味の悪い動物か何かのように意識した。「まるで主義者みたいな発言じゃないか」

「ぼくは主義者ですよ」と晋助は片目をつぶった。「平和主義者」

「ずいぶん、古くさい主義者だね」悠次は苦笑した。いまどき平和主義なんてまるではやらない。広い世界は戦争気運で沸騰《ふっとう》しているのだ。時代を見る目は、兄の敬助のほうが確かである。


甲板で遊んでいた子供たちが救命ボートに攀《よ》じ登って船員に注意されたのを潮に、悠次は船を降りた。子供たちと一緒に西大久保に帰りついたのは五時過ぎ、もう日が暮れていた。


わが家の玄関に入ったとき、天井の低いのと部屋の狭いのにびっくりし、欧米の家々がいかにゆったりとした空間で成り立っていたかを改めて知った。

「狭い、狭い」とつぶやきながら悠次は部屋から部屋を巡り、電話機の前に来て、三田に電話しなくてはならぬと気付いた。電話口に出たのは夏江だった。つい、一時間前に病院に無事ついた、二階の座敷に寝かされていとが付き添っている、今のところ陣痛はおさまっているが、利平は今晩遅くか明朝早くの出産だと言っている。

「それで一つ困ったことがおきたんです」と夏江は訴えた。「おねえさん、どうしても三田で生みたくない。新宿の山崎産科に前から予約してあるから、そちらで生みたいと言ってるんです。そんなら途中でそちらへ回ってもらえばいいのに、おとうさまの前では何も言えず、三田まで来てしまったんですって」

「三田でいいじゃないの。何で我儘《わがまま》を言ってるんだろう」

「そう言うんですが聞かないんです。起きあがってきて、タクシーを呼んでなんて言う。おとうさまに見付かったら大変だから、おいとさんとわたしで必死で押えてるんだけど……おにいさん、早く来て本人を止めて下さいな」

先方に聞えぬよう悠次は軽い舌打ちをした。この期《ご》に及んでなぜ初江は余計な面倒を起すのか。そもそも新宿の医院でのお産なぞ、天から利平の機嫌を損じる手筈《てはず》であった。せっかく三田に連れて行かれたのだから、今までの三人と同じく利平にまかせれば岳父はご機嫌なのに……。

「なぜ三田を嫌《いや》がるのかしら」

「多分おいとさんが嫌なんだと思います。あの人、産婆の免許持ちだから、今度も、自分の〝孫〟を自分の手で取り上げるつもりなんです」

「いいじゃないの。そういう気持ならなおさら一所懸命にやってくれるでしょうに」

「そう、おにいさんから言ってあげて下さい」

「ともかくすぐ行きます」と悠次は言った。

なみやが冷飯をふかしてくれた。それを茶漬《ちゃづ》けで掻《か》っ込むと悠次は家を出た。三田に着いたとき、もう破水がおこっていて二階の産室からは叫び声があがっていた。夏江は、利平といと、それに末広婦長が付き添っていると言った。炊事場ではおとめ婆《ばあ》さんの指揮で湯がふつふつと煮えたぎり、命令一下いつでも湯を運びあげる態勢がとられていた。悠次は食堂に坐っていたがつぎつぎに看護婦たちが食事に来るので落ち着けず、外来診察室のあたりをうろついていると史郎につかまった。

「おや、来てたんですか。帰国早々のお産じゃ疲れますねえ。こういう時、男は全く用がない。ねえ、麻雀《マージャン》のメンバーが一人足りなくて困ってるんだ。入りませんか」

「それは有難いね。入りましょう」

「場所はぼくの下宿……ぼくはこの家を出たんです。あとの二人は慶応の体操部の連中」

「結構」

史郎は、生れたらすぐ知らせるよう夏江に頼むと義兄と一緒に外へ出た。津の国屋酒店の前から慶応大学の塀《へい》ぞいに暗い坂道を登っていく。

「何だか病院の様子がすっかり変ったな」

「気がつきましたか。ひどい変りようでしょう。変化というより破壊だな、あれは。いとっていう魔女のせいですよ。古い病棟をどんどんぶっこわして結核病院にする。親父はときたら診療そっちのけで発明気違いになっちまった……夏江がか細い腕で抵抗してるがどこまで続きますかね」

麻雀に熱中している悠次の所に出産の知らせが来たのは明け方近くだった。女の子だった。

一本煙突より薄煙をたなびかせて秩父丸の巨体が近付いてきた。アメリカから帰って来た力強い船だ。遥《はる》かな海のむこうの異国を想《おも》って晋助の胸は息苦しいほどに高鳴った。いつかは自分もあんな船で大海を渡りたい。遠い外国の空気を吸いたい。あこがれの異国、文明と文化の先発国、文学と芸術の国、美しいフランス語の国。彼は船橋や甲板や丸窓に顔を見せる外国帰りの人々を激しい嫉妬《しっと》で睨《にら》みつけた。今すぐにでも旅立ちたい男がここにいるのだ。海外に行けば、彼らより余程有効に有益に過せる男がここにいるのだ。すくなくとも小暮悠次なんかより、自分のほうに行く資格はあるのだ……。

夢はしぼみ、うつつの女が迫る——初江がいるのだった。遅れて来たらしく息を弾ませ、ひよこを従えるめんどりのように、子供たちと一緒にいる。風が着物を押えつけ、大きな腹をあらわにした。気の毒なくらい肥《ふと》っている。会うたんびに脂肪の塊となる。初江が話し掛けてきた。二人は、美津が異質物として介在しているため、二言三言当り障りのない言葉を投げ合うに止《とど》めた。

お腹《なか》の子がひょっとしたら晋助の子かも知れないと言われたのは九月になってからだった。西大久保の小暮家の二階で、こっそりと告げられたのだった。子の父親を判定するのには血液型が確実だとも聞かされた。さすがは医者の娘らしく、こういう方面には詳しい。「あなたは何型」と初江は尋ねた。「B型だ」と答えると、「あらよかった」とほっとした様子だったが、すぐさま、「おねえさまは」と尋ねた。「O型だ」「敬助さんは」「O型だ」「それじゃ、亡くなられた礼助先生はB型ね」「どうしてわかるの」初江は便箋《びんせん》に図を描いて見せた。

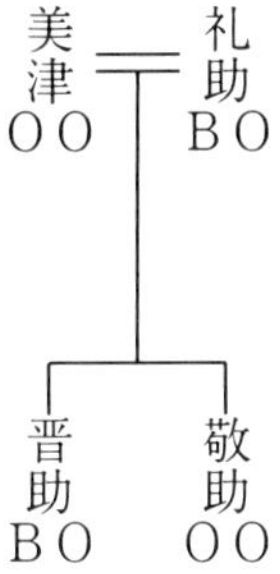

「ところで、家の旦那《だんな》様はABでわたしがOO、そこで悠太がBO、駿次がAO、研三がAOなの。つまり、わたしの子はA型かB型でなくてはならないの。ところが、あなたとの間にできた子はO型かB型で、もしO型だとすると、その子は夫の子ではないとわかってしまうの」初江はさらに図を描いた。

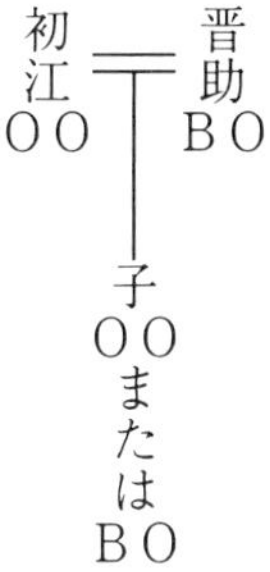

「B型ならいいんだね」「いいの」と頷いた直後、初江は顔を曇らせた。「いいのはいいのだけど、その子が旦那様のか晋助さんのかわからなくなるのよ。もちろん、血液型はもっと沢山種類があって、全部調べれば親子関係ははっきりするらしいけど、普通の開業医はABO

型の検査しかしないから、判定できないわけ」

「もしO型で、ぼくの子だと判明したら……」

「大変なことになるわ。わたしたちは破滅よ。わたしたちの間柄《あいだがら》がばれてしまうんだもの」

「刑法一八三条にはこう書いてある。

有夫ノ婦姦通《カンツウ》シタルトキハ二年以下ノ懲役ニ処ス其《ソ》ノ相姦シタル者亦《マタ》同シ
前項ノ罪ハ本夫ノ告訴ヲ待テ之《コレ》ヲ論ス但《タダシ》本夫姦通ヲ縦容《ショウヨウ》シタルトキハ告訴ノ効ナシ

知ってる?」

「もちろん知ってるわよ。つまり、わたしたち懲役に行くんでしょう。監獄に入れられるのよ」

「叔父さんが告訴した場合はね。でも叔父さんは告訴しないと思うよ。妻が姦通罪だとなると世間体が悪いし、会社での地位も危くなるし、子供たちも可哀相だし……」

「甘いわよ」と初江は語気鋭く言った。「姦通……ああいやな言葉、それしただけで、罰せられるのよ。子供がO型だったら、あきらかにわたしたちの子供と証明されるのよ。旦那様は黙ってないわ。あの人、真面目《まじめ》一方なだけに、妻の裏切りを許せないと思う。それに……もし時田の父が知ったら、どんな叱責《しっせき》を喰うか恐しいの。父の性格として娘のふしだらには怒り狂うにきまってるわ」

「ぼく、責任を取りたいんだ」

「いまさら責任だなんて……最初から、あなた無責任じゃないの」

「叔父さんに言って、その子を引き取って育てる」「駄目よ。あなたには子供を育てる力なんかないわ。母親はわたしよ。わたしがその子を育てるの」「それじゃ、ぼくは卑怯者《ひきようもの》になる」「何言ってるの。あなた、わたしに迫ったときから卑怯者じゃないの。わたしを連れて駆け落ちする勇気もなくて、ずるずる今に来てしまったんじゃないの」「そうなんだ。ぼくには金がない。ヴロンスキーには金があった。だからアンナを連れてイタリアに行けた。ところがぼくは……」晋助はあやまった。初江は泣きだした。「あなたがあやまることないのよ。わたしが悪いんだから、年上のくせしてだらしがないからいけないの。わたしのせいで、あなたが破滅する必要は全くないのよ。黙ってらっしゃい。知らん顔してらっしゃい」「しかし……」

そのつぎに会ったときも子供の問題になると、話は同じ内容の反復であった。初江は嘆いたり怒ったり泣いたりし、晋助は不安がったり謝ったり慰めたりし、話は堂々巡りとなった。と言って晋助は、初江に会わずに済ますこともできなかった。二週間も会わないと、会いたくなって、出掛けてしまう。学校の授業をさぼり、なるべく悠太が学校へ行っている時間に訪ねた。なみやには、奥さまにフランス語を教えるためと言い訳して二階でひそかに話すのだった。が、悠次の帰国が近付いてくると、何だか遠慮と怖《おそ》れが強くなり、ここひと月ほどは訪れていなかった。そのあいだに初江はおそろしいほどに肥ってしまった……。

岸壁に船は着いたものの、税関の検査のせいか、乗客は中々降りてこなかった。人々は屋上から下のロビーへと移動した。美津と百合子と晋助は、風間藤江と三姉妹に出会った。美津と藤江が、百合子と松子と梅子が会話を交し、晋助には桜子が寄りついた。姉たちが着物姿なのに桜子は聖心の制服で、白い大きなリボンを髪につけていた。いつもの大人びた容姿が、子供に逆戻りした感じで、晋助は目をしばたたいた。

「何かおかしい」と桜子はちょっと脹《ふく》れ面《つら》をした。

「おかしくはないが、びっくりした。かわいらしい女学生に変装してるからね」

「仕方ないのよ、学校を早引けして来たんだもの。〝お醜《しゅう》〟なの、この制服。ベルトがお臍《へそ》の下にあるんだもの、胴が長く見えちゃうのよ」

「似合うよ。きみはやっぱり女学生なんだ」

「もう女学生なんて飽き飽きよ。早く卒業したいの。あと四箇月。待ち遠しいわ」

「卒業してどうするんだね」

「結婚するわ」

「誰と」

桜子は姉たちを流し目に見て、明瞭《めいりょう》に言った。

「晋助さんとよ」

晋助は努力して無表情のままでいた。ここで何か反応を示すとあとを引いて面倒なのだ。マントがずれたのを直す振りをして、顔をそむけた。

「晋助さん。わたしのことどう思ってるの」

「こんな所でそんな話はできない」

「じゃ、いつできるの」桜子は、白い滑らかな額に癇性《かんしょう》な青筋を立てた。彼女が一途《いちず》に夢中になると現れる、ほっそりとした絹糸のような筋で、鋭いけれども今にも切れてしまいそうに弱々しい。

「西大久保の家でできるじゃないか」

「あんなとこでできないわ。だっておばさまやら百合子ねえさんやらのお目々がうるさいんですもの」と〝うるさい〟の所に力を込めて言うと、松子が聞きつけて振り向いたので桜子はそっぽを向いた。

桜子から晋助の所に手紙が来たのは四月の末、天長節の頃《ころ》だった。風間振一郎と印刷された茶の事務用封筒だったので、びっくりして開けてみたら、シャリー・テンプルの写真が印刷された便箋に幼げな楷書《かいしょ》で書かれた恋文であった。前から晋助さんが好きだったが、このごろ「想う」ようになってきた、一度ぜひお会いしたい、今度の日曜日の正午に、信濃町《しなのまち》の駅の改札口で待っている、あそこは出口が一つしかないので間違わなくていいからという文面だった。たどたどしい文章だが、下書を作って清書したらしく一字の書き損じもなかった。女からの付け文など初めての上、しかも相手がよく知っている桜子の改まった告白なので、晋助は面白く思って当日出向いてみた。薄化粧の桜子は百合子のお古だというレース襟《えり》の白い洋服を着て、精一杯大人振っていたが、世間の狭い女学生の話題は乏しいし、緊張していたらしく、平素の茶目でいたずら好きの側面をみせず、やたら取り澄ましているばかりで晋助は退屈した。もっとも、相手にこちらの気持をさとらせぬように気を遣い、晋助はしきりと少女の喜びそうな一口話やら笑い話を熱心にしてやった。ひと月ほどしてまた手紙が来たが中間試験のため行けぬと、女名で返事を出し、そのまま夏休まで会わずじまいだった。秋になると、桜子は姉の百合子に会うという口実で、丁度晋助が二週間に一度寮から実家に戻る日をねらっては遊びに来た。しかし、美津や百合子やはるやの目があって、そうそう二人切りで話すわけにもいかず、晋助にとっては都合がよく、桜子にとっては不満足な塩梅《あんばい》になった。ところで、桜子の口から、晋助と結婚したいなどという言葉が出たのは今が最初であった。ちょっとした遊び心で少女と付き合ってきたのが、相手が存外に真剣になってきて、具体的な未来を目差しだすと、晋助には面倒なのだ。それに今は初江の子の問題で頭が一杯である。

船客がタラップを降り始めたので人々はロビーから外に出た。晋助は美津と百合子と並んで悠次に挨拶《あいさつ》した。彼は、ハワイで買ったらしい場違いに派手な背広を着ていた。「立派になりましたねえ」とからかうと、それをまに受けて喜んでいた。

初江が産気づいて騒ぎになった。あの体で横浜までの遠出はどだい無謀すぎた。埠頭《ふとう》のコンクリートに坐りこんでいた彼女は、車に乗ろうと体を起した。ステップが高いのでうまく登れず、晋助は飛んで行って彼女を押し上げようとしたが、あせって乱暴にやりすぎ、時田利平に見咎《みとが》められた。ようやく自力で座席に這《は》いあがった初江は、激痛に顔をしかめていた。

女の腹の痛みが彼には胸を刺す痛みとして感じられた。

車が去ると悠次が悠太と駿次を船内見物に連れて行ったので、晋助も跡を追った。鉄の階段や木の甲板に朴歯《ほおば》がやけに反響し、船員からいやな顔をされた。船橋まで登ると港が一望できた。海岸の公園、ホテル群、クレーンと倉庫、港内を走りまわる巡察艇……一隻《せき》の客船が出航したところだった。真っ白な船体は軽く身震いして、名残りの五色のテープを靡《なび》かせている。海のあなたの遥けき国へ、こがれ憧《あこが》れわたるかな。旅へのいざない、波枕《なみまくら》。晋助が文学・美術・音楽の国へ旅立ちたいと言うと、悠次はフランスは大金持の国だと言い返した。ヨーロッパは遠く、旅費は莫大《ばくだい》で、脇家の暮し向きでは到底捻出《ねんしゅつ》できない。留学費をどこからか集めなくてはならない。悠次から借金すればと思うが、株や債券や利殖に執心している彼は文学など見返りのない営みに金を出しはしないだろう。風がひとしきり吹き募り、息が詰ったとき、ふと晋助は初江の痛みを胸に甦《よみがえ》らせた。女が陣痛に苦しんでいるとき、男は遠くの国へ逃げて行くことを考えている。妊《みごも》った恋人を捨ててフランスへ逃げた、藤村の『新生』の主人公のように、自分も勝手な男だと思う。

駒場の寮に戻ると、同室の村瀬と花岡から活動を見に行こうと誘われた。渋谷の東横映画劇場で、ゲーリィ・クーパーの『将軍暁に死す』が今日封切になったという。晋助は一も二もなく誘いに応じた。初江のお産が気になったのは映画がはねてからだった。西大久保に電話してみたら美津が出て、「もうとっくに生れてるはずなのに、まだ連絡がないんだよ。悠ちゃんは気が利《き》かないから、こっちへ知らせるの忘れたんじゃないかねえ」と言った。

晋助が女の子誕生を知ったのは翌日の午後、放課後であった。そして赤ん坊の血液型がB型であると知ったのは、時田病院での御七夜の祝に出席したときであった。末っ子で、これで子供は央《つき》る意味をこめて、央子《おうこ》と名付けられた乳のみごは、色白でさぞや美人になるだろうとみんなから祝福された。初めての娘を得て悠次はもう手放しの喜びようであった。

15

産後の肥立は上々で、十日ほどで利平から退院の許可がおりた。ところが、初江は急に発熱し、乳房が固く張って苦しみだし、あれこれ検査のすえ、〝鬱乳《うつにゅう》〟と〝悪露《おろ》滞溜〟と診断されてさらに十日の入院を言い渡された。どうにか熱がさがった十二月初旬、初江はふたたび熱を出した。今度は、体のどこにも異常は発見されず、利平は冗談まじりに、「これはヒステリー熱じゃ。お前は里から家に帰るのがいやなもんで熱を出しよる」と言った。

たしかに三田の居心地はよかった。ひろい病室を一人で占領し、三度の食事は黙っていても運ばれてくるし、夏江や史郎は頻繁《ひんぱん》に訪れてくれるし、悠太は西大久保に帰して下の二人は鶴丸が面倒を見てくれているし、おのれは赤ん坊の世話にかまけていればよかった。

それに央子は手の掛らぬ子であった。昼間はよく眠り、夜になるとすこし泣くが、乳首をふくませるとすぐ機嫌《きげん》を直し、乳を飲み終ると、もう嬉《うれ》しげに笑っている。音には敏感で、カーテンを引く音、ドアの音で目を覚まして泣く。しかし、オルゴール・メリーを回してやったり、歌を唱《うた》ったりレコードを掛けてやると、簡単に泣きやむのだった。

そうこうしているうちに十二月も半ばになった。ある午後、この数日来の平熱で気分がよく、起きて赤ん坊に乳を飲ませた。そこへ夏江が姿を見せ、

「いいお天気よ。ポカポカ暖くて、もったいないくらい」

と言った。

「外に連れ出してみようかしら」と初江は腕の中のわが子を見た。乳をたっぷり飲んで満足げな顔である。乳房にすりつける頰《ほお》の皮がすこし剝《む》け、鼻の周辺が真っ白だ。力んで小さな体を一杯にそらした。すると薄い皮膚に鴇色《ときいろ》が花弁のようにひろがった。

「抱かせて」と夏江は、すっかり慣れ切った手付で姉の懐《ふところ》から子供を抜き出した。「目はおねえさん似ね。肌《はだ》の色はおにいさん。顔の形は……」夏江は首を傾《かし》げた。が、深くは考えず、

「両方似か」と言った。

細長く伸びていた頭と顔は日数を経るにつれて丸く縮まり、目鼻立ちも整ってきた。心無しか晋助に似ているような気がする。が、悠次は自分似だと言っている。肌の白いのは小暮家の遺伝で、悠次も美津も真っ白である。敬助は礼助の系統らしくやや黒いが、晋助は白い。ところで、初江は利平の遺伝で浅黒く、子供たちの肌も悠太と研三は母親、駿次は父親の血をひいている。血液型がBだったので、央子は誰の子かはっきりしなくなった。依然として不安と危惧《きぐ》の念はあるが、悠次が初の女の子の誕生を喜び肌色も顔も自分にそっくりだと思い込んでいるので、初江もそれが正しいのだと自分に言い聞かせるようになった。

それに、ともかく清らかなかわいらしい子なのだ。男の子を三人育ててきたが、同性の子には違った意味で親しみが持てた。自分の分身で将来のよき友だちという気がする。泣き声も男の子のように激しくはないし、手足の動きもおとなしい。

「不思議なものね」と夏江が言った。「こんなに小さいくせに、もう二重瞼《ふたえまぶた》でぱっちりした目なのね。それに、女の子らしく、何となく優しい顔」

「そうね」初江も一緒にわが子を覗《のぞ》き込んだ。窓から射《さ》しこむ陽光が子の顔を撫《な》でると、まぶしげに目を閉じる、そういう反応を姉妹は面白がった。

暖いと言っても、もう十二月である。風邪でも引かせたら大変と赤ん坊を入念にくるんだ。初江が抱いて、夏江が予備のおくるみやおむつを入れた籠《かご》をさげた。病院の玄関へ出ると人気の赤ちゃんを見ようという看護婦たちに取り囲まれてしまうので、炊事場の勝手口から逃《のが》れ出た。徳川邸の森は鈴懸《すずかけ》や楓《かえで》の黄や紅の葉を少し残し、あらかたは裸木となって、明るい日差しが地面に溢《あふ》れていた。大通りに出た。赤ん坊は生れてお初に病院の外へ出たのである。

「どこへ行きましょう」「あんまり遠くはいやね」「安全寺坂はどう」「あ、あそこなら静かでいいわ」

安全寺坂とは時田病院の南にある丘に入る道である。以前はよく通ったが最近は訪れていない。今はどうなっているかという好奇心があって二人は行ってみることに決めた。慶応義塾を背に大通りをふと曲ると急峻《きゅうしゅん》な坂道があり、今までの賑《にぎ》やかな商店街からは想像もつかぬ、ひっそりとした裏町に入った。登り切った所に銀杏《いちょう》がそびえ立っている。相生樹《あいおいじゅ》だが、どちらの幹も同じような大樹で、昔から姉妹は、この樹《き》を仲のよい自分たちになぞらえていた。黄葉は八分通りは散ったものの、まだ風が吹くと雨のように黄金を降らし、あたり一帯を華やかに染めていた。

「この木、また大きくなったみたい」と夏江は遥《はる》かな梢《こずえ》を見上げた。

「ほんと」と初江も見上げた。「考えてみると、ここには随分来てないわ。すくなくとも結婚してからは一度も……そうすると八年以上、かれこれ十年以上か。木って生長するものね」

「わたしね、おかあさまと来たのが最後、去年、いやおととしかな、あの坂をお登りになるのが大変だった。あの頃から、もうお体弱ってらしたのね」

「おかあさま……」子供のとき母に連れられてここまでよく来たのを思い出した。母はこの道が好きで、春や夏の夕方など、ふらりと子供連れで散歩に出た。生れたばかりの夏江を抱いた母が蟬《せみ》しぐれのなかを、八つの初江、六つの史郎を従えて歩いている姿がありありと甦った。若い美しい母であった。そして自分が今、母にかわって央子を抱いている。初江は急に悲しくなって、鼻をすすり、涙を飲みこんだ。幼年時代というと、赤らかな世界がすぐ連想されるのは、多分あの夕暮どきが心に沁《し》みているせいであろう。ひとしきり風がつのり、無数の涙のように葉が散った。樹が何かを語り掛けてくる。お前たちも変ったねと言っているようだ。姉妹は顔を見合せた。

赤ん坊は眠っていた。その軽いものをゆっくりと揺らしながら歩く。三人の孫が男の子で、つぎは女の子だったらいいねと口癖に言っていたのが菊江だった。央子を見たらどんなに喜んだことだろう。欅《けやき》の裸木が繊細な網目模様を天に描いている。ひときわ抜きん出た楠《くすのき》が、これは青々とした葉をたっぷりと保っていた。楠を屋根に被《かぶ》った二階屋が、今にも崖《がけ》から転げ落ちそうにして建っていた。二人が唄《うた》と三味線を習った長唄のお師匠さんの家だ。

「お師匠さん、まだ住んでらっしゃるかしら」と初江が言った。

「さあ……おととしはまだ住んでらしたようだけど」と夏江は言い、表札を見て、「あら、名字が変ってる。亡《な》くなられたのかしら、それともお引越し……」と中を窺《うかが》った。人気なく、錆《さ》びた風鈴だけが鳴っている。

「ここにせっせと通ったわね」と初江は、腐れ落ちた羽目板に目をやった。初江が習っていた頃がお師匠さんの最盛期で、坂道を娘たちがぞろぞろと往来し、温習会には百人以上もの演奏があった。それが、夏江の頃にはめっきりさびれ、温習会もせいぜい二十人前後となっていた。

「おねえさん」と夏江が唐突に、何だか咽喉《のど》を締めつけられたような声を出した。「わたしね、離婚しようと思うの」

「離婚……」初江はどきんとして立ち止った。離婚というのは何だかどぎつすぎて使えず、彼女の語彙《ごい》にない言葉だった。

「ごめんなさい、こんなとこでこんな話。でも病院じゃ壁に耳ありでしょ」

「お旦那《だんな》とうまくいってないのはわかるけど、そこまでしなくちゃならないの」

「もうどうしようもないのよ。性格も、趣味も感覚も、何もかも合わない。酒好きなのは男の人だから仕方ないと思うわ。でも女を作るのは許せない。ねえ、わたし、何度もおねえさんに相談しようと思ったの。でも、妊娠中は嫌な話を聞かせると胎教に悪いと思って黙ってたの。あら、ここは寒いわ。赤ちゃん風邪引いたら大変、あそこの日なたに出ましょうよ」

道の脇《わき》が斜面に乗り出して丘の下の町が見渡せた。沢山の寺が形よく甍《いらか》を連ねた先に、時田病院の軍艦のように異様な建物が迫《せ》り上っていた。斜陽がまともに照りつけて、温められてくる。具合よく、切株が椅子《いす》の替りをしてくれた。

「病院がよく見えるわ」と初江は感心した。「いろいろと増築したのね。あの銀杏よりもっとすごい成長ぶり」

「あの右の建築中のが新病棟よ。硝子《ガラス》が沢山光ってるでしょう。あれが新サンルーム、これはもう完成してるの。変った構造で、〝時田式紫外線療法室〟として、設計設備を将来売り出すんですって」

「おとうさま、いとと結婚なすってから猛烈な張り切りようね」

「それが恐《こわ》いのよ。湯水のようにお金が消えて行くわ。土地も建物も全部借金の抵当に入ってるの」

「ところで女を作るって……どういう」初江は本題に入った。

「全部話すわ。この夏頃気がついたのは、どこかで芸者遊びしてくることなの。土曜の夜出て、日曜の昼帰ってくる。彼は酒場で酔いつぶれていたと弁解するけど、着物に移り香、芸者の名刺、それに財布がからっぽ、でわかっちゃうの。まあ商売女なら目をつぶるかとあきらめていたら、最近若い看護婦に手を出し始めた。映画に誘って、飲んで、そのあと旅館に泊ったらしいのね」

「証拠はあるの」

「それが間の抜けた話でね、二人して旅館から出てきたところを、お久米さんに見られちゃったの」

「まあ、悪い人に見られたものね」

「ほんと、それだけ聞くと偶然すぎておかしいようだけど、実はお久米さん、前から二人の仲が怪しいと睨《にら》んで、別にわたしが頼みもしないのに探偵《たんてい》を買って出て、二人の跡を散々付け回し、とうとう旅館に入るのをたしかめ、翌日、また出掛けて見張ってたのね」

「まあ、執念深い……」

「お久米さんなりのわたしへの親切なのね。わたしが中林の外泊についてちょっと愚痴ったところ、彼女が乗ったってわけ。旅館も病院の目と鼻の札《ふだ》ノ辻《つじ》」

「まあ……」〝あきれた〟と言おうとして、初江は自分を省みた。自分だって中林と同じたぐいの不行跡を重ねている。

「わたし、もう決心したわ。あんな男と別れる」

「事務長は続けるんでしょう」

「やめる。わたし病院を出たいの」

「でも、病院は困るし、第一おとうさまが……」

「病院もおとうさまも大丈夫、おいとさんがいるから。あのひと、聡明《そうめい》で勉強家で、病院とおとうさまを守《も》り立てていくわ。わたしなんかいないほうがいいの」

「残念ねえ、夏っちゃん、いなくなるなんて。史郎ちゃんも出ちゃったし、病院はいとに乗っ取られるわ」

「おとうさまがお元気なうちは誰も手出しはできないわ。そのあと、誰かが取りたければ取ればいい」

「でも時田病院はわたしたちの古里よ。時田利平の子孫の誰かに継いでほしいわ」

「そうかしら……人間の作った物はいつかは亡《ほろ》びるわ。それに死んだとき病院なんて墓場に持ってけやしなくてよ」

初江はふっつり糸が切れたように黙った。夏江の言うとおりだと思う。しかし、せっかく母の遺言を守ってここまでやってきた妹が挫《ざ》折《せつ》するのが何とも憐《あわ》れであった。目の前で威風堂々と家々の海を蹴《け》立《た》てている時田病院が、いつの日にか亡びると想像すると変に淋《さび》しくなって、初江は赤子を抱きしめた。

「日が翳《かげ》ってきたわ、帰りましょう」と夏江が言った。

夏江が事務室の自席に坐《すわ》ると、留守中久米薬剤師が二度顔をのぞかせたと知らされた。すぐむかいの薬局へ行く。久米はつい一週間ほど前から働き始めた小肥《こぶと》りの女薬剤師と一緒に薬包紙に薬を包んでいた。

「何か用だったの」

「おや、お嬢さま、どこで油を売ってらしたの」と久米は振り向きもせず手を働かせている。

「いろいろと用事があるのよ。手伝いましょうか」と夏江が手を出すのを、久米はピシャリと叩《たた》いた。

「駄目《だめ》、今この人に練習させてるんだから。ほら、薬が洩《も》れてるでしょう。あなた」と小肥りの女に詰め寄った。「まずきちんと三角形を作って折る。そして、薬を真ん中に集めるの。わかった……。わかったら、はいって言いなさいよ」

「はい」と女は脹《ふく》れっ面《つら》で言った。

やれやれ、この人も長続きはしないだろうと夏江は思った。この夏からでも、もう二人も薬剤師がやめている。まず、子持ちの主婦は、託児所へ子供をむかえに行くため残業はせず、子供が病気だと言っては休み、とうとう久米は癇癪《かんしゃく》をおこしてやめさせた。それでは男をと、やっと見付けた中年の男性は腋臭《わきが》がひどく、困りはてた久米が特別に取り寄せた腋臭用の薬を塗るよう命令すると、こんな侮辱を受けたのは初めてだと怒ってやめてしまった。これで、夏江が事務長に就任した春から数えれば四人やめ、この小肥り女が五人めなのだが。

久米は薬品倉庫に夏江を誘い、たちまち小肥り女への鬱憤を洩らした。動作が遅くて久米の半分以下の速度でしか薬包紙を包めず、それも薬をこぼしてしまう。劇薬を使ったら劇薬《げきやく》棚《だな》に入れて鍵《かぎ》を締めろと言うのに、一般薬と同じ棚に平気で置く。十倍散のロートエキスを処方どおりの分量、つまり十分の一の量だけ計ったため、胃病の患者から今度の薬は全然効かないと文句を言われた……。

「でも、あの人を探すの大変だったのよ。今度は何とか定着させてよ」

「わかってるわ。だから一所懸命再教育してるの。ところで、あの女だけど、とうとう白状したわよ。末広婦長に調べてもらったの。十二月の勤務日程表を作るとき、わざとあの女に土曜の準夜と日曜の深夜を割り当てておいたら、案の定文句を言いに来たのね。そこで散々とっちめてやった。しらを切ってたけど、札ノ辻の太平館から中林先生と出てきたのを目撃されたと言ったら泣き出した。副院長に言い寄られて嫌だったけど、お金と着物欲しさに承知したらしいの。さて、この落し前はどうつける」

「馘《くび》にするのは簡単だけど、恨みに思って中林の不行跡を言い触らしたりすると困るし……」

「お嬢さま、そんなに気弱じゃ駄目」と久米薬剤師は、年増女《としまおんな》がおぼこ娘に忠告する口調で言った。「旦那さまがどんな方か、もうすこし知っとかれたほうがいいわ。寝物語に、おれは院長夫人とも寝たことがあるなんて自慢する方なんだから」

「おいとさんと……まさか」

「いいえ、まさかじゃないの。そう、あの女が言わなければお嬢さまには黙っているつもりだったけど、これは知る人ぞ知る事実なんだから。おお先生が博士論文の研究に熱中なすってたとき、中林先生とおいとさんが助手で一緒に方々旅行したのは御存知でしょう。たしか新潟の山の中の温泉に行ったとき、中林先生がおいとさんを誘惑して、それがおお先生に知られて大騒ぎになったの。そのあと、おいとさんのために新田の別荘を建てたんだから……」

「新田が建ったのは昭和七年の秋よ」

「じゃ、四年前だ。それを今ごろ、おいとさんが院長夫人におさまってから、自慢たらしく密女《みそかめ》に言うなんて、どういう神経かとあきれますよ」

「いいのよ、お久米さん、わたしちゃんと自分で決着をつけますから」

「やっぱりあの女を馘にしますか」

「いいえ、中林を馘にするの」

「はあ……」と驚いている久米薬剤師を後目《しりめ》に夏江は倉庫を出た。ついさっき、初江に話したときはまだ迷いがあった。しかし、〝あんな男と別れる〟と姉に言ってみたところ、思いがけず気持が軽やかになり、是非ともそうしなくてはならぬと心に決めたのだった。離婚と決めると事務長をやめる決心はごく自然にできた。いとに事務長の全権をゆずり、自分は身を引く、たぶん病院を出て、どこかで働いて独りで生きて行く。どこで働くか。子供が好きだし、託児所の手伝いをしてきたから保姆《ほぼ》なら何とかできるだろう。必要なら資格を取ろう。その間生活できるだけの貯《たくわ》えはある。そうだ、セツルメントの託児所で働いたらどうだろう。竹内睦子に相談してみよう。夏江の意識は急流となってまっしぐらに滝壺《たきつぼ》に落ちて行った。

病棟に入った。憤然としてどしどし足早に行くのだが、どこへ行くのか自分でもわかっていない。が、事務長のさがで、廊下の清掃の具合、水を充《み》たした防火用バケツの配置、カーテンの破損箇所《かしょ》などに視線が吸い付けられた。

事務長さんの視察と見て看護婦たちがちょっと改まった顔付で黙礼してくる。末広婦長になってから大部屋はベッドごとに白カーテンで区切るようにし、看護婦詰所の窓を取り払い患者がいつでも声を掛けられるカウンター式にし、廊下の段差に斜面をつけて担架車の通行に便利なようにした。つまり病院はモダンになったのだが、その改築のためあれこれの出費を強《し》いられた。

重傷者室のドアが開き、中林副院長と末広婦長が出てきた。自分を待つようにして、夏江が立っているので中林は怪訝《けげん》な顔をして、「何か用」と尋ねた。彼の鼻の先は最近石榴《ざくろ》のように赤く脹れてきて、これは酒呑《さけの》みのかかる酒皶《しゅさ》という皮膚病だというが、それで無くても締りのない馬面がさらに滑稽《こっけい》になった。

「おとうさまを探してるの」と夏江は顔をそむけ、この人にはもう何の未練もないと心中で呟《つぶや》いた。

「おお先生は隔離病棟だと思います」と末広婦長が教えてくれた。「サンルームの窓のあけたてがどうのと岡田と話してらっしゃいましたから、たぶん」

「ありがとう」と夏江は事務的にそっけなく言って、奥へ向った。曲りくねった廊下の突き当りの鉄扉《てっぴ》に来て、鍵を忘れたのに気付いた。すると末広婦長が走ってきて開けてくれた。

「ありがとう」と夏江は今度はにっこりして言いながら、末広は自分が鍵を忘れたのを見破り、ずっと跡をつけてきたのかしらと不思議がった。もしかしたら自分の顔付が尋常でないので怪しまれたのかしらとも思った。

新築のサンルームには簡易ベッドが並び半裸の患者たちが日光浴に励んでいた。移動可能な仕切で男女を分けたのと、十数枚の鏡を調節して太陽の位置に関係なく常時陽光を送りこむ仕掛が利平の発明であった。鏡には英国製の薄い特殊硝子《ガラス》を用い紫外線の吸収を最小に押えてあったが特別注文のためおそろしく高価な代物《しろもの》であった。もっとも、この〝時田式紫外線療法室〟は、設計設備の一切をセットにして全国の病院に販売する計画で、この建築費ぐらいすぐ回収できると、利平は息巻いていたが。

看護婦がおお先生はつい二、三分前までここにおられましたと言う。増築した隔離病棟は広くて、探し出すのが容易ではない。夏江の頭にひらめくものがあった。一度外に出ると鉄の螺旋《らせん》階段を登る。果して頂上の露台に利平は立っていた。

「夏江か、こんな所に何しに来よった」

そう言われて夏江は困った。ともかく父に会いたくて、夢中でここまで来たものの、まだ離婚や事務長辞任の件を父に告げる心構えはできていない。にわかに告げれば父は落胆し、それを照れかくしに、かえって激怒してしまい収拾がつかなくなる。

「あのう」と荒く息衝《いきづ》きながら、どうにか声を出した。「おとうさまこそ、何してらっしゃるの」

「普請《ふしん》の進捗《しんちょく》状況を空中から偵察しとるんじゃ。見てみい。中々ようできちょる。岡田は新式すぎて文化住宅みたいですと不満だが、あの棟梁《とうりょう》どもようやるわ。完成すれば結核患者百人は収容できる。いよいよ患者二百五十人の大病院じゃ。お前もようやってくれとるが、これからが正念場じゃ。事務長として頑張《がんば》ってもらわんとな。医者も足りん、看護婦も足りん」

「お金も足りません。借金だらけですわ」

「だからお前を頼りにしちょる。ま、借金なんかすぐ返せる。現に病棟は作ったそばから満床じゃろが」利平は大満悦の体で頷《うなず》いた。夏江は、何かを言い出すには、今は時機がまずいとあきらめた。

「さてと」利平は、糊《のり》のきいた白衣の胸を勢いよく叩いてパリパリ音をさせた。「きょうは義士祭じゃ。孫たちを泉岳寺へ連れていく。悠太も呼んだ」

「呼んだ……でも誰かが西大久保へ迎えに行かないと」

「心配いらん。いとに電話させたら、一人で来られると言いよった。もう一年生じゃからな」

「まだ一年生ですわ。一人では無理ですわ」

「もう来ちょる」と利平は心からおかしそうに高笑いした。「一人で来てな、二階で弟たちと遊んどるわ。そうそう、初江は今夜退院させる」

「今夜ですか」夏江はびっくりした。本人は何も知らずに、のうのうと里暮しを楽しんでいるのだ。

「ああ、もうひと月経《た》った。いつまでもおってはいかん。悠太が来たのがよい機会じゃ。夕食後、母子ともに浜田に送らせる」利平は鉄階段を還暦過ぎの人とは見えぬ身軽さで、ガンガン音高く走り降りていった。

伊《い》皿子《さらご》坂《ざか》の停留所から人波が泉岳寺へと流れて行く。坂の両側に露店が並び、門前町から山門へと大変な賑《にぎわ》いである。群衆は押し合い圧《へ》し合いして身動きもならぬ有様だ。そんな中をぐいぐい進む背の低い利平は、ともすれば見失われてしまう。

「迷子にならないよう気をつけなさい。悠ちゃん」といとは言い、自分は研三の手を引いて、夏江には「駿ちゃんをお願いしますね」と念を押した。

子供たちは露店に気を取られて、ゆるゆると進むのをむしろ喜んでいる。お好み焼、章魚《たこ》焼《やき》、林檎《りんご》飴《あめ》、金太郎飴、義士装束の玩具《おもちゃ》に目を奪われる。ことに駿次はしばらくもじっとしていず、夏江がちょっと油断している隙《すき》に大人たちの間をくぐり抜けて店屋の前に立ってしまう。それをあわてて引き戻し、利平の跡を追うのだった。

どうにか山門をくぐると、四十七士の墓地の方角へ長い縦隊が蛇《だ》行《こう》していた。陸海の軍人が多い。白い手袋をはめた陸軍士官学校や幼年学校の生徒が力んで胸を張っている。古ぼけた軍服の在郷軍人が負けじと老いの身で姿勢を正している。愛国婦人会の主婦たちや小学生の団体が陸続と詰めかけてきた。本堂では盛大な供養《くよう》がおこなわれているらしく、轟《とどろ》くような読経《どきよう》を鉦《かね》と木魚の律動が区切っていた。

「こりゃ駄目《だめ》じゃ。動かんな」利平はせかせかと足踏みした。

「動いてますよ」といとは夫をなだめた。「ご覧なさいまし、もうそこが石段です」

いとの着ている着物に見覚えがあった。紺紬《こんつむぎ》に木立と雪をあしらった柄は菊江が冬になると好んで着たものに違いない。肩幅や裾回《すそまわ》しを直して新品のように着こなしているのが、母の思い出を奪われたようで夏江には不愉快だった。古女房《ふるにょうぼう》然として年上の夫に口をきいているのも気に入らない。どう見ても夫婦というより親子である。しかしいとは頓着《とんじゃく》なく、悠太に「おばあちゃまがあとで討入太鼓を買ってあげますからね」などとにこやかに話し掛けている。

ようやく首洗井戸を通り過ぎ、石段を登り詰めて墓地の棟門《むなもん》を通ると、中は咽《む》せかえるばかりの煙の渦《うず》だった。煙が目に沁《し》みるうえ煙幕で先の方は定かに見えぬ。それ以上進めず、あきらめて帰る人も多い。利平は門脇で火付けの線香を各自に一束ずつ買いあたえ、ポケットから湿ったガーゼマスクを取りだすとみんなに配った。「いいか、目を細めて、ゆっくり息をして、突進じゃ」

マスクのおかげで煙の中へ平気で足を踏み入れられた。悠太と駿次はガスマスクをつけた兵隊ごっこと心得て、ほかの参詣人《さんけいにん》が煙にまかれて立往生している脇を走り回った。こうして、墓石の基が線香の山盛りで、すさまじい煙に包まれた大石良雄之墓も難なく通過し、四十七士の名前を一つ一つ確かめながら無事墓参をおえた。ここは初めてだといういとは、利平の周到な用意に感心して、「おとうさまは大したものですわねえ」と夏江に言った。

墓地は混雑が激しかったが遺物館は空《す》いていた。もっとも観覧したのは、悠太と夏江だけで、利平はいとと孫二人を連れて茶屋で待つことになった。

浅野《あさの》長矩《ながのり》公自刃《じじん》の短刀、大石良雄復仇《ふっきゅう》の際使用せし采配《さいはい》や兜《かぶと》、義士たちの太刀、書画、鎖《くさり》帷子《かたびら》、鉄の弓張、山鹿流《やまがりゅう》陣太鼓、義士たちの似顔人形などを悠太は丹念に見た。読めない漢字を夏江に読んでもらうと、「あ、原惣右衛門《そうえもん》てのは江戸にいたんだ。赤穂《あこう》に早打を出した人だ」とか、「堀部弥兵衛はね七十七、一番年寄なんだ」などという。試しに、「じゃ一番年下は誰」と尋ねると、「もちろん大石主税《おおいしちから》だよ。十六だもん」と答え、「でもね、主税てのは背が高かったんだ。五尺七寸もあったんだよ」と付加えた。

「悠ちゃん、一体誰に教わったの」と夏江は甥《おい》の幼い顔を驚いて見た。

「教わらないよ。うちにある本にね、義士の名前が表になって出てるの」

「でも漢字読めないでしょう」

「仮名が振ってあるもん」

「そう……」軍艦の名と形を覚えたり、義士の名前や年齢や身長を覚えたり、この子は妙な才能があると夏江は思った。

悠太がゆっくり見て回るものだからすっかり時間をくって、いとが心配して迎えに来た。外はとっぷり日暮れて、提灯《ちょうちん》行列が始まっていた。地元の高輪《たかなわ》中学と高輪商業の生徒たちが「義士祭」「忠勇義烈の士」「元禄《げんろく》快挙二百三十五年紀念」などの幟《のぼり》を押し立てて練り歩いて行った。行列が跡切《とぎ》れたところで一同は帰途についた。伊皿子坂を登り始めると左右に塀《へい》の高い屋敷が続いて暗くなった。とある家の前で利平は足を止め、夏江を招き寄せると、先に行くいとには聞えぬ小声で、「ここがな、昔の永山邸じゃ。おれがな、お前のおかあさんに初めて出会った所じゃ」と言った。いとが不審がって振り返るのへ、利平は、「暗いから足元に気をつけろ」と叫び、夏江に、「というわけじゃ。ハッハ」と笑った。夏江は思い切って父の耳元で、早口に言った。

「おとうさま、わたし、中林と別れます。事務長もやめます。あとで詳しくお話ししますわ」

「何じゃと」と、利平は、押し殺した、叱《しか》り付けるような口調で言った。「別れて、やめて、どうするんじゃ」

「病院を出ます。ひとりで生活します」

「それは困るわ」利平はのけぞり、ふらりとよろめいた。茶屋で一杯引っ掛けたらしく酒臭い。酔った父に重大事を打ち明けた迂闊《うかつ》を夏江は悔んだ。

「それは困るわ」と、利平は変に弱々しい声でまた言った。「お前まで病院を出たら、おれはどうなる。ひとりぼっちじゃ」

「おいとさんならば、万事手抜かりなくやれますわよ」

駿次と研三が石垣《いしがき》に登ってしまったのを、いとは追って行き、遠くにいた。

「いとではお前の代りにならん。なあ、夏江、中林は駄目《だめ》な男で、別れてもよい。しかし事務長はやってもらわんと……」

「わたし疲れましたの。ご免なさい、おとうさま。もう力がありません」夏江は、全力を奮い立たせてきっぱりと言った。
「仕方がないのかのう」利平は項垂《うなだ》れると、坂をとぼとぼと登り始めた。

久し振りに一家揃《そろ》っての朝食であった。食卓は普通の卓袱台《ちゃぶだい》よりも背が高い。故小暮悠之進が、出入りの大工に樫《かし》の一木を削って作らせたもので、発育盛りの子供が背筋を真《ま》っ直《すぐ》に伸ばして食事ができるよう工夫してある。もっとも小さい子には高すぎ、研三など座蒲団《ざぶとん》二枚の上に坐らせねばならない。隣の座敷で眠っている央子をチラと見てから、初江は夫と子供たちに頰笑《ほほえ》んだ。こうして自分の調理した料理を給仕していると、自分が妻であり母であると、しみじみ実感する。
悠次は旅行中の日焼けが褪《あ》せて地の白い肌《はだ》に戻った。しかし欧米で脂《あぶら》っこい物を食べて肥《ふと》った分はそのままだ。腹が突き出たため、背広の大半が着られなくなった。昨夜は上に載られて重かった。潰《つぶ》されそうだった。苦しいともがくと、笑いながら横にずれてくれた。しかし、妊娠中には律儀《りちぎ》に遠ざかっていた妻の体に、いつになく熱情をこめていどんできた。わたしもいつになく自然に体を開き、ほとんど夢中になった。彼の熱いものがほとばしったとき、喜びがわたしの全身に充塡《じゅうてん》された。不思議な喜びだった、充実だった。わたしは悠次を晋助だと思ったのか。最初幾分はそうだった気がする。けれども終ったとき、わたしは悠次の温《ぬく》み――彼の心も体も温かった――に包まれていた。この幸福な気分……迷うことはないのではないか、央子は悠次の子だ、わたしはそう信じたい、信じたい……。

「ごちそうさま」と悠太がきちんと一礼して立った。駿次が真似《まね》をした。研三だけは悠長《ゆうちょう》に食べている。生玉子をかけた御飯に穴をあけ、底に溜《たま》った黄身を秘密の宝物と見なして、空想にふけっている。御飯は山、穴は洞窟《どうくつ》である……。せっかちな悠次は、「早く食べなさい」と叱るが、初江は放《ほう》っておく。この子なりに何か大切な体験をしているのだと思う。悠次が立った。結局研三は一人だけ残った。悠次を送って玄関に行くと、丁度、ランドセルを背負って草履袋を持った悠太と一緒になった。半ズボンの汚れをはたいてやる。「行ってまいります」と走り出たのを、「ねえ、悠ちゃん」と呼び止め、「学校の帰りに寄り道しないのよ」と釘《くぎ》を刺した。悠太の〝放浪癖〟は相変らずで、いらぬ心配をさせられる。この前は、射撃場から戸山ヶ原まで〝遠征〟して、夕方に帰ってきた。一度ランドセルを家に置いてから出掛ける躾《しつけ》をしているのが、うまくいかない。

「そうそう。茶の間に出しておいた古文書をねえさんに届けてくれ」と悠次が靴《くつ》べらを置くと不意に言った。

「だって」と初江はたちまち渋面になった。「あの文箱《ふばこ》重いんですもの。なみやに届けさせますわ」

「いや、今度のは軽いんだ。漆塗りの籠《かご》なんだ。中身は江戸時代の出仕日誌だ。先祖が江戸詰の御倉番だったときの記録で、貴重なものだから、お前が自分で届けなさい。それに、出産祝のお礼と退院の報告もしといたほうがいい」

出産祝は安物のベビー服で、入院中一度御七夜のとき見舞に来てくれただけだった。それに晋助がもし在宅していたら困る。今は彼を避けたい気持が会いたい気持に優《まさ》っている。会って元の自分に逆戻りしたらと思うとおぞましい。

「それから」悠次は格子戸《こうしど》を引きつつ、また言った。「今晩、旅行の八ミリを映すから、ねえさんに見に来いと言ってくれ。時間は夕食後、七時半がいい」

赤ん坊が泣き出した。とたんに悠次はびくっとして踵《きびす》を返した。

「おい、大丈夫か。何だかひどく苦しそうだぞ」

「お乳がほしいんですよ」と初江は微笑した。泣き声に乳房が反応して乳が分泌《ぶんぴつ》されてき、一泣きごとに芯《しん》の痛みが強くなる。

「じゃ、頼んだぞ」と悠次は初江の返事も聞かず、飛び出して行った。

抱きあげるとすぐ央子は泣きやんだ。もう母親への期待を全身で表しつつ、薔薇色《ばらいろ》の唇《くちびる》をピチャピチャ動かしている。乳首を強い力で吸い始めた。痛みが一吸いごとに快感へと入れ替っていった。乳は豊かであった。上の三人も母乳で育てたのだ。三人の子の、それぞれの思い出を乳房が呼び覚ましてくれた。悠太は一日六回規則正しく飲み、時間外は静かにしていた。駿次は空腹になるとすぐ泣いて、飲む量も一定していなかった。研三は吸う力が強く、乳首がちぎれるかと思うほどで、びっくりするほど飲んで満腹すると、いつも飲み過ぎの分を吐き出すのだった……。

廊下で硝子ごしの冬日を浴びつつ、初江はうっとりと庭を眺《なが》めた。わが家の唐楓《とうかえで》や欅《けやき》も隣家の梧桐《あおぎり》もすっかり葉を落し、青空は広く新宿の百貨店と小学校のビルがまる見えだった。

満足した央子が笑った。大分長く伸びた睫毛《まつげ》の下の目が大きい。と思うと、うとうとと眠りだした。子供部屋は静かだ。なみやが洗濯板《せんたくいた》をこすっている。市電が大久保車庫から抜弁《ぬけべん》天《てん》への坂道を登って行き、ぐーんと重い地鳴りが伝わってくる。時折青バスやタクシーがエンジン音を撒《ま》いていくほか、大通りはひっそり閑としている。初江は央子を蒲団に横たえると、監督する主婦の目で家中を見て回った。食器は全部洗ってあるし、掃除は行き届いていた。このなみやという女中は、最近初江の気持をよく汲《く》んでそつのない仕事をしてくれる。九時半だ。美津を急いで訪ねようと決心した。風呂場《ふろば》で泡《あわ》を立てているなみやに、脇に行くから赤ちゃんを頼むと言うと、おびえ切った様子で立ち上った。

「泣いたらどうしますですか」

「すぐ帰ってくるから」

なみやは小さな目を引き裂くように開いた。

「でも、泣いたときは……。奥さま、わたくし、赤ちゃんて抱いたことねえでございますですよ」

「抱かなくていいの。もうすぐお風呂に入れるから蒸し器と大薬《おおや》缶《かん》にお湯を一杯沸しといてね。それから、きのう三田から持ってきた新しい盥《たらい》をよく洗っておいて」

「盥のお風呂でございますですか」なみやは愉快そうに目を細めた。

「そうよ。あんたも手伝っておくれね」

大急ぎで着替えして、文箱を風呂敷に包んだ。悠次は軽いと言ったけれども相当に重い。

脇家の枝折戸《しおりど》を入ったとき庭先で話声がした。呼鈴を押したが返事がない。何回も呼んでみて通じないので、庭に回ってみた。

姉《あね》さん被《かぶ》りをして割烹着《かっぽうぎ》に襷《たすき》掛けの美津と百合子とはるやが雫《しずく》のしたたる布を干していた。黒松の幹から泰山木の幹へと渡した長い布帛《ふはく》にひごでピンと張りを与えるのだ。鳶色《とびいろ》と黄色に染め分けられた布地がキラキラと光っている。

「まあ綺麗《きれい》ですわねえ」と初江は思わず嘆声を発した。

「香椿《チャンチン》の幹と夾竹桃《きょうちくとう》の葉で染めたのよ」と美津は誇らしげだ。彼女は草木染の趣味があり、四季おりおりに反物や風呂敷を染める。茎葉や幹材を煎《せん》じて染液を取るのだが、同じ植物でも四季に応じて色合が違うし、煎汁の取り方が複雑で、初江は一、二度手伝ってみて到底自分にはできない仕事だとあきらめた。

「そちらはね、金木犀《きんもくせい》の絞り染め」と美津は焜炉《こんろ》の上で煮立っている大鍋《おおなべ》を顎《あご》で差した。糸でくくられた絹布が唐茶《からちゃ》色に染っている。

「きのう退院いたしました」と初江は背筋を伸ばしてきちんとお辞儀をした。

「それはおめでとう」と美津は布帛から手を離してこちらを向いた。不審げに初江の胸元を見ている。「おや、赤ちゃんはどうしました」

「今寝てるものですから……」

「おや、それは残念ねえ。御七夜のときに会っただけだから、どんなになったかと思って」

「すみません。今度連れてまいりますわ。あ、そうでした……今晩、悠次さんが世界旅行の八ミリ映画を映すので、よかったらお出下《いで》さいませんか」

「外国は、わたくし、関心がないものでね」と美津は、映画など面倒くさいと言わんばかりの口調だった。

「いいえ、御無理でしたら結構でございます。悠次さんがお暇でしたらどうぞと申しただけで……。それから、これ、お望みの古文書を持ってまいりました」

「それはありがとう」美津は初めて相好を崩した。「百合子さん、あとはわたしがやりますから、お茶をいれて差しあげなさいな」

「はい」と百合子が返事をし、「どうぞ、おかまいなく」と遠慮している初江を強いめくばせで家の中へ誘った。

「二階に行きましょう」と百合子は先に立った。

平素は駒場の寮にいる晋助の留守部屋は散らかし放題であった。書棚《しょだな》を食《は》み出した本が机上や床に積みあげられてある。書きかけの原稿用紙や紙屑《かみくず》が本の間に突っ込まれている。

「いじられるのを嫌《いや》がりなさるから」と百合子は苦笑し、奥の部屋に入った。以前敬助が使っていた所である。麻布の家にあった箪笥《たんす》や卓袱台や長火《ながひ》鉢《ばち》などが置いてある。赤い箪笥被《おお》いや紫の座蒲団がいかにも女の部屋らしい。

「ここがわたしの部屋」と百合子は襖《ふすま》を閉じると、両足を畳に投げだして大きく息をついた。

「やれやれ、下にいると肩が凝っちゃうわ」

「大変ね」と初江は同情した。

「いい方なのよ、おかあさま。嫁を教育しようと一所懸命なの。お掃除、お洗濯、お料理、お裁縫、草木染といろいろと教えて下さり、それは為《ため》になるわ。わたしも感謝してはいるんだけど、ちょっと堅苦しくって逃げ出したくなるの。まあ、あとすこしだから我慢するわ。来年の春、チチハルに行きます。今度、尉官にも妻子帯同の許可がおりたのよ」

「よかったわね」

「今すぐでもいいんだけど、それは想像を絶する寒さだから、春まで待てと敬助さんが書いてらしたの」百合子は銅壺《どうこ》の湯を急須《きゅうす》に入れ、猫板《ねこいた》の上の茶碗《ちゃわん》に注いだ。

「敬助さん、お元気」

「のよう。夏の匪賊《ひぞく》討伐では大手柄《おおてがら》を立てたんですって。随分敵を殺したらしいわ。わが方の損害は兵二名の戦死だけですって」

廊下に足音がした。百合子はきちんと坐り直し、聞き耳を立てて、言った。

「晋助さんだわ。期末試験が終ったので帰ってきたのよ。あーあ、するとわたし今夜から下で寝なくちゃならないわ」

「どうして」

「だって、二階に男と女がいるなんて変でしょう。晋助さんが帰ったときだけ、わたし下でおかあさまと一緒なの。でも前よりはいいのよ。前はずっと下で寝てたんだもの。それをおかあさまの反対を押し切って、やっと二階にあがってきたのよ」

「入っていいですか」と晋助の声がした。

「どうぞ」と百合子が答えると、遠慮がちに襖が開き、彼が入ってきた。「やあ」と初江に会釈《えしやく》して胡座《あぐら》をかき、両手を火鉢にかざした。

「この寒いのに、お袋ときたら、よく外で働けるな。どうです叔母さん、赤ちゃん元気ですか」

「元気ですよ」

「今晩赤ちゃん見に行きますよ。八ミリも見たいし。ねえ、ねえさん」と百合子に言い、「一緒に行きましょう。お袋は行かないそうだけど」

「どうぞ……」と初江は俯《うつむ》いた。晋助が入って来たときからどうしても平静になれなかった。居心地が悪く、逃げだしたい気持がしきりに起ってくるので、こういう気持をそれまで彼の前で覚えたことがなかっただけに、落ち着けなかった。ふと初江は面《おもて》をあげて言った。「晋助さん、トルストイの『復活』持ってる」

「持ってますよ」

「じゃ貸して」

「ずっと前に読んだんだ。探さなくちゃ」

「じゃ、今すぐ探して。わたし、もう帰らなくちゃならないの」

晋助を初江は素早く追って行き、部屋に入るとドアを閉じて、男と向き合った。女の勢いに驚いている男に、初江は低いけれども力を込めた声で言った。

「央子は夫とわたしのあいだの子よ。そうすることに決めたの。わたしね、あなたとの今までの関係、無かったことにしたいの。だからもうわたしに近寄らないで」

「もう会わないと言う意味なの」晋助は憐《あわ》れっぽい表情になった。

「そうは言ってないわよ。今までのような関係は、もう無しにしようと言うの。でなきゃ、今後、わたし、あなたに会わないわ。どう、承知してくれる……」

　晋助は初江の剣幕に圧倒され、目を大きく見開いて小さく合点をした。男が何かを言いたげに唇を動かしたとき、女はドアを開いて飛び出し、後手にドアをピシャリと閉じた。階段を下まで降りてから振り仰いで見たが、晋助は追ってこなかった。何かが終った淋《さび》しさで、初江は思わず涙ぐんだ。寒い暗い空気が足元に迫ってきた。


（「第三章　小暗い森」に続く）

初出
文芸誌「新潮」(一九八六年一月号〜一九九五年十一月号)に連載。

後に、それぞれが独立した単行本として新潮社から刊行された『岐路』(上下巻、一九八八年六月刊)『小暗い森』(上下巻、一九九一年九月刊)『炎都』(上下巻、一九九六年五月刊)の三部作は、文庫化に際して著者の手が入り、『永遠の都』という総タイトルのもとに、全七巻の文庫版として一九九七年五月から八月にかけて刊行された。本書は、その新潮文庫版を底本にするものである。

新潮文庫版『永遠の都 2 岐路』は、一九九七年五月刊行

加賀乙彦

一九二九（昭和四）年、東京生まれ。東京大学医学部卒業。一九五七年から六〇年にかけてフランスに留学、パリ大学サンタンヌ病院と北仏サンヴナン病院に勤務した。犯罪心理学・精神医学の権威でもある。著書に『フランドルの冬』『帰らざる夏』（谷崎潤一郎賞）、『宣告』（日本文学大賞）、『湿原』（大佛次郎賞）、『錨のない船』など多数。本書『永遠の都』で芸術選奨文部大臣賞を受賞、続編である『雲の都』で毎日出版文化賞特別賞を受賞した。

永遠《えいえん》の都《みやこ》 2

岐路《きろ》

〈全七冊セット〉

発行 二〇一五年三月三〇日

著者 加賀《かが》乙彦《おとひこ》

発行者 佐藤隆信

発行所 株式会社新潮社

東京都新宿区矢来町七一

郵便番号 一六二-八七一一

電話 編集部〇三-三二六六-五四一一

読者係〇三-三二六六-五一一一

http://www.shinchosha.co.jp

印刷所 二光印刷株式会社

製本所 大口製本印刷株式会社

乱丁・落丁本は、ご面倒ですが小社読者係宛お送り下さい。送料小社負担にてお取替えいたします。

価格は函に表示してあります。

ISBN978-4-10-330817-1 C0093